D0779128

Room

Emma Donoghue

Room

Traduit de l'anglais (Canada)
par Virginie Buhl

ÉDITIONS FRANCE LOISIRS

Titre original : *Room*

Édition du Club France Loisirs,
avec l'autorisation des Éditions Stock

Éditions France Loisirs,
123, boulevard de Grenelle, Paris
www.franceloisirs.com

Le Code de la propriété intellectuelle n'autorisant, aux termes des paragraphes 2 et 3 de l'article L. 122-5, d'une part, que les « copies ou reproductions strictement réservées à l'usage privé du copiste et non destinées à une utilisation collective » et, d'autre part, sous réserve du nom de l'auteur et de la source, que les « analyses et les courtes citations justifiées par le caractère critique, polémique, pédagogique, scientifique ou d'information », toute représentation ou reproduction intégrale ou partielle, faite sans le consentement de l'auteur ou de ses ayants droit ou ayants cause, est illicite (article L. 122-4). Cette représentation ou reproduction, par quelque procédé que ce soit, constituerait donc une contrefaçon sanctionnée par les articles L. 335-2 et suivants du Code de la propriété intellectuelle.

Épitaphe extrait de « Danaë » de Simonides. Traduit par Richmond Lattrimore dans *Greek Lyrics*.
© 1955 by The University of Chicago. All rights reserved.
© Emma Donoghue 2010. This edition published by arrangement with Little Brown and Company Inc., New York, USA. All rights reserved.
© 2011, Éditions Stock pour la traduction française.

ISBN : 978-2-298-05414-9

Ce roman est dédié à Finn et Una,
mes chefs-d'œuvre

My child,
Such trouble I have.
And you sleep, your heart is placid ;
you dream in the joyless wood ;
in the night nailed in bronze,
in the blue dark you lie still and shine.

Simonides (c. 556-468 avant J.-C.), « Danaë »

MES CADEAUX

Aujourd'hui, j'ai 5 ans. Hier soir j'en avais 4 quand j'ai été me coucher dans Petit Dressing, mais *abracadabra* ! il fait encore nuit et je me réveille dans Monsieur Lit avec mes 5 ans. Avant, j'avais 3 ans, et 2, et 1 an, et encore avant 0 an. « Est-ce que j'ai eu des moins que zéro ?

— Hein ? » Maman s'étire de tout son long.

« Quand j'étais au Ciel. Est-ce que j'avais moins 1, moins 2, moins 3 ans… ?

— Mais non, les chiffres n'ont commencé que quand tu es tombé de là-haut.

— Par Madame Lucarne. Tu étais toute triste avant que j'arrive dans ton ventre.

— Bien vrai. » Maman se penche pour allumer Madame Lampe qui fait la lumière, rapide comme l'éclair : *clac !*

Je ferme les yeux juste à temps ; après j'en rouvre un, juste un chouïa, et les deux.

« Je pleurais toutes les larmes de mon corps, raconte Maman. Je restais couchée là à compter les secondes.

— Il y en avait combien ? je lui demande.

— Des millions et des millions.

— Non, dis-moi le vrai nombre !

— J'en ai perdu le compte.

— Alors tu as fait un vœu et prié pour que ton œuf pousse et tu es devenue grosse. »

Elle sourit. « Je te sentais donner des coups.

— À qui ?

— À moi, bien sûr. »

Je ris toujours quand elle me raconte ça.

« De l'intérieur : *boum-boum !* » Elle soulève son T-shirt de nuit et fait bouger son ventre. « Je me suis dit : "Jack sera bientôt là." Dès le lendemain matin, tu as atterri sur le tapis, les yeux grands ouverts. »

Je regarde Monsieur Tapis avec ses petits zigzags rouges, marron et noirs qui s'enroulent. Je vois la tache que j'ai renversée sans faire exprès quand je suis né. « Tu as découpé le cordon et j'étais libre, je lui dis. Après je me suis changé en garçon.

— En fait, tu étais déjà un garçon. » Maman se lève et s'approche de Monsieur Thermostat pour chaudir l'air. Je crois pas qu'il est venu hier soir après neuf heures : l'air est toujours différent, après. Mais je demande pas à Maman parce qu'elle aime pas parler sur lui.

« Dis-moi, Monsieur Cinq, tu préfères recevoir ton cadeau tout de suite ou après le petit-déjeuner ?

— C'est quoi ? C'est quoi ?

— Je sais que tu es excité mais évite de te mordiller le doigt, des germes pourraient se faufiler dans la blessure.

— Et me faire malade comme quand j'avais 3 ans, envie de vomir et la diarrhée ?

— Encore plus, répond maman, ces microbes pourraient te tuer.

— Et me renvoyer au Ciel plus tôt ?

— Tu recommences à le ronger. » Elle écarte mes doigts.

« Pardon. » Je pose mes fesses sur la vilaine main. « Appelle-moi encore Monsieur Cinq.

— Eh bien, Monsieur Cinq, dit-elle, pour ton cadeau, c'est tout de suite ou après ? »

Je saute sur Monsieur Rocking-Chair pour regarder Madame l'Heure qui dit 7 h 14. J'arrive à faire basculer Monsieur Rocking-Chair vers l'avant comme un skate-board sans me tenir et *youpi !* je me catapulte sur Madame Couette pour faire du surf des neiges. « Quand on doit les ouvrir, les paquets ?

— L'un ou l'autre sera amusant. Tu veux que je décide pour toi ? demande Maman.

— Non. Maintenant j'ai 5 ans, c'est moi qui dois choisir. » Mon doigt est encore dans ma bouche. Je le coince sous mon bras et je serre fort. « Je choisis… tout de suite ! »

Maman sort un truc de sous son oreiller, je crois qu'il était caché là, invisible, toute la nuit. C'est un grand rouleau de papier à lignes et tout autour, il y a le ruban rouge de la boîte de 1 million de chocolats qu'on avait eue la dernière fois que Noël est arrivé. « Ouvre-le, me dit-elle. Doucement. »

Je trouve comment défaire le nœud et j'aplatis la feuille : c'est un dessin, juste au crayon, sans couleurs. D'abord, je ne sais pas de quoi mais après je le retourne. « Moi ! » Comme dans Monsieur Miroir, sauf qu'en plus de ma tête on voit mon bras et mon épaule sous la manche de mon T-shirt de nuit. « Pourquoi le Moi a les yeux fermés ?

— Tu dormais, répond maman.

— Comment tu as fait pour dessiner endormie ?

— Non, moi j'étais réveillée. Hier matin, avant-hier et le jour d'avant, j'ai allumé la lampe pour faire ton portrait. » Maman arrête de sourire. « Qu'est-ce qu'il y a, Jack ? Il ne te plaît pas ?

— Pas… si tu es là quand j'y suis pas.

— Mais enfin, je ne pouvais pas te dessiner tant que tu étais éveillé, ça n'aurait pas été une surprise, tu comprends ? » Elle attend. « Je pensais qu'une surprise te ferait plaisir.

— Je préfère une surprise où je sais. »

Maman a un drôle de petit rire.

Je remonte sur Monsieur Rocking-Chair pour prendre une épingle dans Boîte de l'Étagère ; une en moins, ça veut dire que maintenant il en restera zéro sur cinq. On en avait six mais une a disparu. Il y en a une pour accrocher *Chefs-d'œuvre de l'Art occidental n° 3 : La Vierge à l'Enfant avec sainte Anne et saint Jean-Baptiste* derrière Monsieur Rocking-Chair ; plus une pour *Chefs-d'œuvre de l'Art occidental n° 8 : Impression soleil levant* qui est à côté de Madame Baignoire ; une autre pour la pieuvre bleue et encore une autre pour le cheval fou qui s'appelle *Chefs-d'œuvre de l'Art occidental n° 11 : Guernica*. Les chefs-d'œuvre, on les a eus dans le paquet de farine d'avoine, mais c'est moi qui ai fait la pieuvre, c'est mon plus beau dessin du mois de mars ; son papier s'enroule un peu en bouclettes à cause des vapeurs de Madame Baignoire. Je mets le portrait-surprise en plein milieu du panneau de liège, au-dessus de Monsieur Lit.

Maman secoue la tête. « Pas ici. »

Elle veut pas que Grand Méchant Nick le voie. « Et dans Petit Dressing, au fond ? je demande.

— Bonne idée. »

Comme Petit Dressing est en bois, je dois appuyer superfort sur l'épingle. Je referme ses portes, elles grincent toujours, ces idiotes, même après qu'on a mis de l'huile de maïs sur les gonds. Je regarde par les lattes mais c'est trop sombre. Je rouvre juste un peu pour espionner : le dessin secret est tout blanc sauf les minuscules traits en gris. La robe bleue de Maman cache un bout de mon œil endormi, pas le vrai, celui de l'image, c'est la robe qui est là pour de vrai.

Je sens l'odeur de Maman près de moi parce que j'ai le nez le plus fin de la famille. « Oh ! J'ai oublié que je prends toujours mon Doudou-Lait quand je me réveille.

— Tant pis. On pourrait peut-être s'en passer de temps à autre, maintenant que tu as 5 ans, non ?

— Jamais de la vie ! »

Alors Maman se couche sur le côté blanc de Madame Couette, moi aussi, et je bois tout plein de Dou-dou-Lait.

***

Je compte 100 céréales, je renverse la cascade de lait blanc-presque-comme-les-bols sans éclabousser et on dit merci au Petit Jésus. Je choisis Grande Cuiller Fondue avec son manche blanc tout plein de cloques parce qu'elle s'était appuyée sur la casserole où les pâtes étaient en train de bouillir mais pas exprès. Maman n'aime pas Grande Cuiller Fondue, mais c'est ma préférée parce qu'elle est pas pareille que les autres.

Je caresse les égratignures de Madame Table pour les guérir ; Madame Table est un cercle tout blanc sauf le gris des égratignures à cause des légumes qu'on avait coupés dessus. En mangeant, on joue à Fredonne-Moi une Chanson qu'on peut faire la bouche fermée. Je devine la « Macarena », «Il descend de la montagne à cheval » et « Swing Low Sweet Chariot », sauf que c'est « Stormy Weather ». Comme j'ai 2 points, je reçois 2 bisous.

Je chantonne « Rame sur ton bateau, tout au fil de l'eau » et Maman la reconnaît tout de suite. Quand j'essaie « Tubthumping », elle fait une grimace et dit : « Ah ! Je sais, c'est celle qui raconte comment on se relève après avoir été mis K-O, mais comment s'appelle-t-elle ? » Tout à la fin, elle se rappelle la bonne réponse. Pour mon troisième tour, je fredonne « Can't Get You Out of My Head » mais Maman ne voit pas du tout. « Tu en as choisi une sacrément dure… Tu l'as entendue à la télé ?

— Non, je la connais de toi. » Tout à coup, je me mets à chanter le refrain et Maman se traite de bébête.

« Andouille ! » Je lui donne ses deux bisous.

Je pousse ma chaise jusqu'à Monsieur Évier pour laver la vaisselle ; avec les bols, je dois y aller doucement mais les cuillers, je peux les faire claquer : *cling, tac et cling !* Je tire la langue dans Monsieur Miroir. Maman est derrière moi, je vois ma figure par-dessus la sienne comme un masque qu'on avait fait quand c'était Halloween. « J'aurais aimé que mon dessin soit meilleur mais au moins il te montre tel que tu es.

— Je suis comment ? »

Elle donne une petite tape là où on voit mon front dans Monsieur Miroir et son doigt laisse une marque ronde. « Moi tout craché !

— Pourquoi je suis toi tout craché ? » Le petit cercle disparaît.

« Ça veut simplement dire que tu me ressembles. Sans doute parce que tu viens de moi, comme ma salive. Les mêmes yeux bruns, la même grande bouche, le même menton pointu… »

Je nous regarde tous les deux en même temps et après dans Monsieur Miroir où l'autre Maman-et-Moi nous regarde aussi. « Pas le même nez.

— Oui, tu as ton nez d'enfant pour l'instant. »

Je le prends dans mes doigts. « Il va tomber et un nez adulte va repousser ?

— Non, non, il va simplement grossir. Mêmes cheveux bruns…

— Mais les miens, ils descendent jusqu'à ma taille et les tiens, ils s'arrêtent aux épaules.

— C'est vrai, dit Maman en prenant le dentifrice. Tes cellules sont deux fois plus vivantes que les miennes. »

Je savais pas que les choses pouvaient être juste à moitié vivantes. Je regarde encore une fois dans Monsieur Miroir. Nos T-shirts de nuit sont différents, eux aussi, et pareil pour nos culottes : celle de Maman est sans nounours.

Quand elle a craché deux fois, c'est mon tour : je brosse-brosse tout autour de chaque dent avec Mademoiselle Brosse à Dents. Dans Monsieur Évier, la salive de Maman ne me ressemble pas du tout du tout, la mienne non plus. Je rince et je fais un sourire de vampire.

« Hou ! » Maman se couvre les yeux. « Tes dents sont si propres qu'elles m'éblouissent ! »

Les siennes sont très abîmées parce qu'elle a oublié de les brosser ; maintenant elle regrette et elle pense toujours à les laver, mais elles sont quand même gâtées.

Je raplatis les chaises et je les cale devant Monsieur Séchoir à Linge, à côté de Madame Porte. À chaque fois il grogne et il dit qu'il y a pas la place mais y en a plein s'il se tient vraiment droit. Moi aussi, je peux me redresser bien à plat mais pas autant, à cause de mes muscles, vu que je suis vivant.

Le bon Dieu ne montre pas sa figure aujourd'hui, Maman dit que la lumière a du mal à percer à cause de la neige.

« Quelle neige ?

— Regarde ! » Elle la montre du doigt.

Ça brille un petit peu en haut de Madame Lucarne, mais le reste de sa vitre est tout noir. La neige de Madame Télé est blanche mais la vraie, non : bizarre. « Pourquoi elle nous tombe pas dessus ?

— Parce qu'elle est à l'extérieur.

— Dans l'Espace ? Si elle était dedans je pourrais jouer avec elle.

— Oui, mais elle fondrait parce qu'il fait bien chaud ici. » Maman se met à fredonner et je devine tout de suite que c'est « Let It Snow ». Je chante le deuxième couplet. Après je choisis « Winter Wonderland » et elle chante la mélodie avec moi, mais plus aiguë.

On a des milliers de choses à faire tous les matins, comme donner une tasse d'eau à Madame Plante, dans Monsieur Évier pour pas en renverser partout, et après remettre le pot sur sa soucoupe, sur Madame Commode. Avant, Madame Plante habitait sur Madame Table, mais la figure dorée du bon Dieu lui a brûlé une feuille. Il lui en reste neuf de ma largeur de main et toutes couvertes de fourrure. Maman dit que les chiens sont pareils. Mais les chiens, ça existe que dans Madame Télé. Je trouve un bébé feuille qui commence à pousser : ça fait dix.

Petite Araignée existe en vrai. Je l'ai vue deux fois. Je la cherche mais il y a rien qu'une toile entre le pied et l'aplati de Madame Table. Madame Table est forte en équilibre, pourtant c'est superdur : quand je me mets sur une jambe, je peux rester debout très-très longtemps mais je tombe toujours à la fin. Je parle pas de Petite Araignée à Maman. Elle enlève les toiles, elle dit qu'elles sont sales mais moi je trouve qu'elles ressemblent à des fils d'argent extrafins. Maman aime bien les animaux en liberté qui se mangent entre eux sur la planète sauvage de Madame Télé mais pas les vraies bêtes. Quand j'avais quatre ans, je regardais des fourmis grimper sur Madame Cuisinière et Maman s'est jetée dessus et elle les a toutes écrasées pour pas qu'elles mangent nos provisions. Elles étaient vivantes et une minute après, en bouillie. J'ai pleuré si fort que mes yeux ont failli tomber en larmes. Et puis une autre fois, il y avait une bestiole dans la nuit qui faisait *niiiing-niiiing-niiiing* et me piquait, alors Maman l'a écrabouillée d'une grande claque sur Monsieur Mur-Côté-Porte, sous Madame Étagère : c'était un moustique. La marque est toujours là, sur le liège, même si Maman a frotté. C'est mon sang qu'il me volait comme un vampire riquiqui. J'en ai perdu que ce jour-là.

Maman prend sa pilule dans la plaquette argentée avec vingt-huit petits vaisseaux de l'espace, j'attrape une de mes vitamines dans le flacon où on voit un petit garçon debout sur les mains et après elle avale un autre comprimé du gros flacon qui montre une femme en train de jouer au tennis. Les vitamines, c'est des médicaments pour pas tomber malade et pas retourner au Ciel tout de suite. Je voudrais jamais y aller ni être mort mais Maman dit que peut-être ça nous ira quand on aura cent ans et plus du tout envie de jouer. Elle prend aussi un a-mal-gésique. Parfois elle en avale deux mais jamais plus parce que certaines choses sont bonnes pour nous mais trop, ça devient très dangereux d'un coup.

« C'est pour Dent Malade ? » je demande. Celle qui est vers le fond en haut de sa bouche, c'est la pire.

Maman fait oui de la tête.

« Pourquoi tu prends pas deux a-mal-gésiques un petit peu tous les jours ? »

Maman fait la grimace. « Je deviendrais accro.

— Qu'est-ce que… ?

— Comme coincée sur un crochet parce que j'en aurais besoin tout le temps. En fait, j'en aurais de plus en plus besoin.

— Pourquoi il faut pas en avoir besoin ?

— C'est difficile à expliquer. »

Maman sait tout sauf ce qu'elle se rappelle pas bien ; sinon des fois elle dit que je suis trop petit pour comprendre.

« Mes dents me font un peu moins mal si je pense à autre chose.

— Pourquoi ?

— L'esprit est plus fort que la matière : si tu t'en fiches, c'est moins grave. »

Moi, quand j'ai mal à un endroit, j'arrête pas d'y penser. Maman me frotte l'épaule même si elle me fait pas mal, mais j'aime bien ça.

Je lui dis pas encore, pour la toile d'araignée. C'est bizarre d'avoir un secret rien qu'à moi et pas à

Moi-et-Maman. Tout le reste est à nous-les-deux. Mon corps, je crois qu'il est à moi comme les idées dans ma tête. Mais mes cellules sont faites avec ses cellules alors c'est un peu comme si j'étais à elle. Et aussi quand je lui dis mes pensées et qu'elle me dit les siennes, nos idées de chacun se mélangent dans nos deux têtes comme si on coloriait au crayon bleu par-dessus le jaune pour faire du vert.

À 8 h 30 j'appuie sur le bouton de Madame Télé et j'essaie les trois chaînes. Je trouve *Dora l'Exploratrice, youpi !* Maman tourne Lapinot l'Antenne tout doucement pour faire l'image meilleure avec ses oreilles et sa tête. Un jour, quand j'avais 4 ans, Madame Télé est morte et j'ai pleuré, mais pendant la nuit Grand Méchant Nick avait rapporté une boîte décodeuse magique pour que Madame Télé redevienne vivante. Après la trois, les autres chaînes sont toutes brouillées alors on les regarde pas pour pas s'abîmer les yeux sauf s'il y a de la musique et qu'on met Madame Couverture pour écouter à travers le gris de sa laine et danser comme des p'tits fous.

Aujourd'hui je pose mes doigts sur la tête de Dora pour lui faire un câlin et je lui dis que j'ai des superpouvoirs à cause de mes 5 ans : elle sourit. Elle a des cheveux vraiment énormes, comme un casque tout marron où qu'on aurait coupé les cornes pointues, et sa tête est aussi grosse que son reste du corps. Je retourne m'asseoir sur les genoux de Maman dans Monsieur Lit ; je me tortille pour plus être sur ses os durs. Elle a pas beaucoup d'endroits tout mous mais ceux-là, ils sont hyperdoux.

Parfois Dora dit des choses mais pas en vraie langue, en espagnol, comme *lo hicimos*. Elle porte toujours Sac-à-dos d'où elle sort des millions de trucs, comme des échelles et des combinaisons spatiales, ce qu'il faut pour tout : danser et jouer au football et de la flûte et avoir des tas d'aventures avec Babouche le singe, son meilleur ami. Chaque fois, elle dit qu'elle a besoin de mon aide, pour retrouver un objet magique ou ramer et elle attend que je réponds : « Oui. » Quand je crie : « Derrière le palmier ! », la flèche bleue clique juste au bon endroit et elle me dit : « Merci. » Tous les autres habitants de Madame Télé écoutent jamais. La Carte montre toujours trois endroits et on doit aller au premier pour aller au deuxième et après au troisième. Je marche avec Dora et Babouche en leur donnant la main et je chante toutes les chansons avec eux, surtout quand il y a des cabrioles et des tapes dans la main ou alors pour la Danse du Grand Poulet. Il faut surveiller ce sournois de Chipeur, le renard voleur ; Moi et Babouche, on crie « Chipeur, arrête de chiper ! » trois fois jusqu'à tant qu'il se fâche et alors il s'écrie « Oh, mince ! » et il se sauve. Un jour, Chipeur avait fabriqué un papillon mécanique télécommandé sauf qu'il s'est déglingué : il a chipé le masque et les gants de Chipeur, c'était trop drôle ! Des fois, on fait la chasse aux étoiles pour les mettre dans la poche de Sac-à-dos. Moi, je choisis l'Étoile Bruyante qui réveille tout et l'Étoile Déformeuse qui peut se changer en toutes les formes.

Sur les autres planètes de Madame Télé, c'est surtout des gens qui peuvent rentrer par centaines dans l'écran mais souvent un seul devient géant et vient tout près. Ils ont des habits à la place de la peau, la figure rose, jaune ou marron, ou alors avec des taches ou des poils dessus, la bouche très rouge ou des grands yeux avec du noir sur le bord. Ils rient et ils crient beaucoup. J'aimerais tellement regarder Madame Télé tout le temps mais ça moisit le cerveau. Avant que je tombe du Ciel, Maman la laissait allumée toute la journée et ça l'avait changée en zombie – c'est comme un fantôme sauf qu'il fait *boum-boum* quand il marche. Alors maintenant elle éteint toujours au générique, les cellules se remultiplient pendant la journée et on peut regarder autre chose après le dîner parce qu'on se refabrique de la cervelle en dormant.

« Encore un dessin animé, pour mon anniversaire ! S'il te plaît ! »

Maman ouvre la bouche et la referme. À la fin elle dit : « Pourquoi pas ? » Elle baisse la voix des pubs parce qu'elles ramollissent le cerveau encore plus vite et après il dégouline par les oreilles.

Je regarde des jouets, il y a un camion génial et un trampoline et aussi des Bionicles. Deux petits garçons se battent avec des Transformers à la main mais pour s'amuser, pas comme des méchants.

Après *c'est Bob l'Éponge*. Je cours le toucher et aussi Patrick l'Étoile de Mer mais pas Carlo Tentacules, il fait peur. Aujourd'hui, c'est une histoire horrible qui parle d'un crayon géant alors je regarde entre les doigts de Maman qui sont deux fois plus longs que les miens.

Rien ne fait peur à Maman. Sauf Grand Méchant Nick, peut-être. Le plus souvent elle l'appelle juste « Lui » alors je savais pas son nom mais après j'ai vu un dessin animé sur un monsieur qui vient pendant la nuit et qui s'appelle le Grand Méchant Nick. Le nôtre, je l'appelle comme ça parce qu'il vient pendant la nuit mais il ressemble pas à celui de Madame Télé avec une barbe, des cornes et tout. Un jour j'ai demandé à Maman est-ce qu'il est vieux. Elle a répondu le double d'elle, c'est très vieux.

Elle se lève pour éteindre Madame Télé dès le générique.

Mon pipi est tout jaune à cause des vitamines. Je m'assois pour faire un caca et après je lui dis : « Au revoir, bon voyage jusqu'à la mer ! » Quand j'ai tiré la chasse, je regarde le réservoir se remplir et faire *glou-glou-glou*. Après, je frotte mes mains au savon si longtemps que ma peau me fait comme si elle allait s'enlever ; c'est pour être sûr de me les avoir bien lavées.

« Il y a une toile sous Madame Table. » Je savais même pas que j'allais le dire. « C'est à Petite Araignée, elle existe en vrai. Je l'ai vue deux fois. »

Maman fait un sourire, enfin pas vraiment.

« Tu veux bien pas l'enlever, dis ? L'araignée, elle est même pas dedans mais peut-être qu'elle va revenir. »

Maman se met à genoux pour regarder sous Madame Table. Je vois plus sa figure, mais après je la vois parce qu'elle coince ses cheveux derrière son oreille. « Écoute, je vais la laisser jusqu'à ce qu'on fasse le ménage, d'accord ? »

Ça veut dire mardi, dans trois jours. « D'accord.

— Tu sais quoi ? » Elle se relève. « Il faut qu'on inscrive le repère de ta taille maintenant que tu as cinq ans. »

Je saute en l'air, superhaut.

D'habitude, j'ai pas le droit de dessiner nulle part dans la Chambre ni sur ses mobiliers. Quand j'avais 2 ans, j'ai gribouillé sur le pied de Monsieur Lit, celui qui est contre Petit Dressing, alors quand on fait le ménage,

Maman tapote le gribouillis et dit : « Regarde, on doit vivre avec ça pour toujours. » Mais la taille à mon anniversaire, c'est pas pareil. Il y a des tout-tout petits chiffres à côté de Madame Porte, un 4 noir, un 3 noir en dessous et un 2 rouge qui était la couleur de Petit Stylo, avant, sauf qu'après il marchait plus. Et tout en bas, on voit un 1 rouge.

« Tiens-toi bien droit », dit Maman. Le stylo me chatouille en haut de la tête.

Quand je m'écarte, il y a un 5 noir juste un peu au-dessus du 4. Le 5, c'est mon chiffre plus préféré parce que j'ai cinq doigts à chaque main et aussi aux pieds, comme Maman : on est pareils tout crachés. Le 9 est mon plus détesté de tous. « C'est quoi, ma grandeur ?

— Ta taille. Euh, je ne sais pas exactement. On pourrait peut-être demander un mètre ruban comme Cadeau du Dimanche, un jour. »

Moi je croyais qu'ils existaient que dans Madame Télé. « N'importe quoi ! On n'a qu'à demander des chocolats ! » Je pose mon doigt sur le 4 et si je me mets debout en face de lui, ma main arrive à mes cheveux. « J'ai grandi moins beaucoup cette fois-ci.

— C'est normal.

— C'est quoi, normal ?

— C'est… » Maman se mordille la lèvre. « Ça veut dire que tout va bien. *No hay problema.*

— Regarde comme y sont gros, mes muscles ! » Je fais des bonds sur Monsieur Lit, je suis Jack le Tueur de Géants dans ses bottes de Sept Lieues !

— Immenses, dit Maman.

— Mégagrands !

— Colossaux !

— Énormes.

— Gigantesques.

— Géantesques. » C'est un mot sandwich avec deux autres collés ensemble.

« Pas mal !

— Tu sais quoi ? je lui dis. Quand j'aurai 10 ans, je serai grandi.

— Ah oui ?

— Je deviendrai grand-grand-grand et après je me changerai en humaine.

— En fait, tu es déjà un être humain, explique Maman, on l'est tous les deux. »

Moi je croyais que nous deux, on existait en vrai. Les habitants de Madame Télé, c'est rien que des couleurs.

« Tu pensais que tu te changerais en femme ?

— Oui, en femme avec un petit garçon dans un œuf dans mon ventre et il existera pour de vrai, lui aussi. Ou alors je serai un géant, mais un gentil géant, grand comme ça. » Je saute pour toucher Monsieur Mur-Côté-Lit, tout là-haut, presque à l'endroit où Monsieur Plafond commence à faire une pente.

« Ça sera super », dit Maman.

Sa figure est devenue toute lisse : j'ai pas dit ce qu'il faut, mais quoi ?

« Je ferai exploser Madame Lucarne, j'irai dans l'espace et je rebondirai de planète à planète : *boing-boing* ! J'irai voir Dora, Bob l'Éponge et tous mes amis ; et j'aurai un chien qui s'appellera Lucky. »

Maman fait un sourire forcé. Elle range le stylo bien à sa place sur Madame Étagère.

Je lui demande : « Quel âge tu vas avoir à ton anniversaire ?

— Vingt-sept ans.

— Waouh ! »

J'ai pas l'impression que ça la console.

Pendant que l'eau coule dans Madame Baignoire, Maman descend Grand Labyrinthe et Grand Château Fort du toit de Petit Dressing. On fabrique Grand Labyrinthe depuis que j'avais deux ans : il est tout en cartons de papier-toilette scotchés ensemble, les rouleaux partent en tunnels dans tous les sens. Petite Balle Rebondisseuse adore se perdre et se cacher là-dedans : je dois l'appeler, secouer Grand Labyrinthe, le retourner de tous les côtés et à l'envers, alors Petite Balle Rebondisseuse ressort, ouf ! Après je lance d'autres choses dedans comme une cacahuète et un bout cassé de Crayon Bleu et aussi un petit brin de spaghetti pas cuit. Ils jouent à chat dans les tunnels, ils arrivent par-derrière et ils crient *bouh !* Je les vois pas mais je mets mon oreille contre le carton pour deviner où ils sont. Mademoiselle Brosse à Dents veut y aller aussi, mais je lui dis que désolé, elle est trop grande. Alors à la place elle saute sur Grand Château Fort et elle monte la garde sur une tour. Grand Château Fort est en boîtes de conserve et en flacons de vitamines, on le construit un peu plus grand à chaque fois qu'on en vide. Il peut voir de tous les côtés et lancer de l'eau bouillante aux ennemis qui savent pas qu'il a des petites fentes secrètes, ah ah ! J'aimerais bien l'emmener dans Madame Baignoire pour le changer en île mais Maman dit que l'eau décollerait son scotch.

On détache nos queues-de-cheval pour laisser nager nos cheveux. Je me couche sur Maman sans dire aucun mot, j'aime le *toc-toc* de son cœur. Quand elle respire on monte et on descend un petit peu. Petit Zizi flotte sur l'eau.

Comme c'est mon anniversaire, j'ai le droit de choisir nos habits à nous les deux. Ceux de Maman habitent dans le tiroir d'en haut chez Madame Commode et les miens en bas. Je prends le jean bleu préféré de Maman, celui avec les coutures rouges qu'elle met juste les jours de fête même s'il commence à montrer ses fils aux genoux. Pour moi, je choisis le sweat à capuche jaune ; je fais attention avec le tiroir mais le côté droit s'enlève quand même et Maman est obligée de le renfoncer d'un grand coup. On m'enfile mon sweat ensemble, il avale ma tête et *pop*, je suis habillé !

« Si je découpais un tout petit peu dans le V de l'encolure ? demande Maman.

— Jamais de la vie ! »

Pour l'activité sportive, on renlève nos chaussettes parce que les pieds nus s'accrochent mieux par terre. Aujourd'hui, je décide qu'on fait Course sur Piste en première. Ho, hisse ! On soulève Madame Table tête en bas pour la poser sur Monsieur Lit, on couche Monsieur Rocking-Chair par-dessus et on les couvre tous les deux avec Monsieur Tapis. Petite Piste fait le tour de Monsieur Lit à partir de Petit Dressing jusqu'à Madame Lampe : ça dessine une forme de C noir sur Monsieur Par-Terre. « Eh, regarde, je peux y aller-retourner en seize pas !

— Waouh ! Quand tu avais quatre ans, c'était dix-huit, non ? dit Maman. Combien d'allers-retours penses-tu pouvoir faire en courant aujourd'hui ?

— Cinq !

— Et pourquoi pas cinq fois cinq ? Ton chiffre préféré au carré ? »

Quand on se compte les tours sur nos doigts, je trouve vingt-six mais Maman vingt-cinq alors je recompte et j'arrive à vingt-cinq aussi. Elle mesure mon temps sur Madame l'Heure. « Douze ! elle crie. Et dix-sept ! Tu t'en tires très bien. »

Je respire fort.

« Plus vite… »

Je vais encore de plus tant plus vite comme Superman en train de voler.

Quand c'est le tour de Maman, je dois écrire sur le Grand Bloc de Papier à Lignes le numéro au début et le numéro quand elle a fini ; après on fait l'opération pour voir si elle est allée beaucoup vite. Aujourd'hui, son résultat est neuf secondes plus grand que le mien, ça veut dire que j'ai gagné sur Maman alors je fais des bonds et je crie « Ouh, ouh ! » pour me moquer. « Si on faisait la course en même temps ?

— Ça pourrait être amusant, hein ? dit-elle. Mais souviens-toi du jour où on a essayé, je me suis cogné l'épaule contre la commode. »

Parfois quand j'oublie des choses, Maman me raconte et après je me rappelle.

On redescend tous les mobiliers de Monsieur Lit et on remet Monsieur Tapis à sa place qui cache Petite Piste, pour pas que Grand Méchant Nick voie le C qui salit Monsieur Par-Terre.

Après, Maman choisit Monsieur Trampoline mais c'est juste moi qui rebondis sur Monsieur Lit sinon Maman pourrait le casser. Elle, elle fait le commentaire : « Audacieux retourné aérien du jeune champion américain… »

En deuxième, je décide de faire Jacques-a-dit et puis Maman dit qu'il faut remettre nos chaussettes pour jouer à Cadavre, c'est quand on se couche comme des étoiles de mer avec les doigts des pieds tout mous, un nombril tout mou, la langue toute molle et même le cerveau tout ramollo. Maman a l'arrière du genou qui chatouille et elle bouge alors j'ai encore gagné !

Il est 12 h 13, ça veut dire qu'on peut manger le déjeuner. Mon passage préféré de la prière, c'est celui qui parle du pain quotidien. Pour les jeux, c'est moi le champion mais Maman est le chef des repas ; par exemple, elle nous laisse pas manger des céréales au petit-déjeuner, à midi et au dîner parce que ça pourrait nous rendre malades et de toute façon ça les userait trop vite. Quand j'avais 0 et 1 an, Maman me coupait et me mâchait ma nourriture mais après j'ai eu toutes mes vingt dents et je peux tout écraser en bouillie. Ce midi, on mange du thon sur des crackers ; mon travail, c'est d'ouvrir le couvercle de la boîte parce que Maman peut pas avec son poignet fragile.

Comme j'ai la bougeotte, Maman dit qu'on n'a qu'à jouer à l'Orchestre où on court partout pour voir sur quoi on peut taper des bruits. Je joue du tambour sur Madame Table et Maman fait des *toc-toc* sur les jambes de Monsieur Lit, et aussi des *pouf-pouf !* sur les oreillers ; avec une fourchette et une cuiller je sonne des *ding-ding* sur Madame Porte et nos pieds cognent des *boum* sur Madame Cuisinière. Mon bruit préféré c'est le coup de pied sur la pédale qui ouvre le couvercle de Madame Poubelle et *bing !* Mon meilleur instrument c'est Gratte, une boîte de céréales où j'ai collé plein de jambes, de chaussures, manteaux et têtes de toutes les couleurs découpés dans un vieux catalogue et après j'ai tendu trois élastiques sur son ventre. Grand Méchant Nick n'apporte plus de catalogues où choisir nos habits ; Maman dit qu'il devient de plus tant plus méchant.

Je grimpe sur Monsieur Rocking-Chair pour prendre nos livres sur Madame Étagère et j'en fais une tour à dix hauteurs sur Monsieur Tapis.

« Dix auteurs », dit Maman, et elle rit (moi, je trouve pas ça très drôle).

Avant, on avait neuf livres mais que quatre avec des images dedans :

Mon grand livre de comptines
Dylan le Maçon
Je vais me sauver
Le Livre Aéroport à déplier

Et cinq avec juste une image devant :

La Cabane
Twilight
La Sélection du Guardian
Un amour au goût amer
Da Vinci Code

Maman lit presque jamais ceux qui ont pas d'images sauf si elle est vraiment trop triste. Quand j'avais 4 ans, on en a demandé un autre avec des images comme Cadeau du Dimanche et *Alice au pays des merveilles* est arrivée ; je l'aime bien, Alice, mais elle a trop de mots et il y en a plein de vieux.

Aujourd'hui, je choisis *Dylan le Maçon* ; comme il est presque tout en bas, il écroule le gratte-ciel : *braaaoum*.

« Encore *Dylan*. » Maman fait une grimace et après elle prend sa plus grosse voix pour lire :

> « "Dylan est le plus costaud des maçons !
> À grands coups de pelle, il construit des maisons.
> Regardez comme il a le bras long,
> Aucun bulldozer n'aime autant la terre !
> Comme une pelle mécanique tourne et vire
> Nuit et jour il creuse et fore sans faiblir." »

Il y a un chat sur la deuxième image ; dans la troisième, il est sur un tas de rochers. Les rochers c'est des pierres en plus lourd comme la céramique de Madame Baignoire, Monsieur Évier et Monsieur W-C, mais moins lisse. Les chats et les rochers existent que dans Madame Télé. Dans la cinquième image, le minou tombe par terre sauf qu'eux, ils ont neuf vies, pas une seule chacun comme moi et Maman.

Maman choisit presque toujours *Je vais me sauver* à cause de la façon dont la maman lapin attrape le bébé lapin à la fin et lui dit : « Mange donc une carotte. » Les lapins existent que dans Madame Télé mais les carottes sont bien vraies, j'aime bien leur bruit qui croque. Mon image préférée, c'est celle où il se transforme en rocher dans la montagne et la maman lapin est obligée de grimper tout-tout en haut pour le retrouver. Les montagnes sont trop grosses pour exister en vrai ; j'en ai vu une à la télé avec une dame suspendue à des cordes. Les femmes sont pas pour de vrai et ni les petites filles et ni les petits garçons. Les hommes non plus, sauf Grand Méchant Nick mais je suis pas sûr qu'il existe en vrai de vrai. Peut-être juste à moitié ? Il rapporte les provisions et les Cadeaux du Dimanche et aussi il fait disparaître les déchets mais c'est pas un humain comme moi et Maman. Il vit que la nuit, comme les chauves-souris. Peut-être que Madame Porte le fait apparaître quand elle dit *bip-bip* et que l'air est plus pareil. Je crois que Maman n'aime pas parler de lui, ça pourrait le rendre plus vrai.

Je me tortille sur ses genoux et je me retourne pour regarder mon tableau préféré où Jésus joue avec Jean-Baptiste qui est son ami et son grand cousin en même temps. Marie est là aussi, blottie sur les genoux de sa maman, la mamie de Jésus, comme l'*abuela* de Dora l'Exploratrice. C'est un tableau bizarre, sans couleurs et où il manque des mains et des pieds : Maman dit qu'il est pas fini. Celui qui a fait pousser le Petit Jésus dans le ventre de Marie, c'est un ange tombé du Ciel, pareil qu'un fantôme mais en plus super, avec des plumes. Marie a été toute surprise, elle a dit : « Comment est-ce possible ? » et après : « D'accord, ainsi soit-il. » Quand le Petit Jésus est sorti de son ventre à Noël, elle l'a mis dans une mangeoire, mais pas pour que les vaches le mangent, juste pour qu'elles le réchauffent en soufflant parce qu'il était magique.

Maman éteint Madame Lampe et on se couche ; d'abord on dit la prière du berger qui parle de verts pâturages, je crois qu'ils sont comme Madame Couette mais verts et ébouriffés, pas blancs et plats. (La coupe qui déborde, ça doit tout salir partout.) Je prends mon Doudou-Lait maintenant, le droit parce qu'il y en a pas beaucoup dans le gauche. Quand j'avais 3 ans je pouvais encore le téter longtemps et quand je voulais mais depuis que j'ai 4 ans je suis très occupé alors j'en bois juste par-fois, le jour ou la nuit. J'aimerais bien parler et téter en même temps mais j'ai qu'une bouche.

J'arrive presque à faire le noir dans ma tête mais pas vraiment. Maman si, je crois, parce qu'elle respire doucement.

* * *

Après la sieste, Maman dit qu'elle a trouvé la solution pour pas demander un mètre ruban : on peut fabriquer une règle nous-mêmes.

On recycle la boîte de céréales qui avait construit Petite Pyramide Égyptienne et Maman m'apprend à couper une bande de carton longue comme son pied (c'est pour ça qu'on dit un pied de long), et après elle dessine des petites lignes. Je mesure son nez et il fait cinq centimètres. Le mien, trois centimètres, j'écris le chiffre. Maman prend la règle et lui fait faire des culbutes au ralenti le long de Monsieur Mur jusqu'à mes tailles ; elle dit que je mesure quatre-vingt-dix-neuf centimètres.

« Eh, si on mesurait la Chambre ?

— Quoi, en entier ? elle demande.

— On a autre chose à faire ? »

Maman me fait un regard bizarre. « Je suppose que non. »

J'écris tous les nombres, comme la taille de Monsieur Mur-Côté-Porte jusqu'à la ligne où Monsieur Toit commence : ça fait deux mètres. « Tu sais quoi ? je dis à Maman. Chaque carreau en liège est un tout petit peu plus grand que Petite Règle.

— Zut ! » Elle se donne une claque sur la tête. « Je crois qu'ils mesurent trente centimètres carrés, on a dû tailler Petite Règle trop courte. On n'a qu'à compter les carreaux, ce sera plus facile. »

Je commence par Monsieur Mur-Côté-Lit mais Maman dit que les murs ont tous la même taille. Une autre règle, c'est que les murs sont aussi larges que Monsieur Par Terre : je trouve trois mètres quarante dans les deux sens, ça veut dire que Monsieur Par-Terre est un carré. Madame Table est un cercle, alors je suis perdu mais Maman la mesure en travers du milieu, où elle est la plus large, et ça donne un mètre quatorze. Ma chaise fait quatre-vingt-seize centimètres de haut et celle de Maman tout pareil, ça fait moi moins trois centimètres. À la fin Maman en a assez de mesurer alors on arrête.

Je colorie autour des numéros en toutes les couleurs avec nos cinq crayons qui sont bleu, orange, vert, rouge et marron ; quand j'ai fini la page ressemble à Monsieur Tapis mais en plus zinzin et Maman dit qu'on pourrait en faire mon set de table pour le dîner.

Ce soir je choisis des spaghettis, il y a aussi un brocoli frais que je n'ai pas besoin de choisir parce qu'il est juste bon pour la santé. Je le coupe en morceaux avec Petit Couteau à Dents et des fois j'avale des bouts quand Maman regarde pas ; après elle dit : « Oh non ! Où elle est passée, la grosse fleur de brocoli ? » mais elle est pas vraiment fâchée parce que les légumes crus nous rendent extravivants.

C'est Maman qui fait chaudir les aliments sur les deux plaques rougissantes de Madame Cuisinière ; j'ai pas le droit de toucher aux boutons parce que c'est son travail de surveiller qu'il y a pas le feu comme on voit dans

Madame Télé. Si les plaques touchaient un torchon à vaisselle, par exemple, ou nos habits même, les flammes lécheraient tout avec leurs langues orange et changeraient la Chambre en cendres. Nous, on serait en train de tousser, de s'étouffer et de hurler à cause qu'on aurait jamais eu aussi mal.

J'aime pas l'odeur du brocoli qui cuit mais c'est moins pire que les haricots verts. Les légumes existent en vrai mais les glaces juste dans Madame Télé, et ça c'est vraiment-vraiment dommage. « Et Madame Plante, elle est crue ?

— Euh, oui, mais pas du genre qui se mange.

— Pourquoi ses fleurs ne poussent plus ? »

Maman hausse les épaules et remue les spaghettis. « Elle s'est fatiguée.

— Il faut qu'elle dorme.

— Elle est encore fatiguée quand elle se réveille. La terre de son pot ne suffit peut-être plus à la nourrir.

— Elle pourrait manger mes brocolis. »

Maman rit. « Pas ce genre de nourriture, celle des plantes.

— On pourrait en demander, comme Cadeau du Dimanche.

— J'ai déjà une longue liste de choses à demander.

— Où ça ?

— Oh, dans ma tête », dit Maman. Dans la casserole, elle attrape un serpent spaghetti et le goûte. « Je crois qu'elles aiment le poisson.

— Qui ?

— Les plantes, elles aiment le poisson pourri. Ou alors les arêtes de poisson.

— Beurk !

— Peut-être que la prochaine fois qu'on mangera des bâtonnets de poisson, on pourra en enterrer un peu sous Madame Plante.

— Pas un à moi.

— D'accord, un bout d'un des miens. »

Les spaghettis, c'est mon plat préféré à cause que j'aime la chanson des boulettes de viande : je la chante pendant que Maman remplit nos assiettes.

Après le dîner, un truc extraordinaire : on fait un gâteau d'anniversaire. Je parie que ce sera *delicioso* avec autant de bougies que mon âge et elles seront en feu pour de vrai.

Je suis champion pour souffler dans les œufs, je fais sortir le gluant sans s'arrêter. Pour le gâteau, je dois en souffler trois et je les troue avec l'épingle des *Impressions soleil levant* parce que je crois que le cheval fou se fâcherait si je décrochais *Guernica*, même si je remets toujours l'épingle juste après. Maman trouve que *Guernica* est la meilleure des œuvres d'art parce qu'elle fait vraiment vrai, mais en fait, c'est tout mélangé : le cheval crie de toutes ses dents parce qu'il a une lance plantée dans lui, en plus il y a un taureau et une femme qui porte un enfant tout mou avec la tête à l'envers et aussi une lampe qui ressemble à un œil mais le pire c'est le gros pied tout gonflé dans le coin, à chaque fois je crois qu'il va m'écraser.

J'ai le droit de lécher la cuiller et après Maman met le gâteau dans le ventre brûlant de Madame Cuisinière. J'essaie de jongler avec toutes les coquilles d'œuf en l'air en même temps. Maman en attrape une. « On fait des figures de petits Jack ?

— Oh non ! je dis.

— On pourrait leur fabriquer un nid avec de la farine et de l'eau. Et si on décongèle les betteraves, demain, on pourra colorer le nid en rouge… »

Je secoue la tête. « On n'a qu'à les ajouter à Serpendœuf. »

Serpendœuf est très-plus grand que tout le tour de la Chambre ; on le fabrique depuis que j'avais trois ans et il habite sous Monsieur Lit, tout enroulé pour nous protéger. Presque tous ses œufs sont marron clair mais parfois il y en a un blanc ou dessiné au crayon, aux crayons de couleur ou au stylo noir ; d'autres ont des bouts de coquille en plus collés avec de la farine à l'eau, une couronne en alu, une ceinture en ruban jaune et aussi des fils et des morceaux de mouchoirs en papier pour les cheveux. Sa langue est une aiguille, elle tient le fil rouge qui le traverse en entier. Maintenant on sort plus trop souvent Serpendœuf parce que des fois il s'emmêle et ses œufs se cassent près des trous ou même ils tombent alors après on doit utiliser les morceaux pour faire de la mosaïque. Aujourd'hui, j'enfile son aiguille dans un des nouveaux œufs et je dois le secouer jusqu'à tant qu'elle ressorte par l'autre trou, bien pointue : pas facile ! Voilà, il est trois œufs plus long et je le recouche doucement enroulé sur lui-même pour qu'il tienne tout entier sous Monsieur Lit.

Mon gâteau nous fait attendre des heures et des heures, on sent l'air délicieux. Après, pendant qu'il refroidit, on fabrique un truc qui s'appelle « glaçage » même si c'est pas froid comme la glace : c'est du sucre fondu avec de l'eau. Maman l'étale sur tout le gâteau. « Bon, tu peux mettre les chocolats pendant que je fais la vaisselle.

— Mais on en a pas.

— Ah ah ! » Maman me montre un petit sac en l'agitant, *tchic-tchic-tchic*. « J'en ai gardé quelques-uns du Cadeau du Dimanche d'il y a trois semaines.

— Encore une ruse de Maman ! Où tu les avais mis ? »

Elle se ferme la bouche comme un zip. « Et si j'ai encore besoin d'une cachette ?

— Dis-moi ! »

Maman ne sourit plus. « Les cris me cassent les oreilles.

— Dis-moi la cachette.

— Jack…

— J'aime pas ça, les cachettes.

— Qu'est-ce qu'elles ont de si terrible ?

— Des zombies.

— Ah.

— Ou des ogres ou des vampires… »

Elle ouvre Monsieur Placard et prend la boîte de riz. Elle me montre le trou noir. « Ils étaient tout simplement là, avec le riz. D'accord ?

— D'accord.

— Rien d'effrayant ne pourrait y entrer. Tu peux vérifier quand tu veux. »

Y a cinq chocolats dans le sac : rose, bleu, vert et deux rouges. Quand je les pose sur le gâteau, leur couleur s'enlève un peu sur mes doigts et aussi je me mets du glaçage sur moi mais je lèche tout.

Après c'est le moment des bougies, sauf qu'elles y sont pas.

« Tu recommences à crier, dit Maman, les mains sur les oreilles.

— Mais tu avais dit un gâteau d'anniversaire, c'est pas un gâteau d'anniversaire si y a pas cinq bougies en feu ! »

Elle souffle. « J'aurais dû mieux m'expliquer. Les cinq chocolats sont là pour ça, pour dire que tu as cinq ans.

— J'en veux pas de ce gâteau ! » Je déteste quand Maman attend sans rien dire. « Il est pourri, ce gâteau !

— Calme-toi, Jack.

— Pourquoi t'as pas demandé des bougies comme Cadeau du Dimanche ?

— Eh bien, la semaine dernière, nous avions besoin d'analgésiques.

— Non, pas moi, que toi ! » je crie.

Maman me regarde comme si j'avais une autre figure qu'elle avait jamais vue. Après elle dit : « De toute façon, n'oublie pas que nous devons choisir des choses qu'il peut se procurer facilement.

— Mais il peut tout avoir.

— Oui, enfin, s'il s'en donnait la peine…

— Pourquoi il a eu de la peine ?

— Je voulais juste dire qu'il devrait aller dans deux ou trois magasins et que ça le rendrait grincheux. Et s'il n'arrivait pas à mettre la main sur un truc impossible à trouver, nous n'aurions sans doute plus de Cadeau du Dimanche du tout.

— Mais Maman, il va pas dans des magasins ! » Je ris. « C'est dans Madame Télé, les magasins. »

Elle mordille sa lèvre. Après elle regarde le gâteau. « Bon, en tout cas, je suis désolée, je pensais que les chocolats feraient l'affaire.

— Bébête !

— Trop bête ! » Elle se donne une claque sur la tête.

« Andouille, je dis mais pas méchamment. La semaine prochaine quand j'aurai six ans, tu as intérêt à avoir des bougies.

— L'année prochaine, dit Maman, l'année prochaine, tu veux dire. » Elle a les yeux fermés. Ses yeux, ils font toujours ça par moments et elle dit plus rien pendant une minute. Quand j'étais petit, je croyais que sa pile était usée pareil qu'à Madame l'Heure, un jour ; on avait dû en demander une neuve comme Cadeau du Dimanche.

« Promis ? je demande.

— Promis. » Maman ouvre les yeux.

Elle me coupe une énormantesque part de gâteau et je chipe tous les cinq chocos pour les mettre dessus quand elle regarde pas : les deux rouges, le rose, le vert, le bleu et elle dit : « Oh, non, encore un ! Comment c'est arrivé ?

— Tu le sauras jamais, ha ha ha ! » Je parle comme Chipeur quand il chipe un truc à Dora. Je prends un des rouges et je le fais atterrir dans la bouche de Maman ; elle le ramène vers ses dents de devant qui sont moins gâtées et elle le grignote en souriant.

« Regarde ! Il y a des trous dans mon gâteau où ils étaient juste avant. » Je lui montre.

« On dirait des cratères. » Elle pose le bout de son doigt dedans.

— C'est quoi des cratères ?

— Des trous à l'endroit où il s'est passé quelque chose. Dans un volcan ou après une explosion, par exemple. »

Je remets le chocolat vert dans son cratère et je compte dix, neuf, huit, sept, six, cinq, quatre, trois, deux, un : *boum !* Il s'envole dans l'Espace, il fait le tour de l'Univers et il atterrit dans ma bouche. J'ai jamais rien mangé d'aussi bon que mon gâteau d'anniversaire.

Maman n'en veut pas tout de suite. Madame Lucarne aspire toute la lumière, elle est presque noire. « C'est l'équinoxe de printemps, dit Maman. Je me rappelle qu'ils l'ont dit à la télé le matin où tu es né. Il y avait encore de la neige cette année-là aussi.

— C'est quoi, l'équinoxe ?

— Ça veut dire égal, quand il y a autant de nuit que de jour. »

Il est trop tard pour Madame Télé à cause du gâteau ; Madame l'Heure dit 8 h 33. Mon sweat à capuche jaune m'arrache presque la tête quand Maman l'enlève. Je mets mon T-shirt de nuit et je me brosse les dents pendant qu'elle attache la ficelle du sac-poubelle et le pose à côté de Madame Porte avec notre liste que j'ai écrite ce soir ; elle dit *S'il vous plaît : pâtes, lentilles, thon, fromage (si C pas trop $), jus d'o. Merci.*

« On peut demander du raisin ? C'est bon pour nous. »

En bas, Maman rajoute *Raisin si poss (sinon n'importe quel fruit frais ou en boîte).*

« Je peux avoir une histoire ?

— Juste une petite, alors. Que dis-tu de… *Ginger-Jack* ? »

Elle la raconte tout vite, c'est drôle : GingerJack, le bonhomme en pain d'épice, saute hors du four et court de cavalcade en roulade et de roulade en cavalcade, si rapide que personne ne peut l'attraper, ni la vieille dame ni le vieux monsieur, ni les moissonneurs ni les laboureurs. Mais à la fin, cet idiot, il laisse le renard l'emporter de l'autre côté de la rivière et n'en faire qu'une bouchée : *croc.*

Si j'étais en gâteau comme lui je me mangerais le premier.

On dit une prière rapido, ça se fait les mains collées et les yeux fermés. Je demande que saint Jean-Baptiste et le Petit Jésus viennent jouer ici avec Dora et Babouche. Maman demande que le soleil fonde la neige qui bouche Madame Lucarne.

« Je peux avoir mon Doudou-Lait ?

— Oui, dès demain matin, répond Maman en rabaissant son T-shirt.

— Non, ce soir ! »

Elle montre Madame l'Heure qui dit 8 h 57, plus que trois minutes avant neuf heures. Alors je cours dans Petit Dressing, je me couche sur mon oreiller et je m'enroule dans Madame Couverture qui est toute grise et pelucheuse avec sa bande de tissu rouge. Je suis juste en dessous du Moi en dessin, j'avais oublié qu'il était là. Maman passe sa tête entre les portes. « Trois bisous ?

— Non, cinq pour Monsieur Cinq ! »

Elle m'en donne cinq et elle referme les portes qui grincent.

Comme il y a encore de la lumière entre les lattes, je vois des bouts du Moi dessiné, ceux qui ressemblent à Maman et le nez qui me ressemble juste à moi. Je caresse le papier, il est doux comme la soie. Je me couche bien droit pour que ma tête pousse un côté de Petit Dressing et mes talons aussi. J'écoute Maman mettre son T-shirt de nuit et prendre les a-mal-gésiques, c'est toujours deux le soir : elle dit que la douleur est comme l'eau, elle s'étale dès qu'on s'allonge. Elle crache du dentifrice. « Notre ami Pat a le dos qui gratte », dit Maman.

J'en trouve une : « Notre ami Zah dit blablabla.

— Notre ami Ebeneezer habite dans le freezer.

— Notre amie Dora est allée au magasin, ah ! »

« — C'est de la triche, cette rime, dit Maman.

— Oh, mince ! je grogne comme Chipeur. Notre ami le Petit Jésus... aime bien les fromages crus.

— Notre amie Madame Cuiller chantait une chanson à la lune claire. »

Je me redresse, j'appuie ma figure contre les lattes et je vois des tranches de Madame Télé qui est éteinte, de Monsieur W-C, de Madame Baignoire, de ma pieuvre bleue qui s'enroule aux coins et de Maman qui range nos habits dans Madame Commode. « Maman ?

— Oui ?

— Pourquoi je suis en cachette comme les chocolats ? »

Je crois qu'elle s'assoit sur Monsieur Lit. Elle parle pas fort, j'arrive presque pas à entendre. « Je ne veux pas qu'il te regarde, c'est tout. Même quand tu étais bébé, je t'emmaillotais dans une couverture avant qu'il arrive.

— Ça ferait mal ?

— Qu'est-ce qui ferait mal ?

— S'il me voyait.

— Oh, non ! Dors maintenant.

— Dis-moi les puces.

— Bonne nuit, fais de beaux rêves, sans puces ni punaises. »

Les Petites Bêtes de la nuit sont invisibles mais je leur parle et parfois je compte ; la dernière fois j'étais arrivé à 347. J'entends le clic du bouton et Madame Lampe s'éteint juste à la même seconde. Après, c'est les bruits de Maman qui se met sous Madame Couette.

J'ai vu Grand Méchant Nick par les lattes certaines nuits mais jamais lui entier de tout près. Il a du blanc dans ses cheveux et ils sont plus courts que ses oreilles.

Peut-être que ses yeux me changeraient en pierre. Les zombies mordent les enfants morts pour les réveiller, les vampires les sucent jusqu'à tant qu'ils tombent tout ramollos, les ogres les prennent par les pieds pour les croquer en entier. Les géants peuvent être aussi méchants que les autres : « Hum, hum, ça sent la chair fraîche ! », sauf que Jack s'est sauvé avec la poule d'or et *zioup*, il a glissé le long du Haricot Magique. Le Géant le poursuivait mais Jack a crié à sa mère d'aller chercher la hache (c'est comme nos couteaux mais en plus gros) ; sa maman avait trop peur pour couper le Haricot Magique toute seule mais quand Jack est arrivé par terre, ils l'ont fait ensemble et le géant s'est explosé avec, tous ses boyaux à l'air, ha ha ! C'est comme ça que Jack est devenu Jack le Tueur de Géants.

Je me demande si Maman a déjà fait le noir dans sa tête.

Dans Petit Dressing j'essaie toujours de fermer les yeux très fort et de faire le noir très vite pour pas entendre Grand Méchant Nick arriver ; après, quand je me réveillerai, ce sera le matin et je serai dans Monsieur Lit avec Maman en train de téter Doudou-Lait, tout bien. Mais ce soir je suis encore réveillé, le gâteau fait des petites bulles dans mon ventre. Je compte mes dents du haut avec ma langue, de droite à gauche jusqu'à dix et après celles d'en bas, de gauche à droite, et retour ; je dois trouver dix à chaque fois et deux fois dix égale vingt : le nombre de mes dents.

Il n'y a pas de *bip-bip*, on doit être longtemps après neuf heures. Je recompte mes dents et j'arrive à dix-neuf ; j'ai dû me tromper ou alors une a disparu. Je ronge mon doigt juste un chouïa, et encore un chouïa. J'attends des heures. « Maman ? je chuchote. Il vient pas ou si ?

47

— On dirait que non. Allez, viens. »

Je me lève d'un bond, je pousse les portes de Petit Dressing et en deux secondes je suis dans Monsieur Lit. Il fait si chaud sous Madame Couette que je dois sortir mes pieds pour pas qu'ils prennent feu. Je prends mes deux Doudous-Lait, le gauche et après le droit. Je veux pas m'endormir parce que après ça sera plus mon anniversaire.

* * *

Une lumière m'éclaire tout à coup, elle me transperce les yeux. Je regarde par-dessus Madame Couette, mais paupières plissées. Maman est debout à côté de Madame Lampe : tout est allumé et *clac !* tout redevient noir. Encore allumé, Maman attend trois secondes et noir, et après allumé juste une seconde. Maman regarde Madame Lucarne. Encore noir. Elle fait souvent ça la nuit, je crois que c'est pour se rendormir.

J'attends, Madame Lampe s'éteint pour de bon. Je chuchote dans le noir : « Ça y est ?

— Je ne voulais pas te réveiller.

— C'est pas grave. »

Elle revient dans Monsieur Lit encore plus froide que moi, je passe mes bras autour de sa taille.

* * *

Maintenant j'ai cinq ans et un jour.

Cet idiot de Petit Zizi se dresse toujours le matin, je le recouche.

Pendant qu'on se frotte les mains après avoir fait pipi, je chante « He's Got the Whole World in His Hands » et comme je trouve pas d'autre comptine sur les mains, mais il y a celle des doigts qui volent comme des petits oiseaux :

« *"Envole-toi, Pierre,*
Envole-toi, Paul." »

Mes deux doigts filent tout autour de la Chambre et se rentrent presque dedans en plein vol.

« *"Reviens, Pierre,*
Reviens, Paul." »

« En fait, je pense que ce sont des anges, dit Maman.
— Hein ?
— Euh, pardon, des saints.
— C'est quoi, des saints ?
— Des gens plus sacrés que les autres. Comme des anges mais sans ailes. »
J'y comprends rien. « Comment ils peuvent s'envoler du muret, alors ?
— Non, ça c'est les petits oiseaux de la comptine, eux, ils savent voler, d'accord. Je voulais simplement dire qu'ils portent les noms de saint Pierre et de saint Paul, deux amis du Petit Jésus. »
Je savais pas qu'il avait eu d'autres amis après Jean-Baptiste.
« En fait, un jour, saint Pierre était en prison… »
Je me mets à rire. « Les bébés vont pas en prison !
— C'est arrivé quand ils étaient tous grands. »

Je savais pas que le Petit Jésus, il devient grand. « Saint Pierre est un méchant ?

— Non, non, on l'a emprisonné par erreur ; enfin, c'étaient des méchants policiers qui l'avaient arrêté. Bref, il a prié et prié pour retrouver sa liberté et tu sais quoi ? Un ange s'est élancé du ciel et a enfoncé la porte.

— Génial », je dis. Mais je préfère quand ils sont bébés et qu'ils gambadent ensemble tout nus.

On entend un drôle de *boum-boum* et après un crissement. La lumière entre par Madame Lucarne, la neige sombre a presque disparu.

« C'est encore le jour égal ?

— Ah, l'équinoxe ? dit Maman. Non, le jour commence à gagner un peu de terrain. »

Elle me laisse manger du gâteau au petit-déjeuner, c'est la première fois. Il est devenu plus croustillant mais il est encore bon.

Madame Télé montre *Wonder Pets !* mais très brouillé ; Maman n'arrête pas de bouger Lapinot l'Antenne mais il rend pas les petits animaux beaucoup plus nets. Je lui fais un nœud papillon pour son oreille en fil de fer avec le ruban rouge. J'aimerais mieux les *Backyardigans*, je les ai pas vus depuis très longtemps. Pas de Cadeau du Dimanche, parce que Grand Méchant Nick est pas venu hier soir ; en fait, c'était ça le mieux dans mon anniversaire. En plus, on avait même pas demandé un truc super : c'était un nouveau pantalon parce que le noir que j'ai a des trous aux genoux. Moi, ça me dérange pas mais Maman dit que ça me donne l'air d'un gamin des rues et qu'elle peut pas m'expliquer.

Après le bain, je joue avec les habits. La jupe rose de Maman est un serpent ce matin, il se dispute avec ma chaussette blanche. « Je suis le meilleur ami de Jack.

— Non, c'est moi !

— Et vlan, prends ça !

— Et paf, voilà pour toi !

— Je vais te pulvériser avec mon pistolet de l'espace !

— Oui, mais moi j'ai un gigamégatransformer-blaster…

— Eh, dit Maman, si on jouait à la Balle ?

— On l'a plus, Petit Ballon de Plage », je lui fais remarquer. Il a éclaté sans faire exprès quand je l'ai envoyé contre Monsieur Placard d'un gigacoup de pied. Moi, je voulais en demander un autre et pas ce pantalon stupide.

Mais Maman dit qu'on peut en fabriquer un : on froisse toutes les pages où je m'étais entraîné à écrire, on remplit un sac en papier, on l'écrase pour lui donner une forme qui ressemble à un ballon et après on lui dessine une figure effrayante avec trois yeux. Petit Ballon des Mots ne monte pas aussi haut que Petit Ballon de Plage mais à chaque fois qu'on le rattrape, il fait un gros bruit de papier froissé. Maman arrive mieux à l'attraper (sauf que parfois, *ping*, il tombe sur son poignet fragile) et moi, je suis plus fort au lancer.

Vu qu'on a mangé du gâteau au petit-déjeuner, on fait les pancakes du dimanche à midi. Il reste plus beaucoup de pâte alors ils sont tout larges et aplatis, j'aime bien ça. C'est moi qui les replie mais certains se cassent. Comme il n'y a pas beaucoup de confiture, on y met aussi de l'eau pour en avoir plus.

Ça coule par un coin de mon pancake et Maman essuie Monsieur Par-Terre avec Petite Éponge. « Le liège s'effrite, dit Maman entre ses dents serrées, comment il veut qu'on le nettoie ?

« — Où ça ?

— Là, à l'endroit où nos pieds frottent. »

Je vais sous Madame Table : il y a un trou dans Monsieur Par-Terre avec du marron en dessous qui est plus dur sous mon ongle.

« Ne gratte pas, Jack, ça ne fait qu'empirer les choses.

— Je gratte pas, je regarde juste avec mon doigt. » On dirait un minicratère.

On va mettre Madame Table près de Madame Baignoire pour se dorer au soleil sur Monsieur Tapis, juste en dessous de Madame Lucarne, là où il fait bien chaud. Je chante « Ain't No Sunshine », Maman « Here Comes the Sun » et aussi « You Are My Sunshine ». Après j'ai envie de mon Doudou-Lait ; le gauche est supercrémeux cet après-midi.

La figure dorée du bon Dieu colorie mes paupières en rouge. Quand j'ouvre les yeux, ça brille trop, je peux pas regarder. Mes doigts font des ombres sur Monsieur Tapis, des toutes ratatinées.

Maman fait la sieste.

J'entends un petit bruit alors je me lève sans la réveiller. Là, près de Madame Cuisinière, un tout petit *scratch-scratch*.

C'est un vivant : une bête qui existe en vrai, pas comme dans Madame Télé. Elle est sur Monsieur Par-Terre, elle mange, peut-être une miette de pancake. Elle a une queue, je crois qu'en fait, c'est une souris.

Quand je m'approche, *zioup*, elle a filé sous Madame Cuisinière et j'ai presque pas eu le temps de la voir ; j'aurais jamais cru que quelque chose pouvait aller si vite. « Ô Souris ! » je chuchote pour pas lui faire peur. Je sais comment parler à une souris, c'est dans *Alice au pays des merveilles*, sauf qu'après elle parle de son chat Dinah sans faire exprès alors la souris devient nerveuse et se sauve à la nage. Je prie à deux mains : « Ô Souris, reviens ! S'il te plaît, s'il te plaît, s'il te plaît… »

J'attends des heures mais elle vient pas.

Maman dort pour de bon.

J'ouvre Monsieur Frigo qui n'a pas beaucoup de choses dans son ventre. Les souris aiment le fromage, mais on en a plus. Je sors le pain, je fais un peu de miettes sur une assiette et je la pose là où était Mademoiselle Souris. Je m'accroupis tout petit et j'attends encore plus d'heures.

Et le truc le plus génial du monde arrive : Mademoiselle Souris sort sa bouche, elle est pointue. J'ai failli sursauter en l'air mais je me retiens, je reste superimmobile. Elle s'approche des miettes et renifle. Je crois que je suis à soixante centimètres d'elle, j'aimerais bien avoir Petite Règle pour mesurer mais on l'a rangée dans Boîte de sous Monsieur Lit ; je veux pas bouger pour pas effrayer Mademoiselle Souris. Je regarde ses mains, ses moustaches et sa queue toute bouclée. Elle est vivante en vrai, la plus grosse bête vivante que j'ai jamais vue, des millions de fois plus grosse que les fourmis ou Petite Araignée.

Mais après, quelque chose s'écrase sur Madame Cuisinière : *paaaaf !* je crie et je marche sur l'assiette sans faire exprès ; Mademoiselle Souris est partie, mais où ? Est-ce que le livre l'a cassée ? C'est le *Livre Aéroport*, je regarde dans toutes ses pages mais elle y est pas. La Réception des Bagages est toute déchirée et elle se déplie plus.

Maman a une figure bizarre. « C'est toi qui l'as fait partir ! » je lui crie.

Avec Pelle-et-Balayette, elle ramasse les bouts cassés de l'assiette. « Qu'est-ce que ça fait par terre ? Maintenant on n'a plus que deux grandes assiettes et une petite en tout et pour tout ! »

Dans *Alice*, le cuisinier lance des assiettes au bébé et aussi une soucoupe qui lui arrache presque le nez.

« Mademoiselle Souris aimait bien les miettes.

— Jack !

— Elle était là en vrai, je l'ai vue. »

Elle tire Madame Cuisinière de son coin : il y a une petite fissure au pied de Monsieur Mur-Côté-Porte ; Maman va chercher le papier d'alu et commence à enfoncer des boulettes dedans.

« Non ! S'il te plaît.

— Je suis désolée mais quand il y en a une, il y en a dix. »

C'est n'importe quoi, comme calcul !

Maman pose le papier d'alu, me serre fort les épaules. « Si on la laisse revenir, on sera bientôt envahis par ses bébés. Ils nous voleront nos provisions et ils nous apporteront des germes sur leurs sales petites pattes…

— Ils auront qu'à prendre ma part de nourriture, j'ai pas faim. »

Maman n'écoute pas. Elle remet Madame Cuisinière contre Monsieur Mur-Côté-Porte.

Après, avec un petit bout de scotch, on aide la page Hangar à tenir un peu plus droite dans le *Livre Aéroport* mais la Réception des Bagages est trop déchirée pour la réparer.

On se blottit tous les deux dans Monsieur Rocking-Chair et Maman me lit *Dylan le Maçon* trois fois (c'est

pour demander pardon). « Et si on commandait un nouveau livre comme Cadeau du Dimanche ? » je dis.

Sa bouche se tord. « C'est ce que j'ai fait, il y a quelques
semaines ; je voulais que tu en reçoives un à ton anniversaire. Mais il a dit d'arrêter de l'embêter et qu'on en
a déjà une étagère pleine. »

Je regarde Madame Étagère derrière la tête de
Maman : des centaines d'autres livres pourraient y tenir
si on mettait quelques autres choses sous Monsieur Lit à
côté de Serpendœuf. Ou sur le toit de Petit Dressing…
mais Grand Château Fort et Grand Labyrinthe y habitent.
C'est pas facile de trouver une maison pour tout ; parfois
Maman dit qu'il faut jeter des choses à la poubelle mais
d'habitude je découvre des coins où les mettre.

« Il dit qu'on a qu'à regarder la télé tout le temps. »

Ça a l'air bien comme idée !

« Comme ça notre cerveau serait aussi pourri que le
sien », dit Maman. Elle se penche pour prendre *Mon
grand livre de comptines*. Elle m'en lit une à chaque page
et c'est moi qui choisis. Mes préférées, c'est celles qui
parlent de Jack, comme « Jack Sprat » ou « Little Jack
Horner ».

> *« "Jack l'agile*
> *Jack le rapide*
> *Saute par-dessus la chandelle !" »*

À mon avis, il voulait voir s'il y arrivait sans brûler sa
chemise de nuit. Dans Madame Télé, c'est des pyjamas
pour les garçons et les filles en chemise de nuit. Mon
T-shirt de nuit est mon plus grand, avec un petit trou
à l'épaule où j'aime bien enfoncer mon doigt pour me

chatouiller quand je commence à faire le noir dans ma tête. Il y a aussi « Jackie Wackie pudding and pie » mais quand j'ai appris à lire, j'ai vu qu'en fait la comptine s'appelle « Georgie Porgie ». Maman l'avait changée pour qu'elle s'appelle comme moi, c'est pas mentir, c'est juste pour de semblant. Pareil pour :

> « *"Jack, Jack, le fils du joueur de flûteau,*
> *Se sauva après avoir volé un pourceau."* »

En vrai, dans le livre, c'est écrit Tom, mais avec Jack ça sonne mieux. Voler c'est quand un petit garçon prend ce qui appartient à un autre garçon parce que dans les livres et dans Madame Télé, tous les gens ont des choses rien qu'à eux, c'est compliqué.

Comme il est 5 h 39, on peut dîner : c'est des nouilles instantanées. Pendant qu'on les laisse dans l'eau bouillante, Maman trouve des mots difficiles sur la brique de lait pour me tester, comme *nutritionnel* qui veut dire à manger et *pasteurisé* qui veut dire germes tués au pistolet laser. Je veux encore du gâteau mais elle dit d'abord les cubes de betterave bien juteux. Après je mange du gâteau qui est très croustillant maintenant et Maman aussi, un petit bout.

Je me mets debout sur Monsieur Rocking-Chair pour attraper Boîte à jeux tout au bout de Madame Étagère ; ce soir je choisis les dames et ça sera moi les rouges. Les pions ressemblent à des petits chocolats mais je les ai léchés plein de fois et ils ont plus le goût de rien. Ils se collent au plateau par magie magnétique. Maman préfère les échecs mais ils me font mal à la tête.

À l'heure de Madame Télé, Maman choisit la planète sauvage et on regarde des tortues de mer enterrer leurs œufs dans le sable. Quand Alice devient très longue d'avoir mangé le champignon, le pigeon est fâché : il croit que c'est un méchant serpent qui essaie de lui voler ses œufs. Et voilà les bébés tortues qui sortent de leurs coquilles mais leurs mamans sont déjà parties, c'est vraiment bizarre. Je me demande s'ils se rencontrent parfois dans la mer, les mamans et les bébés ; est-ce qu'ils se reconnaissent ou peut-être qu'ils continuent simplement à nager ?

La planète sauvage se finit trop vite alors je change et il y a deux monsieurs juste en short et en baskets qui transpirent de chaud. « Oh oh, on a pas le droit de taper, je leur dis. Le Petit Jésus ne sera pas content. »

Celui qui a un short jaune donne un coup dans l'œil du monsieur poilu.

Maman gémit comme si elle avait mal. « On est obligés de regarder ça ?

— Dans une minute la police va arriver, *woui-hou-woui-hou-woui*, et ils vont mettre ces méchants en prison.

— En fait, la boxe… c'est pas bien mais c'est un sport, donc si on porte ces gants spéciaux, c'est permis. Allez, le temps de télé est écoulé.

— Une partie de Perroquet, c'est bon pour mon vocabulaire.

— D'accord. » Elle va mettre la planète du canapé rouge où la dame aux cheveux gonflés (qui est le chef) pose des questions aux autres et des centaines d'autres gens applaudissent.

J'écoute très-très fort : elle parle à un monsieur avec une jambe, je crois qu'il a perdu l'autre pendant une guerre.

« Perroquet ! crie Maman, et elle leur coupe le son.

— *L'aspect le plus poignant, je pense, pour tous nos téléspec-tateurs, ce qu'il y a de profondément bouleversant dans ce que vous avez subi…* » Je trouve plus de mots.

« Bonne prononciation, dit Maman. *Poignant,* ça veut dire triste.

— Encore !

— La même émission ?

— Non, une autre. »

Elle trouve des actualités, c'est encore plus dur. « Per-roquet ! » Elle coupe encore le son.

« *Ah, tout ce débat sur l'étiquetage qui suit de trop près la réforme du système de santé, sans oublier les élections de mi-mandat, bien sûr…*

— On continue ? » Maman attend. « Bien, cette fois encore. Mais ils ont dit l'*éthique*, pas l'*étiquetage*.

— C'est quoi, la différence ?

— L'étiquetage des tomates, par exemple, alors que l'éthique… »

Je bâille très fort.

« Laisse tomber ! » Maman sourit et éteint Madame Télé.

Je déteste quand les images disparaissent et que l'écran redevient juste gris. À chaque fois j'ai envie de pleurer mais rien qu'une seconde.

Je monte sur les genoux de Maman qui est sur Monsieur Rocking-Chair et on emmêle nos jambes. Elle est la magicienne qui s'est changée en pieuvre géante et moi le Prince JackerJack et à la fin j'arrive à m'échapper. On joue à Chatouille-Mi et à Hue Coco et aussi à faire des ombres cabossues sur Monsieur Mur-Côté-Lit.

Après je demande l'histoire de JackerJack le Lapin qui joue toujours des tours rusés à Compère Renard. Quand il se couche sur la route comme s'il était mort, Compère Renard le renifle et dit : « Je f'rais mieux de pas le ramener chez moi, il sent trop mauvais… » Maman me renifle partout en faisant d'horribles grimaces et j'essaie de pas rire pour pas que Compère Renard devine qu'en vrai je suis vivant, mais j'y arrive jamais.

Comme chanson, j'en veux une drôle ; Maman commence : « *"Les p'tits vers entrent par ici, les p'tits vers ressortent par là…*

— *Ils vous dévorent les entrailles comme du cervelas*, je continue.

— *Ils vous grignotent les yeux, ils vous croquent le nez…*

— *Et ils vous mangent la saleté entre les doigts de pied…"* »

Je prends mon Doudou-Lait sur Monsieur Lit mais ma bouche a sommeil. Maman me porte dans Petit Dressing et me borde bien autour du cou avec Madame Couverture mais je la desserre. Mes doigts font *tchou-tchou* le p'tit train sur sa ligne rouge.

Bip-bip, dit Madame Porte. Maman sursaute et fait un bruit. Je crois qu'elle s'est cogné la tête. Elle referme bien Petit Dressing.

L'air qui rentre est glacé, on dirait une bulle d'Espace interplanétaire. Madame Porte se referme avec son *bang* qui veut dire que Grand Méchant Nick est dans la Chambre. J'ai plus sommeil. Je me lève à genoux et je regarde par les lattes mais je vois que Madame Commode, Madame Baignoire et un coin rond de Madame Table.

« Ça a l'air bon. » La voix de Grand Méchant Nick est supergrave.

« Oh, c'est juste le reste du gâteau d'anniversaire, dit Maman.

— T'aurais dû me le rappeler, j'aurais pu lui apporter quelque chose. Ça lui fait quoi, quatre ans ? »

J'attends que Maman parle mais elle dit pas. Je chuchote : « Cinq. »

Elle a dû m'entendre parce qu'elle s'approche de Petit Dressing et elle dit « Jack ! » d'une voix fâchée.

Grand Méchant Nick rit, je savais pas qu'il pouvait rire. « Ça cause. »

Pourquoi il dit *ça* et pas *il* ?

« Tu veux sortir de là pour essayer ton nouveau jean ? »

C'est pas à Maman qu'il parle, c'est à moi. Ma poitrine commence à faire *boum-boum-boum*.

« Il allait s'endormir », dit Maman.

Même pas vrai ! Je regrette d'avoir chuchoté *cinq*, maintenant qu'il a entendu je voudrais tout défaire.

Il y a d'autres mots mais j'entends pas bien…

« D'accord, d'accord, dit Grand Méchant Nick. Je peux en prendre une tranche ?

— Il commence à rassir. Mais si tu y tiens.

— Non, laisse tomber, c'est toi le chef ! »

Maman ne dit rien.

« Moi je suis tout juste bon à faire les courses, à sortir les poubelles, à parcourir le rayon vêtements pour enfants et à monter sur l'échelle pour déneiger ta lucarne. À votre service, madame… »

Je crois qu'il fait du sarcasme : c'est quand il dit tout en contraire avec une voix qui monte et qui descend.

« Merci pour la lucarne. » La voix de Maman se ressemble pas. « La chambre est beaucoup moins sombre.

— Tu vois, ça t'a pas écorché la langue !

— Excuse-moi. Merci beaucoup.

— C'est comme se faire arracher une dent, non ? dit Grand Méchant Nick.

— Et aussi pour les provisions et le jean.

— Je t'en prie.

— Bon, je vais chercher une assiette ; peut-être qu'il n'est pas trop sec au milieu. »

J'entends des *clinc-clinc*, j'ai l'impression qu'elle lui donne du gâteau. De mon gâteau.

Au bout d'une minute, il parle flou. « Mouais, plus très moelleux. »

Il a la bouche pleine de mon gâteau !

Madame Lampe s'éteint avec un *clac !* Ça me fait sursauter. J'ai pas peur du noir mais j'aime pas quand il me surprend. Je me recouche sous Madame Couverture et j'attends.

Quand Grand Méchant Nick fait grincer Monsieur Lit, j'écoute et je compte de cinq en cinq sur mes doigts ; ce soir, ça fait 217. Je peux pas m'empêcher de compter jusqu'à tant qu'il avale tout l'air d'un coup et s'arrête. Je sais pas ce qui arriverait sinon, parce que je compte toujours.

Et les nuits où je dors ?

Je sais pas, c'est peut-être Maman qui compte.

Après le 217, plus de bruit.

J'entends Madame Télé s'allumer, c'est juste l'heure de la planète infos, je vois des bouts d'images par les lattes : il y a des tanks, pas très intéressant. Je mets ma tête sous Madame Couverture. Maman et Grand Méchant Nick parlent un peu mais j'écoute pas.

*** * ***

Quand je me réveille, je suis dans Monsieur Lit et il pleut (la pluie, c'est quand Madame Lucarne est toute floue). Maman me donne mon Doudou-Lait et chantonne « Chantons sous la pluie » tout doucement.

Celui de droite a pas très bon goût. Je m'assois sur le lit : « Pourquoi tu lui avais pas dit que c'était mon anniversaire ? » je me rappelle.

Maman ne sourit plus. « Tu es censé dormir quand il vient.

— Mais si tu lui avais dit, il m'aurait rapporté quelque chose.

— Apporté, corrige Maman. C'est ce qu'il dit.

— Quoi comme chose ? » J'attends. « T'aurais dû lui faire rappeler. »

Maman étire ses bras au-dessus de sa tête. « Je n'ai pas envie qu'il t'apporte quoi que ce soit.

— Mais le Cadeau du Dimanche ?

— Ce n'est pas pareil, Jack, il s'agit d'objets dont nous avons besoin. » Elle tend le doigt vers Madame Commode où il y a un truc bleu plié. « Au fait, voilà ton nouveau jean. »

Elle va faire pipi.

« Tu pourrais demander un cadeau pour moi. J'en ai jamais eu de ma vie.

— Tu as reçu un cadeau d'anniversaire de ma part, tu te rappelles ? Le dessin.

— J'en veux pas, de ce dessin débile ! » Je pleure maintenant. Maman s'essuie les mains et vient me prendre dans ses bras. « Allez, ce n'est rien.

— Ça…

— Je ne t'entends pas bien. Inspire un grand coup.

— Ça...

— Dis-moi ce qui ne va pas.

— Ça pourrait être un chien.

— Quoi ? »

J'arrive plus à m'arrêter, je suis obligé de parler en même temps que pleurer. « Le cadeau. Ça pourrait être un chien changé en vraie bête vivante et on l'appellerait Lucky. »

Maman m'essuie les yeux avec le plat des mains. « Tu vois bien qu'on n'a pas la place.

— Mais si !

— Les chiens ont besoin d'être promenés.

— On se promène dans la Chambre.

— Mais un chien...

— On court une supergrande distance sur Petite Piste, Lucky pourrait y aller avec nous. Je parie qu'il irait plus vite que toi.

— Jack, un chien nous rendrait fous.

— Non, c'est pas vrai !

— Bien sûr que si. Enfermé ici, à aboyer et à gratter...

— Lucky ne gratterait pas. »

Maman roule les yeux. Elle va prendre les céréales dans Monsieur Placard, elle les verse dans nos bols et elle compte même pas.

Je lui fais la grimace du lion qui rugit. « Pendant la nuit, quand tu dormiras, je resterai réveillé et je sortirai le papier d'alu des trous pour que Mademoiselle Souris revienne.

— Arrête tes bêtises.

— C'est pas des bêtises, c'est toi qui es trop bête !

« — Écoute, je comprends…

— Lucky et Mademoiselle Souris sont mes amis ! » Je me remets à pleurer.

« Il n'y a pas de Lucky. » Maman parle les dents serrées.

« Si, il existe et je l'aime.

— Tu l'as inventé.

— Et Mademoiselle Souris, c'est mon amie et tu l'as fait partir…

— Oui, crie Maman, pour qu'elle ne vienne pas te courir sur le visage et te mordre pendant la nuit. »

Je pleure si fort que ça siffle quand je respire. J'aurais jamais cru que Mademoiselle Souris voulait me mordre la figure, je croyais que c'étaient juste les vampires.

Maman se laisse tomber sur Madame Couette et elle bouge plus.

Après une minute je vais me coucher à côté d'elle. Je soulève son T-shirt et je prends mon Doudou-Lait mais je dois tout le temps m'arrêter pour m'essuyer le nez. À gauche, c'est bon mais il y en a pas beaucoup.

Plus tard j'essaie mon nouveau pantalon. Il tombe tout le temps.

Maman tire sur un fil qui dépasse.

« Non !

— Il était déjà en train de se détacher. De la mauvaise qualité, ce… » Elle ne dit pas quoi.

« Jean, je lui fais rappeler, c'est un pantalon en jean. » Je mets le fil dans le Pot d'Activités Manuelles de Monsieur Placard.

Maman descend Petit Trousseau pour coudre des points de couture à la taille et après mon jean tient mieux.

On a une matinée bien occupée. D'abord, on démonte Bateau de Pirate qu'on avait fabriqué la semaine dernière et on le transforme en Tank. C'est Ballon Gonflable qui conduit : avant il était aussi gros que la tête de Maman (et rose et dodu) mais il est devenu pas plus gros que mon poing (et rouge avec des rides). Comme on en gonfle que le premier jour du mois, on peut pas lui donner une petite sœur avant avril. Maman joue aussi avec Tank mais pas autant. Elle en a vite assez de tout, c'est à force d'être adulte.

Lundi, c'est lessive : on se met dans Madame Baignoire avec des chaussettes, des culottes, mon pantalon gris qui s'est fait éclabousser par le ketchup, les draps et des torchons à vaisselle et on les *frtche-frtche* pour chasser toute la saleté. Pour le séchage, Maman monte Monsieur Thermostat sur ultrachaud et elle va prendre Monsieur Séchoir à Linge à côté de Madame Porte ; quand elle le met debout les bras écartés, je lui dis d'être courageux. J'aimerais bien monter sur lui comme quand j'étais bébé mais je suis si grandi que je pourrais lui casser le dos. Ça serait génial de pouvoir redevenir parfois petit et parfois grand comme Alice. Après qu'on a tordu tout le linge pour sortir l'eau et tout accrocher, on se dépêche d'enlever nos T-shirts et on se penche dans Monsieur Frigo chacun son tour pour se rafraîchir.

Au déjeuner, on mange de la salade de haricots, c'est mon deuxième plat le plus détesté. Tous les jours sauf samedi et dimanche, on joue à Grand Cri juste après la sieste. D'abord on se racle la gorge et après on grimpe sur Madame Table en se tenant par la main pour pas tomber. On dit : « À vos marques, prêts, feu, partez ! » et puis on ouvre grand la bouche pour crier, hurler, brailler et rugir le plus fort des possibles. Aujourd'hui je crie le plus fort de toute ma vie parce que, avec mes cinq ans j'ai les poumons de plus tant plus grands.

Après, on se tait le doigt sur les lèvres. Un jour j'ai demandé à Maman qu'est-ce qu'on écoute. Elle a répondu : c'est juste au cas où, on ne sait jamais.

Après, je colorie au crayon pour décalquer la forme d'une fourchette, celle de Petit Peigne, des couvercles de bocal et les coutures de mon jean. Le papier à lignes est le plus lisse du monde pour décalquer mais le papier-toilette est bien pour les dessins qui durent superlong-temps ; par exemple, aujourd'hui je me dessine avec un chat et un perroquet et un iguane et un raton laveur et aussi le Père Noël, une fourmi, Lucky et tous mes amis de la télé dans une procession où je suis le Roi Jack. Quand j'ai tout fini, je l'enroule comme avant comme ça on peut l'utiliser aux W-C. J'en reprends une nou-velle feuille du prochain rouleau pour écrire à Dora mais je dois tailler le crayon rouge avec Petit Couteau sans Dents. Je le serre très fort parce qu'il est si riquiqui qu'il y en a presque plus. J'écris très bien sauf que des fois je fais mes lettres à l'envers. *J'ai eu mes cinq ans avant hier, tu peux manger la dernière part de gâteau mais il y a pas de bougies, au revoir, je t'aime, Jack.* Le papier se déchire juste un peu sous le *de*.

« Quand est-ce qu'elle aura ma lettre ?

— Eh bien, dit Maman, je suppose qu'il lui faudra quelques heures pour arriver jusqu'à la mer, ensuite elle s'échouera sur une plage… »

Elle a la voix bizarre, c'est à force de sucer un glaçon pour Dent Malade. Les plages et la mer existent que dans Madame Télé mais je crois que quand on envoie une lettre, elles se changent en vraies pendant un moment. Le caca coule alors que les feuilles de papier nagent sur les vagues. « Qui la trouvera ? Diego ?

— Sans doute. Et il l'apportera à sa cousine Dora…

— Dans sa Jeep de safari. *Zoum-zoum* : il foncera dans la jungle !

— Donc je dirais demain matin. Vers midi au plus tard. »

Maintenant le glaçon gonfle moins la figure de Maman. « Fais-le voir ? »

Elle le sort sur sa langue.

« Je crois que j'ai une dent malade, moi aussi.

— Oh, Jack ! gémit Maman.

— Pour de vraiment vrai. Aïe ! Aïe ! Aïe ! »

Maman change de figure. « Tu peux sucer un glaçon si tu en as envie, pas la peine d'avoir mal aux dents pour ça.

— Super !

— Ne me fais pas des frayeurs pareilles. »

Je savais pas que je pouvais lui faire peur. « Peut-être que j'aurai mal quand j'aurai six ans. »

Maman souffle et sort les glaçons de Monsieur Freezer. « Tu mens, tu mens, comme un arracheur de dents ! »

Mais c'était pas mentir, c'était juste pour de semblant.

Il pleut tout l'après-midi et Dieu ne jette même pas un petit coup d'œil dans la Chambre. On chante « Stormy Weather » et « It's Raining Men » et aussi la chanson où la pluie manque au désert.

Au dîner, on mange des bâtonnets de poisson et du riz ; c'est moi qui presse le citron pas un vrai, en plastique. On avait eu un vrai citron une fois mais il s'est ratatiné trop vite. Maman enterre un bout de son poisson sous Madame Plante.

On peut pas voir la planète dessins animés dans Madame Télé le soir, peut-être parce qu'il fait noir et qu'ils n'ont pas de lampes là-bas. Alors je choisis une recette cuisinée même si leur nourriture, on dirait pas de la vraie : ils n'ont pas de boîtes de conserve. Le monsieur et la dame se font des sourires, ils préparent une viande qu'ils cachent sous une pâte à gâteau et des trucs verts enroulés autour d'autres trucs verts en grappes. Après je passe à la planète fitness où des gens presque tout nus doivent faire tout le temps la même chose avec des tas de sortes de machines ; je crois qu'ils sont prisonniers. C'est déjà fini et après c'est *Déco de rêve* où les maisons se changent en d'autres formes et prennent des millions de couleurs en peinture, mais pas juste sur un tableau : tout partout. Les maisons, c'est comme plein de Chambres collées ensemble ; les habitants de Madame Télé restent presque toujours dedans mais des fois ils sortent dehors et ils rencontrent la pluie, la neige ou le beau temps.

« Et si on mettait le lit de ce côté-là ? » dit Maman.

J'ouvre des grands yeux et je regarde l'endroit qu'elle montre. « Mais c'est Monsieur Mur-Côté-Télé !

— Oui, parce qu'on l'appelle comme ça, mais le lit tiendrait sans doute dans cet espace, entre les W-C… Il faudrait pousser un peu Petit Dressing et la commode serait juste ici à la place du lit avec la télé dessus. »

Je secoue la tête très fort. « Mais on pourrait pas la voir !

— Si, on serait assis juste là, dans le rocking-chair.

— Mauvaise idée.

— Bon, laisse tomber. » Maman croise les bras bien serrés.

La dame dans Madame Télé pleure parce que maintenant sa maison est jaune.

« Elle la préférait en marron ?

— Non, répond maman, elle est si heureuse que ça la fait pleurer. »

Très bizarre. « Elle est triste et contente, comme toi quand tu écoutes une très belle musique dans Madame Télé ?

— Non, elle est stupide. Allez, on éteint maintenant.

— Encore cinq minutes, s'il te plaît ! »

Elle secoue la tête.

« Je vais jouer à Perroquet, je deviens de plus tant plus meilleur. » J'écoute l'habitante de Madame Télé de toutes mes forces et je dis : « ... *rêve devenu réalité, Darren, je dois dire que même dans mes rêves les plus fous, je n'aurais jamais imaginé... ces corniches...* »

Maman appuie sur OFF. Je voudrais lui demander de m'expliquer les corniches mais je crois qu'elle est encore grincheuse d'avoir voulu bouger tous les meubles.

Dans Petit Dressing, je devrais dormir mais je compte les disputes. Ça nous en fait trois en trois jours : une pour les bougies plus une pour Mademoiselle Souris plus une pour Lucky. J'aimerais mieux ravoir mes quatre ans si à cinq on se dispute à chaque jour.

« Bonne nuit, la Chambre, je dis tout doucement. Bonne nuit Madame Lampe et Ballon Gonflable.

— Bonne nuit, cuisinière, dit Maman et bonne nuit, table. »

Je fais un grand sourire. « Bonne nuit, Ballon des Mots ; bonne nuit, Grand Château Fort, bonne nuit, Monsieur Tapis.

— Bonne nuit à l'air qu'on respire, dit Maman.

— Bonne nuit à tous les bruits.

— Bonne nuit, Jack.

— Bonne nuit, Maman. Et les puces, n'oublie pas les puces !

— Bonne nuit, fais de beaux rêves, sans puces ni punaises. »

*　*　*

Quand je me réveille, Madame Lucarne a sa vitre toute bleue : il y a plus de neige même dans les coins. Maman est assise dans son Monsieur Fauteuil et elle se tient la figure à force d'avoir mal. Elle regarde un truc sur Madame Table ; non, deux.

Je me lève d'un bond pour les prendre. « C'est une Jeep, une Jeep télécommandée ! » Je la fais voler en l'air ; elle est rouge et aussi grosse que ma main. La télécommande, c'est un rectangle gris brillant et quand je pousse un bouton avec mon pouce, les roues de la Jeep font *whizzzzzz*.

« C'est un cadeau d'anniversaire en retard. »

Je sais qui l'a rapporté, c'est Grand Méchant Nick mais elle veut pas le dire.

J'ai pas envie de manger mes céréales mais Maman dit que je pourrai rejouer avec Petite Jeep juste après. J'en mange vingt-neuf après j'ai plus faim. Maman dit que c'est gâcher alors elle mange le reste.

Je comprends comment faire avancer Petite Jeep juste avec Madame Commande. L'antenne toute fine et argentée, je peux la rendre très longue ou très courte. Il y a un bouton pour faire avancer et reculer Petite Jeep et l'autre pour un côté et l'autre. Si je pousse les deux en même temps, elle est paralysée comme par une flèche empoisonnée et elle dit *arghhhh*.

Maman dit qu'elle ferait mieux de commencer à tout nettoyer parce que c'est mardi. « Doucement, elle dit, n'oublie pas qu'elle peut se casser. »

Je le sais déjà, tout peut se casser.

« Et si tu la laisses allumée longtemps, les piles vont s'user et on n'en a pas de rechange. »

Je peux la faire aller partout dans la Chambre, c'est facile sauf au bord de Monsieur Tapis qui s'enroule sous ses roues ; le chef, c'est Madame Commande. Elle dit : « Allez, c'est parti, espèce de lambine ! Deux tours du pied de Madame Table et que ça saute ! Fais-moi chauffer ces pneus ! » Parfois, Petite Jeep est fatiguée mais Madame Commande fait vrombir ses roues. La coquine va se cacher dans Petit Dressing mais Madame Commande la trouve par magie ; elle la tire et la pousse et la cogne fort contre les lattes.

Le mardi et le vendredi sentent toujours le vinaigre. Maman frotte par terre sous Madame Table avec le chiffon qui était une des couches que j'ai eues jusqu'à un an. Je parie qu'elle enlève la toile de Petite Araignée mais je m'en fiche un peu. Après elle prend Monsieur Aspirateur qui fait tout plein de bruit et de poussière *woui-i-i-i*.

Petite Jeep se glisse tout au fond de sous Monsieur Lit. « Reviens, Jeepy, mon bébé à moi ! lui dit Madame Commande. Si tu deviens poisson dans la rivière, je serai pêcheur et je t'attraperai dans mon filet. » Mais cette sournoise bouge plus jusqu'à ce que Madame Commande fait une sieste avec son antenne toute rentrée et elle arrive par-derrière pour lui chiper ses piles, ah, ah, ah.

Je joue avec Petite Jeep et Madame Commande toute la journée sauf qu'à l'heure de mon bain elles doivent rester garées sur Madame Table pour pas se rouiller. Quand c'est le moment du Grand Cri, je les pousse tout près de Madame Lucarne et Petite Jeep fait vroumer ses roues aussi fort qu'elle peut.

Maman se recouche avec la main sur sa joue de la dent. Parfois elle fait un gros soupir : *Pfff-fff-fff !*

« Pourquoi tu souffles si longtemps ?

— J'essaie de reprendre le dessus. »

Je vais m'asseoir près de sa tête et je caresse ses cheveux pour voir ses yeux : son front est glissant. Elle attrape ma main et serre fort. « Ça va. »

Mais on dirait que non. « Tu veux jouer avec Petite Jeep, Madame Commande et moi ? je demande.

— Plus tard, peut-être.

— Si tu joues, tu t'en fiches et tu seras moins mal. »

Elle sourit un peu mais quand elle se remet à souffler, c'est plus fort, comme un gémissement.

À 5 h 57, je dis : « Maman, il est presque six heures », alors elle se lève pour préparer le dîner mais elle en mange rien. Petite Jeep et Madame Commande attendent dans Madame Baignoire parce qu'elle est sèche maintenant et c'est leur caverne secrète. « En fait, Petite Jeep est morte et après elle est montée au Ciel, j'explique en avalant mes tranches de poulet tout vite.

— Ah oui ?

— Mais pendant la nuit quand le bon Dieu dormait, Petite Jeep est sortie en cachette et elle est redescendue par le Haricot Magique pour venir me voir dans la Chambre.

— Très malin. »

Je mange trois haricots verts, je bois un grand coup de lait et j'en remange trois, comme ça ils descendent un peu plus vite. Cinq iraient très plus vite mais j'y arrive pas, ma gorge se coincerait. Un jour quand j'avais quatre ans, Maman avait écrit *Haricots verts/autres lég. verts surgelés* sur la liste de courses mais j'avais gribouillé par-dessus *Haricots verts* au crayon orange et Maman avait trouvé ça drôle. Je finis par le pain mou parce que j'aime bien le garder dans ma bouche comme un coussin.

« Merci Petit Jésus, surtout pour le poulet, je dis, et s'il te plaît plus de haricots verts pendant très longtemps. Hé, pourquoi on dit merci au Petit Jésus et pas à lui ?

— Lui ? »

Je montre Madame Porte avec ma tête.

La figure de Maman devient toute lisse pourtant j'ai pas dit son nom.

« Pourquoi devrait-on le remercier ?

— Tu l'as fait l'autre soir, pour les provisions et la neige enlevée et le pantalon.

— Tu ne dois pas écouter. » Parfois quand elle est très fâchée, sa bouche ne s'ouvre pas en grand. « C'était un merci pour de semblant.

— Pourquoi… »

Elle me coupe la parole. « Il les apporte, c'est tout. Il ne fait pas pousser le blé dans le champ.

— Quel champ ?

— Il ne peut pas faire briller le soleil sur les cultures ni faire tomber la pluie ni rien.

— Mais Maman, le pain vient pas des champs ! »

Elle s'appuie la main sur la bouche.

« Pourquoi tu as dit… ?

— Ça doit être l'heure de regarder la télé », dit Maman très vite.

Il y a des clips, j'adore ! Maman fait presque toujours les danses avec moi mais pas ce soir. Je saute sur Monsieur Lit et j'apprends à Petite Jeep et à Madame Commande à secouer leur popotin. C'est Rihanna et T.I. et aussi Lady GaGa et Kanye West.

« Pourquoi les rappeurs portent des lunettes de soleil même la nuit, je demande à Maman, ils ont mal aux yeux ?

— Non, ils veulent juste avoir l'air cool. Et éviter que leurs fans les dévisagent tout le temps parce qu'ils sont très célèbres. »

Je comprends rien. « Pourquoi ils sont célèbres, les fans ?

— Pas les fans, les stars.

— Ça les embête ?

— Eh bien, je ne pense pas, dit Maman qui va éteindre Madame Télé, mais ils ont aussi envie d'un peu de tranquillité. »

Quand je prends mon Doudou-Lait, Maman ne me laisse pas emmener Petite Jeep et Madame Commande dans Monsieur Lit même si c'est mes amies. Après elle dit qu'elles doivent aller sur Madame Étagère pendant que je dors. « Sinon, elles te donneront des petits coups pendant la nuit.

— Non, elles ont promis.

— Écoute, on va ranger ta Jeep et tu pourras dormir avec la télécommande puisqu'elle est plus petite ; mais à condition que l'antenne soit complètement rentrée, ça marche ?

— Ça marche. »

Pendant que je suis dans Petit Dressing, on se parle par les lattes. « Dieu bénisse Jack, dit-elle.

— Dieu bénisse Maman et qu'il guérisse Dent Malade par sa magie. Dieu bénisse Petite Jeep et Madame Commande.

— Dieu bénisse les livres.

— Dieu bénisse tout ce qu'il y a ici et dans l'Espace et aussi Petite Jeep. Maman ?

— Oui ?

— Où on est quand on dort ? »

Je l'entends bâiller. « Ici même.

— Mais les rêves. » J'attends. « Ils existent dans Madame Télé ? » Elle répond toujours pas. « Je vais dans Madame Télé quand je dors ?

— Non, nous n'allons nulle part, je te dis. » On dirait que sa voix vient de très-très loin.

Je suis recroquevillé dans mon lit et mes doigts jouent avec les boutons de Madame Commande. Je chuchote : « Vous n'arrivez pas à dormir, petits boutons ? C'est pas grave, venez prendre votre Doudou-Lait. » Je les approche de mes tétons et ils boivent chacun son tour. Je suis presque endormi mais pas en entier.

Bip-bip. C'est Madame Porte.

J'écoute très fort. L'air froid entre dans la Chambre. Si je sortais la tête de Petit Dressing, il y aurait Madame Porte en train de s'ouvrir et je parie que je pourrais voir les étoiles, les vaisseaux, les planètes et aussi les extra-terrestres qui foncent dans leurs ovnis. J'aimerais telle-ment-tellement les voir !

Boum ! dit Madame Porte en se refermant, et Grand Méchant Nick raconte à Maman qu'il y avait pas un truc et qu'un autre truc était à un prix incroyable de toute façon.

Je me demande s'il a regardé sur Madame Étagère et s'il a vu Petite Jeep. Oui, c'est lui qui me l'a rapportée mais il y avait jamais joué, je crois pas. Il peut pas savoir qu'elle démarre supervite quand j'allume Madame Commande *vrou-ou-oum* !

Maman et lui se parlent juste un peu, ce soir. Madame Lampe s'éteint avec un clic et Grand Méchant Nick fait grincer le lit. Des fois, je compte les bruits par un et pas par cinq, juste pour me changer. Mais je commence à perdre le compte alors je passe à cinq qui vont plus vite et j'arrive à 378.

Aucun bruit. Je crois qu'il dort. Et Maman, elle fait le noir dans sa tête en même temps que lui ou elle reste réveillée pour attendre qu'il soit reparti ? Peut-être qu'ils sont tous les deux endormis et moi encore là, c'est très bizarre. Je pourrais m'asseoir et sortir de Petit Dressing, ils le sauraient même pas. Je pourrais les dessiner dans Monsieur Lit ou autre chose. Je me demande est-ce qu'ils sont couchés ensemble ou aux deux bouts.

Alors j'ai une idée horrible : si Grand Méchant Nick était en train de prendre mon Doudou-Lait ? Est-ce que Maman le laisserait faire ou est-ce qu'elle dirait : « Jamais de la vie, c'est seulement pour Jack » ?

S'il en boit, il pourrait exister en plus vrai.

J'ai envie de me lever d'un bond et de crier.

Je trouve le bouton ON de Madame Commande, je l'allume en vert. Ce serait drôle si ses superpouvoirs faisaient démarrer les roues de Petite Jeep, là-haut sur Madame Étagère, non ? Ça pourrait réveiller Grand Méchant Nick en surprise, ah ah !

J'essaie le bouton « Avance » : rien. Quel bêta, j'avais oublié de sortir l'antenne ! Je la tire en entière et j'essaie encore mais Madame Commande marche toujours pas. Je glisse son antenne entre les lattes : elle est dehors et moi dedans, tous les deux en même temps. Je pousse le bouton. J'entends un bruit minuscule qui doit être les roues de Petite Jeep en train de se réveiller et après…

BRRAOUM !

Grand Méchant Nick hurle comme je l'avais jamais entendu, il crie quelque chose sur Jésus, c'était pas le Petit Jésus, c'était moi. Madame Lampe s'allume entre les lattes et la lumière s'enfonce dans mes yeux qui se ferment très fort. Je me glisse vite fait dans mon lit et je tire Madame Couverture sur ma figure.

« Mais à quoi tu joues ? » il crie.

Maman a la voix toute tremblante, elle dit : « Quoi ? Quoi ? Tu as fait un cauchemar ? »

Je mords Madame Couverture qui est douce comme le pain gris dans ma bouche.

« Tu as tenté quelque chose ? C'est ça ? » Sa voix descend plus bas. « Parce que je t'ai déjà prévenue, c'est à tes risques et périls…

— Je dormais. » Maman parle d'une toute petite voix écrasée. « Je t'en prie, regarde, regarde, c'est cette stupide Jeep qui a glissé de l'étagère. »

Petite Jeep n'est pas stupide !

« Je suis désolée, répète Maman, vraiment désolée, j'aurais dû la ranger ailleurs pour éviter ça. Je suis absolument…

— C'est bon.

— Allez, on éteint la lumière…

— Non, répond Grand Méchant Nick, j'ai fait ce que j'avais à faire. »

Personne dit rien, je compte : un, deux, trois…

77

Bip-bip, Madame Porte s'ouvre et se referme avec un *boum*. Il est parti.

Madame Lampe s'éteint une deuxième fois.

Je cherche Madame Commande par terre dans Petit Dressing et je trouve quelque chose de terrible : son antenne est toute courte et piquante, elle a dû se craquer entre les lattes.

« Maman », je chuchote.

Pas de réponse.

« Madame Commande s'est cassée.

— Dors. » Sa voix est si rauque qu'elle fait peur, je crois que c'est pas Maman.

Je compte mes dents cinq fois, je trouve vingt à chaque fois mais je peux pas m'empêcher de recommencer. J'en ai aucune qui me fait mal mais peut-être quand j'aurai six ans.

Je dois dormir sans le savoir parce que après je me réveille.

Je suis toujours dans Petit Dressing, il fait tout noir. Maman m'a pas encore ramené dans Monsieur Lit. Pourquoi elle m'a pas pris avec elle ?

Je pousse les portes pour l'entendre respirer. Si elle dort, elle peut pas être fâchée dans son sommeil, si ?

Je me glisse sous Madame Couette. Je me couche près de Maman sans la toucher, c'est tout chaud autour d'elle.

POUR DE VRAI

Le matin, pendant qu'on mange la bouillie d'avoine, je vois des marques. « Maman, tu es sale sur le cou. »

Elle boit de l'eau et me répond pas, sa peau bouge quand elle avale.

En fait, c'est pas de la saleté, je crois pas.

Je mange un peu de bouillie mais c'est trop chaud ; je la recrache dans Grande Cuiller Fondue. Je crois que c'est Grand Méchant Nick qui a mis ces marques sur le cou de Maman. Quand j'essaie de parler des mots, aucun ne sort. J'essaie encore :

« Pardon, j'aurais pas dû faire tomber Petite Jeep pendant la nuit. »

Je descends de ma chaise et Maman me laisse venir sur ses genoux. « Qu'est-ce que tu essayais de faire ? » Sa voix est encore enrouée.

« Je voulais lui montrer.

— Comment ça ?

— Je... j'étais... j'étais...

— Ce n'est pas grave, Jack. Ne parle pas si vite.

— Mais Madame Commande s'est craquée et tu es toute fâchée contre moi.

— Écoute, dit Maman, je m'en fiche complètement de la Jeep. »

Je la regarde en clignant des yeux. « Mais c'était mon cadeau.

— Si je suis fâchée (sa voix devient plus forte et plus râpeuse), c'est parce que tu l'as réveillé.

— Petite Jeep ?

— Non, Grand Méchant Nick. »

Je sursaute parce qu'elle l'a dit tout fort.

« Tu l'as effrayé.

— Moi ?

— Il ne savait pas que c'était toi, explique Maman. Il a cru que je l'attaquais, que je l'assommais avec quelque chose de lourd. »

Je mets ma main sur ma bouche et mon nez mais le rire s'échappe.

« Ce n'est pas drôle, c'est tout sauf drôle ! »

Quand je vois son cou et les marques qu'il a mis dessus, j'ai plus du tout envie de rire.

Comme la bouillie est encore trop chaude, on retourne dans Monsieur Lit se faire un câlin.

Ce matin, il y a Dora, *youpi !* Elle est sur un bateau qui va s'écraser contre un paquebot alors on doit agiter les bras et crier « Attention ! » sauf que Maman le fait pas. Les bateaux existent juste dans Madame Télé et la mer aussi sauf quand nos crottes et nos lettres partent en voyage. Ou peut-être qu'elles sont plus pour de vrai dès qu'elles arrivent là-bas ? Alice dit que si elle est dans la mer, elle pourra rentrer chez elle par le chemin de fer (c'est un vieux mot pour les trains). Les forêts existent que dans Madame Télé comme les jungles et les déserts, et aussi les rues, les immeubles et les voitures.

Pareil pour les animaux sauf les fourmis, Petite Araignée et Mademoiselle Souris mais elle est partie maintenant. Les microbes existent pour de vrai, comme le sang. Les petits garçons n'habitent que dans Madame Télé mais ils me ressemblent un peu, enfin à moi dans Monsieur Miroir où j'existe pas en vrai non plus, juste en image. Parfois j'aime bien détacher ma queue-de-cheval, me mettre les cheveux sur la figure, faire sortir ma langue comme un serpent et faire apparaître ma figure, *bouh*.

Comme c'est mercredi, on se lave les cheveux et on se fabrique des turbans de mousse avec Petit Liquide Vaisselle. Je regarde tout autour du cou de Maman sauf lui.

Elle me dessine une mousse-tache mais ça chatouille trop alors je l'enlève. « Et que dirais-tu d'une barbe ? » Elle met tout plein de petites bulles sur mon menton.

« Ho ho ho ! Le Père Noël, c'est un géant ?

— Euh, je pense qu'il est très grand », dit Maman.

Je crois qu'il existe en vrai parce qu'il nous avait rapporté le million de chocolats dans la boîte avec le ruban rouge.

« Je serai Jack le Géant Tueur de Géants. Moi, je serai un gentil géant : je trouverai tous les méchants et je leur éclaterai la tête en bouillie : *splash !* »

On fait des cascades qui vident et remplissent plus des bocaux et on a des tambours différents. J'en change un en supermégatransformer sous-marin avec un pulvérisateur anti gravité (en vrai, le pistolet c'est Grande Cuiller en Bois).

Je me retourne pour regarder *Impression soleil levant*. On voit un bateau noir avec deux personnes minuscules et la figure dorée du bon Dieu au-dessus et une lumière orange toute floue sur l'eau ; il y a aussi des trucs bleus, d'autres bateaux je crois, mais on sait pas trop parce que c'est de l'art.

Pour l'activité sportive, Maman choisit le jeu des Îles où je monte sur Monsieur Lit et Maman met les oreillers, Monsieur Rocking-Chair, les chaises et Monsieur Tapis tout replié, et aussi Madame Table et Madame Poubelle à des endroits incroyables. Je dois visiter chaque île juste une fois, pas deux. Monsieur Rocking-Chair est le plus difficile : il essaie toujours de me catapulter par terre. Maman nage entre les îles, elle fait le Monstre du loch Ness qui essaie de me croquer les pieds.

Quand c'est mon tour, je veux jouer à la Bataille d'Oreillers mais Maman dit qu'en fait la mousse commence à sortir de mon coussin, alors ça serait mieux de prendre Karaté. On s'incline toujours pour respecter notre adversaire. On pousse des cris très féroces comme *Hou !* et *Aï-yâ !* À un moment, je tranche trop fort le poignet fragile de Maman avec le côté de ma main sans faire exprès.

Comme elle est fatiguée, elle choisit Gymnastique des Yeux parce qu'on reste allongés côte à côte sur Monsieur Tapis en serrant les bras près du corps pour y tenir à deux. On regarde des trucs loin comme Madame Lucarne et tout près comme son nez mais il faut voir très-très vite entre les deux.

Pendant que Maman réchaudit le déjeuner, je fais voler pauvre Petite Jeep dans tous les sens vu qu'elle peut plus avancer toute seule. Madame Commande met les choses sur Pause et bloque Maman comme un robot. « Allez, je te mets sur ON ! »

Elle recommence à tourner la cuiller dans la casserole « À table ! »

Soupe de légumes, *beurk*. Je fais des bulles, c'est plus rigolo.

Je suis pas assez fatigué pour la sieste alors je descends des livres de Madame Étagère. Maman fait la grosse voix : « "Dylan est…. !" » Mais elle s'arrête. « Je ne supporte plus ce Dylan. »

Je la regarde avec des grands yeux. « Mais c'est mon ami !

— Oh, Jack… c'est le livre que je ne supporte plus, tu comprends ? Je… Ça ne vaut pas pour ton ami Dylan.

— Pourquoi tu ne supportes plus *Dylan* le livre ?

— Je l'ai trop lu. »

Moi quand j'aime un truc, j'en ai toujours envie ; comme les chocolats : je pourrai en manger mille fois chacun.

« Tu pourrais le lire tout seul. »

N'importe quoi. Je pourrais les lire tous, même *Alice* avec ses vieux mots. « Mais je préfère quand c'est toi. »

Les yeux de Maman sont tout durs et brillants. Après elle rouvre le livre : « "Dylan est le plus costaud des maçons !" »

Comme elle est grincheuse, je la laisse lire *Je vais me sauver* et un peu d'*Alice*. Ma préférée des chansons, c'est la « Soupe du soir », je parie qu'elle est pas aux légumes, celle-là. Alice se retrouve à chaque fois dans un couloir plein de portes ; il y en a une riquiqui et quand elle l'ouvre avec la clé d'or, elle voit un jardin avec des fleurs bien colorées et des fontaines bien fraîches mais Alice a jamais la bonne taille. Après, quand elle arrive enfin à entrer dans le jardin, en fait les roses sont juste peintes, elles existent pas en vrai et Alice doit jouer au croquet avec des flamants roses et des hérissons.

On se couche sur Madame Couette. Je prends Doudou-Lait pendant longtemps. Je me dis que Mademoiselle

Souris pourrait bien revenir puisqu'on fait vraiment aucun bruit mais non ; Maman a dû boucher tous les trous. Elle est pas méchante mais parfois elle fait des choses méchantes.

Quand on se relève pour l'heure du Grand Cri, je claque les couvercles des casseroles comme des cymbales. Le Grand Cri dure superlongtemps parce qu'à chaque fois que je vais m'arrêter, Maman hurle encore un coup même si sa voix est presque en train de disparaître. Les marques sur son cou ressemblent à mes dessins au jus de betterave. Je crois que c'est les empreintes de Grand Méchant Nick.

Après, je joue au Téléphone avec des rouleaux de papier-toilette : j'aime bien comme ça résonne quand je parle dans un gros rouleau. D'habitude Maman fait toutes les voix qui répondent mais cet après-midi, elle a besoin de s'allonger et de lire. Elle a pris le *Da Vinci Code* avec les yeux d'une femme qui surveille, on dirait la Maman du Petit Jésus.

J'appelle Babouche, Patrick et le Petit Jésus pour leur raconter mes nouveaux superpouvoirs depuis mes cinq ans. «Je peux me rendre invisible, je chuchote à mon téléphone. Je peux enrouler ma langue en dehors et me propulser dans l'Espace comme une fusée. »

Maman a les paupières fermées : comment elle peut lire à travers ?

Je joue aux Numéros, debout sur ma chaise près de Madame Porte, sauf que d'habitude c'est Maman qui dit les nombres et qu'aujourd'hui je dois les inventer. Je tape les chiffres rapido sur Petit Clavier sans me tromper. Ils n'ouvrent pas Madame Porte avec son *bip-bip* mais j'aime bien leurs petits clics quand j'appuie.

Le jeu des Costumes, ça fait pas de bruit. Je mets la couronne royale en carton de lait avec des bouts de papier doré et argenté. J'invente un bracelet pour Maman : deux chaussettes à elle accrochées ensemble, une blanche et une verte.

Je descends Boîte à jeux de Madame Étagère. Je mesure avec Petite Règle : chaque domino fait presque deux centimètres et demi et les pions des dames presque un et demi. Je change mes doigts en saint Pierre et saint Paul ; ils se font la révérence et après ils s'envolent à chacun son tour.

Les yeux de Maman sont rouverts. Je lui rapporte le bracelet en chaussettes ; elle dit qu'il est très beau et elle le met tout de suite.

« On peut jouer à la Bataille Corse ?

— Une seconde. » Elle s'approche de Monsieur Évier et se lave la figure ; je sais pas pourquoi vu qu'elle était pas sale mais il y avait des germes peut-être.

Je me retrouve sans cartes deux fois et Maman une seule, je déteste perdre. Après on fait des parties de Gin-Rami et de Sept Familles, je gagne le plus souvent. Quand on a fini, on s'amuse juste avec les cartes : elles dansent, elles se battent et tout et tout. Jack le Valet de Pique est mon préféré, et aussi ses amis les autres valets.

« Regarde ! » Je montre Madame l'Heure. « Elle dit 6 h 01, on peut dîner. »

C'est un hot-dog chacun, miam !

Pour regarder Madame Télé, je me mets dans Monsieur Rocking-Chair mais Maman s'assoit sur Monsieur Lit avec Trousse à Couture : elle recoud l'ourlet détaché de sa robe marron avec du rose. On regarde la planète médicale où des docteurs et des infirmières font des trous dans des gens pour sortir les microbes. Ils sont endormis, pas morts. Les docteurs ne cassent pas le fil avec leurs dents comme Maman, ils prennent de poignards supercoupants et après ils recoudent les personnes comme Frankenstein.

Quand les pubs arrivent, Maman me dit d'aller appuyer sur le bouton qui les rend muettes. On voit un monsieur avec un casque jaune creuser un trou dans une rue, il se tient le front en faisant une grimace. « Il a mal ? » je demande.

Maman lève les yeux de sa couture. « Il doit avoir mal au crâne avec tout ce bruit. »

On entend pas le marteau-piqueur parce que Madame Télé est muette. Le monsieur est devant un évier et il sort un médicament d'un flacon ; après il sourit et il lance une balle à un petit garçon. « Maman ! Maman !

— Quoi ? » Elle est en train de faire un nœud.

« C'est notre flacon. Tu as vu ? Tu as regardé le monsieur qui avait mal à la tête ?

— Non.

— Le flacon où il a pris le médicament, c'est l'exact même qu'on a, celui des a-mal-gésiques. »

Maman regarde, mais maintenant on voit une voiture qui fonce sur une route à la montagne.

« Non, avant ! Il avait vraiment notre flacon d'a-mal-gésiques !

— Bon, c'était peut-être le même, mais pas le nôtre.

— Mais si !

— Non, il y en a plein d'autres.

— Où ? »

Maman me regarde et après elle regarde encore sa robe ; elle tire sur l'ourlet. « Eh bien, notre flacon est juste là, sur Madame Étagère, et les autres sont…

— Dans Madame Télé ? »

Elle regarde les fils qu'elle enroule autour des petites cartes pour les ranger dans Trousse à Couture.

« Tu sais quoi ? » Je fais des petits bonds. « Tu sais ce que ça veut dire ? Il doit aller dans Madame Télé. » La planète médicale est revenue mais je regarde même pas. « Grand Méchant Nick, j'explique, comme ça elle croira pas que je parle du monsieur au casque jaune. Quand il est pas là, pendant la journée, tu sais quoi ? Il rentre vraiment dans Madame Télé ! C'est là qu'il a trouvé nos a-mal-gésiques dans un magasin pour nous les rapporter.

— Apportés, corrige Maman en se levant. Apporter, pas rapporter. Il est l'heure d'aller au lit. » Elle commence « Indicate the Way to My Abode » mais je chante pas avec elle.

Je crois qu'elle comprend pas que c'est trop génial ! J'y pense tout le temps où je mets mon T-shirt de nuit, où je me brosse les dents et même pendant que je prends mon Doudou-Lait sur Monsieur Lit. J'enlève ma bouche et je dis : « Comment ça se fait qu'on le voit jamais dans Madame Télé ? »

Maman bâille et se redresse.

« À chaque fois qu'on regarde Madame Télé, on le voit jamais, pourquoi ?

— Il n'y est pas.

— Mais le flacon, comment il l'a eu ?

— Je n'en sais rien. »

Elle dit ça d'une façon bizarre. Je crois qu'elle fait semblant. « Tu dois savoir. Tu sais tout.

— Écoute, ça n'a vraiment aucune importance.

— Si, c'est important, moi je m'en fiche pas ! » Je crie presque.

« Jack… »

Quoi, Jack ? Ça veut dire quoi, Jack ?

Maman s'adosse aux oreillers. « C'est très compliqué. »

Moi je crois qu'elle peut expliquer : elle veut pas, c'est tout. « Mais tu peux me le dire, j'ai cinq ans maintenant. »

Elle regarde du côté de Madame Porte. « L'endroit où nos flacons de pilules se trouvaient, tu vois, c'est un magasin ; il les a trouvés là-bas et il nous les a apportés comme Cadeau du Dimanche.

— Un magasin dans Madame Télé ? » Je regarde sur Madame Étagère pour vérifier que le médicament est toujours là. « Mais les a-mal-gésiques existent en vrai…

— C'est un vrai magasin. » Maman se frotte l'œil.

« Comment… ?

— Bon, d'accord, d'accord ! »

Pourquoi elle crie ?

« Écoute. Ce qu'on voit à la télé, c'est… ce sont des images de choses réelles. »

J'ai jamais rien entendu d'aussi incroyable.

Maman a mis la main sur sa bouche.

« Et Dora, elle existe pour de vrai ? »

Elle enlève sa main. « Non, désolée. À la télé, il y a beaucoup d'images inventées – par exemple, Dora n'est qu'un dessin – mais les autres gens, ceux qui ont un visage comme toi et moi, ils existent vraiment.

— Des vrais humains ? »

Elle fait oui avec la tête. « Et les endroits aussi, les fermes, les forêts, les avions et les villes…

— N'importe quoi ! » Pourquoi elle me raconte des histoires ? « Il y a pas assez de place pour eux.

— Si, là-dehors, dit Maman. À l'extérieur. » Elle penche la tête pour me montrer l'endroit.

« Derrière Monsieur Mur-Côté-Lit ? » Je le regarde.

« Derrière les murs de la Chambre. » Maintenant Maman pointe son doigt de l'autre côté sur Monsieur Mur-Côté-Cuisinière et tout autour de la Chambre.

« Les magasins et les forêts flottent dans l'Espace ?

— Non. Oublie tout ça, Jack, je n'aurais pas dû…

— Mais si ! » Je secoue son genou. « Dis-moi !

— Pas ce soir, je ne trouve pas les mots justes pour l'expliquer. »

Alice dit qu'elle peut pas s'expliquer parce qu'elle n'est pas elle : elle sait qui elle était ce matin mais après elle a changé plusieurs fois.

Maman se lève d'un coup pour aller prendre les a-mal-gésiques sur Madame Étagère ; d'abord je crois qu'elle regarde si c'est les mêmes que dans Madame Télé mais elle ouvre le flacon et avale un cachet et puis un autre.

« Tu trouveras les mots demain ?

— Je suis vannée. Il est huit heures quarante-neuf, Jack, tu veux bien aller au lit maintenant ? » Elle attache la ficelle du sac-poubelle et le pose à côté de Madame Porte.

Je me couche dans Petit Dressing mais je suis bien réveillé.

* * *

Aujourd'hui est un des jours où Maman est Ailleurs.

Elle veut pas se réveiller complètement. Elle est ici mais pas vraiment. Elle reste dans Monsieur Lit, la tête sous les oreillers.

Cet idiot de Petit Zizi se dresse, je l'aplatis.

Je mange mes 100 céréales et je monte sur ma chaise pour laver le bol et Grande Cuiller Fondue. Quand je referme le robinet, il y a beaucoup de silence dans la Chambre. Je me demande si Grand Méchant Nick est venu dans la nuit. Je ne crois pas, vu que le sac-poubelle est toujours près de Madame Porte mais peut-être qu'il était là sauf qu'il l'a pas pris ? Peut-être que Maman est pas juste Ailleurs. Peut-être qu'il a écrasé son cou encore plus fort et maintenant…

Je m'approche tout-tout près, j'écoute et je l'entends respirer. Je suis plus qu'à trois centimètres de Maman, mes cheveux touchent son nez et elle lève la main vers sa figure alors je recule.

Je prends pas mon bain tout seul, je m'habille, c'est tout.

Il se passe des heures et des heures, en centaines.

Maman se lève pour aller faire pipi mais sans parler et avec la figure toute vide. J'ai déjà mis un verre d'eau à côté de Monsieur Lit mais elle se recouche juste sous Madame Couette.

Je déteste quand elle est Ailleurs, mais ce que j'aime bien, c'est que j'ai le droit de regarder Madame Télé toute la journée. Au début je la mets vraiment tout bas et puis un peu plus fort à chaque fois. Trop de Madame Télé pourrait me changer en zombie mais Maman a l'air d'un zombie aujourd'hui sauf qu'elle la regarde même pas. Il y a *Bob le Maçon*, *Wonder Pets !* et aussi *Barney*. À chaque fois, je vais toucher l'écran pour dire bonjour. Barney et ses amis se font plein de câlins, je cours les rejoindre mais parfois j'arrive trop tard. Aujourd'hui ça raconte l'histoire d'une souris qui vient en cachette pendant la nuit et transforme les vieilles dents en sous. J'ai envie de voir Dora mais elle vient pas.

Jeudi, c'est lessive. Sauf que je peux pas la faire tout seul et en plus Maman est couchée sur les draps.

Quand j'ai encore faim, je vérifie les chiffres de Madame l'Heure mais elle dit seulement 9 h 47. Les dessins animés sont finis alors je regarde du foot et la planète où les habitants gagnent des prix. La dame aux cheveux gonflés est sur son canapé rouge, elle parle avec un monsieur qui était une star de golf avant. Il y a une autre planète où les dames montrent des colliers en expliquant qu'ils sont très-très précieux : « Bande de niaises ! » dit toujours Maman quand elle les voit. Elle ne dit rien aujourd'hui, elle remarque même pas que je regarde de plus tant plus et que mon cerveau commence à sentir le moisi.

Comment Madame Télé peut montrer des choses en vrai ?

Je les imagine en train de flotter toutes ensemble dans l'Espace, derrière les murs : le canapé, les colliers, le pain et les a-mal-gésiques et aussi tous les gens comme les boxeurs, le monsieur avec une seule jambe et la dame aux cheveux gonflés qui volent au-dessus de Madame Lucarne. Je leur fais coucou mais il y a des gratte-ciel aussi et des vaches et des bateaux et des camions, ils sont très serrés, là-dehors. Je compte tout ce qui pourrait s'écraser dans la Chambre. Comme j'arrive pas bien à respirer, je compte mes dents à la place, de gauche à droite pour celles du haut, de droite à gauche pour en bas et retour ; je trouve vingt à chaque fois mais j'ai quand même peur de m'être trompé.

Comme à 12 h 04 on peut déjeuner, j'ouvre une boîte de haricots blancs à la sauce tomate ; je fais attention. Je me demande, est-ce que Maman se réveillerait si je me coupais la main et criais au secours ? J'avais jamais mangé des haricots à la sauce tomate froids. J'en avale neuf et après j'ai plus faim.

Je mets le reste dans un pot pour pas gâcher. Il y en a collés au fond de la boîte où je fais couler de l'eau. Peut-être que Maman se lèvera et la lavera tout à l'heure. Peut-être qu'elle aura faim, elle dira :

« Oh, Jack, comme c'est gentil de m'avoir gardé des haricots ! »

Je mesure encore d'autres choses avec Petite Règle mais c'est dur de calculer les additions tout seul. Je lui fais faire des culbutes et elle devient acrobate de cirque. Je joue avec Madame Commande, je la dirige vers Maman en chuchotant : « Réveille-toi ! » mais elle reste endormie. Ballon Gonflable est tout ramollo, il monte sur Bouteille de jus de Prune et vole jusqu'à Madame Lucarne : ils changent sa lumière en marron brillant. Comme ils ont peur de Madame Commande à cause de son antenne piquante, je vais la ranger dans Petit Dressing et je referme ses portes. Je dis à toutes les choses de la Chambre que tout va bien, Maman reviendra demain. Je lis les cinq livres moi tout seul mais juste des bouts d'*Alice*. Le plus souvent, je reste assis.

Je joue pas à Grand Cri pour pas déranger Maman. Ça doit pas être grave de sauter un jour, je crois.

Après, je rallume Madame Télé et je fais bouger Lapinot l'Antenne : il rend les planètes un peu moins floues mais pas beaucoup. C'est des courses de voitures, j'aime bien les voir aller supervite mais c'est plus très intéressant quand elles ont fait cent tours d'ovale. J'ai envie de réveiller Maman pour lui poser des questions sur le monde de Dehors avec les véritables humains et tous les autres trucs qui tournent comme des toupies dans l'espace, mais elle serait fâchée. Ou peut-être qu'elle reviendra pas même si je la secoue. Alors j'essaie pas. Je m'approche tout près, la moitié de sa figure se voit et aussi son cou. Maintenant les marques sont violettes.

Je vais donner des coups de pied à Grand Méchant Nick jusqu'à tant qu'il se casse en deux ! J'ouvrirai Madame Porte avec Madame Commande : *zap !* Et après, *whizz !* je me propulserai dans l'Espace de Dehors et j'irai acheter tout plein de choses pour Maman dans les magasins qui existent en vrai.

Je pleure un peu mais sans le bruit.

Je regarde de la météo et une histoire d'ennemis qui assiègent un château ; les gentils construisent une barricade pour pas que la porte elle s'ouvre. Je me mordille le doigt et Maman peut même pas me dire d'arrêter. Je me demande combien j'ai de cervelle gluante et combien de cerveau en bonne santé. Je crois que j'ai envie de vomir comme quand j'avais trois ans et la diarrhée. Et si je vomis tout partout sur Monsieur Tapis, comment je ferai pour le laver tout seul ?

Je regarde la tache de quand j'étais né, je me mets à genoux et je caresse l'endroit : c'est un peu tiède et râpeux comme le reste de Monsieur Tapis, pas différent.

Maman reste jamais Ailleurs plus qu'un jour. Je sais pas ce que je ferai si elle y est encore demain matin.

Après j'ai faim, alors je mange une banane et tant pis si elle est un peu verte.

Dora est un dessin mais c'est mon amie pour de vrai, c'est pas facile à comprendre. Petite Jeep existe en vrai, je peux la toucher. Superman ne vit que sur une planète de Madame Télé. Les arbres aussi mais Madame Plante, non ; oh, j'ai oublié de l'arroser ! Je la porte tout de suite de Madame Commode à Monsieur Évier pour lui donner à boire. Je me demande si elle a mangé le bout de poisson de Maman.

Les skate-boards c'est que de la télé, pareil pour les petites filles et les petits garçons sauf que Maman dit qu'ils sont véritables, mais alors pourquoi ils sont tout plats ? Maman et moi on pourrait fabriquer une barricade, on pourrait pousser Monsieur Lit contre Madame Porte pour qu'elle s'ouvre pas : ça lui ferait un sacré choc, ah ah ! « Laissez-moi entrer, il crie, sinon je vais souffler, souffler et votre maison s'écroulera. » L'herbe aussi c'est de la télé, comme le feu, mais il pourrait s'allumer pour de vrai dans la Chambre si je faisais chaudir les haricots sauce tomate et si le rouge de Madame Cuisinière sautait sur ma manche et me brûlait en entier. J'aimerais bien voir ça mais pour de faux. L'air existe en vrai comme l'eau mais juste dans Madame Baignoire et Monsieur Évier ; les fleuves et les lacs sont dans Madame Télé et la mer, je sais pas parce que si elle tournait en tourbillon dans le monde de Dehors, ça mouillerait tout. J'ai envie de secouer Maman pour lui demander si la mer existe en vrai. La Chambre, c'est sûr, et peut-être que le monde de Dehors aussi, sauf qu'il a mis une cape d'invisibilité comme le Prince JackerJack dans l'histoire ? Le Petit Jésus, c'est que de la télé sauf dans le tableau avec sa maman, son cousin et sa grand-mère ; mais Dieu existe en vrai puisqu'il nous regarde par Madame Lucarne avec sa figure jaune – enfin, pas aujourd'hui : on voit juste du gris.

J'ai envie d'être dans Monsieur Lit avec Maman. Alors je m'assois sur Monsieur Tapis et je pose mes doigts juste à l'endroit où son pied fait une bosse sous Madame Couette. Comme mon bras se ramollote, j'enlève un peu ma main et après je la remets. J'enroule le coin de Monsieur Tapis et je le laisse se rouvrir tout seul. Je recommence des centaines de fois.

Quand il fait sombre, j'essaie de manger encore des haricots sauce tomate mais ils sont dégoûtants. À la place je prends du pain et du beurre de cacahuète. J'ouvre Monsieur Freezer et je mets ma figure à côté des sacs (il y a les petits pois, les épinards et aussi ces horribles haricots verts) et je la laisse si longtemps qu'elle devient toute gelée, même les paupières. Après je la sors d'un bond, je ferme la porte et je me frotte les joues pour les tiédir. Je les sens avec mes mains mais elles, j'ai pas l'impression qu'elles sentent mes doigts, c'est vraiment bizarre.

Il fait noir dans Madame Lucarne maintenant, j'espère que Dieu va montrer sa tête argentée.

Je me mets dans mon T-shirt de nuit. Je me demande si je suis sale vu que j'ai pas pris de bain et j'essaie de sentir mon odeur. Je vais me coucher dans Petit Dressing sous Madame Couverture mais j'ai froid. J'ai oublié de monter Monsieur Thermostat aujourd'hui, c'est pour ça. Je viens juste de m'en rappeler mais je peux plus le faire maintenant que c'est la nuit.

J'ai très envie de mon Doudou-Lait, je n'en ai pas eu de toute la journée. Même du droit, même si je préférerais le gauche. Si seulement je pouvais aller dans Monsieur

Lit avec Maman pour le téter — mais peut-être qu'elle me repousserait et ça serait encore plus pire.

Et si je suis dans Monsieur Lit avec elle et que Grand Méchant Nick arrive ? Je sais pas s'il est déjà neuf heures, il fait trop noir pour voir Madame l'Heure.

Je me glisse dans Monsieur Lit, tout doucement pour que Maman sente rien. Je reste juste couché à côté d'elle. Si j'entends le *bip-bip*, je pourrai filer d'un bond dans Petit Dressing.

Mais s'il vient et que Maman ne se réveille pas, est-ce qu'il sera tant plus fâché ? Est-ce qu'il lui fera des marques encore plus pires ?

Je reste réveillé pour l'entendre arriver.

Il ne vient pas mais je reste quand même réveillé.

***

Le sac-poubelle est encore à côté de Madame Porte. Ce matin, Maman s'est levée avant moi et elle a défait le nœud du sac pour y mettre les haricots qu'elle a enlevés de la boîte. Si le sac est toujours là, ça veut dire que Grand Méchant Nick est pas venu, je suppose : ça fait deux nuits, *youpi !*

Vendredi, c'est le jour de Monsieur Matelas. On lui fait faire la culbute d'avant en arrière et d'un côté sur l'autre pour enlever ses bosses ; il est si lourd que je dois utiliser tous mes muscles et quand il retombe il me renverse sur Monsieur Tapis. Je vois la marque marron sur Monsieur Matelas de quand je suis sorti du ventre de Maman la première fois. Après on fait une course poussière (la poussière, c'est des tout petits morceaux invisibles de notre peau, on en a plus besoin parce que ça repousse comme chez les serpents). Maman éternue vraiment aigu comme une star d'opéra qu'on avait entendue à la télé, un jour.

Quand on écrit notre liste de provisions, on arrive pas à choisir pour le Cadeau du Dimanche. « On a qu'à demander des bonbons, je dis. Même pas du chocolat. Une sorte de bonbons qu'on a jamais mangés.

— Des qui collent aux dents ? Tu veux vraiment te retrouver avec les mêmes problèmes que moi ? »

J'aime pas quand Maman fait du sarcasme.

Maintenant, on lit des phrases dans les livres sans images ; celui-là, c'est *La Cabane* avec une maison effrayante et plein de neige blanche. « "Depuis, je lis, nous nous voyons souvent, lui et moi ; on va se prendre un café comme disent les jeunes d'aujourd'hui − ou, dans mon cas, un thé que je bois brûlant avec du lait de soja."

— Excellent, dit Maman, il a fait rimer *soja* avec *mon cas*. »

Dans les livres, c'est comme dans Madame Télé : les gens ont tout le temps soif ; ils boivent de la bière, du jus de fruits et aussi du champagne et des cafés au lait, toutes sortes de liquides. Parfois, s'ils sont contents, ils se cognent leurs verres les uns contre les autres mais sans les casser, je relis la ligne, elle est encore difficile à comprendre.

« C'est qui, le *lui* et le *moi* ? Des enfants ?

— Hum, répond Maman qui lit par-dessus mon épaule, je pense qu'il dit les *jeunes* en général.

— Qu'est-ce que ça veut dire, *en général* ?

— Plein de jeunes. »

J'essaie de les voir dans ma tête : plein d'enfants qui jouent tous ensemble.

« Des vrais petits humains ? »

Maman dit rien pendant une minute et puis après « Oui », très doucement. Alors c'était vrai, tout ce qu'elle a raconté.

Les marques sont toujours sur son cou, je me demande si elles partiront un jour.

***

Pendant la nuit, Maman fait les signaux lumineux, ça me réveille dans Monsieur Lit. Lampe allumée pendant cinq secondes ; lampe éteinte : une seconde. Allumée : deux secondes. Éteinte : deux secondes. Je grogne.

« Encore un tout petit peu. » Maman continue à regarder Madame Lucarne qui est toute noire.

Il y a plus de sac-poubelle près de Madame Porte, ça veut dire qu'il a dû venir quand je dormais. « Maman, s'il te plaît.

— Une seconde.

— Ça me fait mal aux yeux. »

Elle se penche sur Monsieur Lit et m'embrasse à côté de la bouche ; elle tire Madame Couette sur ma figure. La lumière clignote toujours mais moins fort.

Au bout d'un moment, elle revient dans Monsieur Lit et me donne mon Doudou-Lait pour me rendormir.

***

Samedi, Maman me fait trois tresses pour changer, je me sens tout drôle comme ça. Je secoue la tête pour qu'elles me donnent des claques.

Je regarde pas la planète dessins animés ce matin, je choisis un petit tour sur les planètes jardinage, fitness et informations ; à chaque chose que je vois, je demande : « Maman, c'est en vrai, ça ? » et elle répond oui, sauf pour un film avec des loups-garous et une femme qui explose comme un ballon gonflable : c'était juste un des faits spéciaux, ça veut dire dessiné à l'ordinateur.

Le déjeuner, c'est une boîte de pois chiches au curry avec du riz.

J'aimerais bien pousser un giga-Grand Cri mais on peut pas le week-end.

Presque tout l'après-midi, on joue à des jeux de ficelle, on arrive à faire la Chandelle, le Losange et la Mangeoire et aussi les Aiguilles à Tricoter et on s'entraîne à chaque fois au Scorpion sauf que les doigts de Maman finissent toujours par rester coincés.

Au dîner, il y a des minipizzas : une chacun plus une à partager. Après on regarde une planète où les gens portent des tas d'habits à dentelles et d'énormes cheveux blancs. Maman dit qu'ils existent pour de vrai mais qu'ils font semblant d'être d'autres gens qui sont morts il y avait plein-plein d'années. C'est comme un jeu mais ça n'a pas l'air très drôle.

Elle éteint la télé et renifle. « Je sens encore l'odeur du curry de midi.

— Moi aussi.

— Il était bon mais c'est désagréable, cette odeur persistante.

— Mon mien, il avait même pas bon goût en plus », je lui dis.

Elle se met à rire. Les marques sur son cou commencent à se disparaître, on dirait presque du vert et jaune.

« Je peux avoir une histoire ?

— Laquelle ?

— Une que tu m'as jamais racontée. »

Maman me sourit. « Je crois qu'à ce stade tu en sais aussi long que moi dans ce domaine. *Le Comte de Monte-Cristo* ?

— Je l'ai entendue des millions de fois.

— GulliJack à Lilliput ?

— Des milliards de fois.

— *Nelson sur Robben Island ?*

— À la fin il ressort au bout de vingt-sept ans et devient le Gouvernement.

— *Boucle d'Or ?*

— Ça fait trop peur.

— Mais les ours ne font que grogner en la voyant ! dit Maman.

— Quand même.

— *La Princesse Diana ?*

— C'est celle qui aurait dû mettre sa ceinture.

— Tu vois, tu les connais toutes. » Maman souffle. « Attends, il y en a une qui parle d'une sirène…

— *La Petite Sirène.*

— Non, une autre. Cette sirène-là est assise sur un rocher, un soir ; elle est occupée à se peigner les cheveux quand un pêcheur escalade discrètement le rocher et l'attrape dans son filet.

— Il veut la faire frire pour son dîner ?

— Non, non, il la ramène avec lui dans sa cabane et l'oblige à l'épouser, raconte Maman. Il lui prend son peigne magique pour qu'elle ne puisse plus jamais retourner dans la mer. Au bout d'un certain temps, la sirène a un bébé…

— … qui s'appelle JackerJack !

— C'est ça. Mais chaque fois que le pêcheur part en mer, elle cherche partout dans la cabane et un jour elle trouve l'endroit où il a caché son peigne…

— Ha ha !

— Alors elle s'enfuit vers les rochers et plonge dans la mer.

— Non ! »

Maman me regarde avec attention. « Tu n'aimes pas cette histoire ?

— La sirène aurait pas dû se sauver.

— Ne t'inquiète pas. » Avec son doigt, elle essuie la larme qui est sous mon œil. « J'ai oublié de dire qu'évidemment elle emmène son bébé JackerJack avec elle, bien attaché dans ses cheveux. Quand le pêcheur revient, sa cabane est vide et il ne les revoit plus jamais.

— Il se noie ?

— Le pêcheur ?

— Non, JackerJack, sous l'eau.

— Oh, ne t'en fais pas, dit Maman, il est à moitié triton, ne l'oublie pas. Il peut respirer sur terre comme dans la mer, l'un ou l'autre. » Elle va regarder Madame l'Heure, il est 8 h 27.

Je reste couché dans Petit Dressing pendant des siècles mais j'ai toujours pas sommeil. On chante des chansons et on dit des prières. « Juste une comptine, je demande, s'il te plaît. » Je choisis « Dans la Maison de Jack » qui est la plus longue.

La voix de Maman bâille. « "… Voici l'homme vêtu de pauvres guenilles…

— Qui embrassa la triste jeune fille…

— Puis alla traire la vache à la corne rabougrie…" »

Je chipe quelques lignes pour aller plus rapido : « "Puis jeta le chien qui avait embêté le chat qui avait tué le rat qui…" »

Bip-bip.

Je ferme la bouche très fort.

La première chose que dit Grand Méchant Nick, je l'entends pas.

« Mmm, désolée, répond Maman, c'est qu'on a mangé un plat au curry ; d'ailleurs je me demandais si par hasard il serait possible… » Sa voix est tout aiguë. « S'il serait éventuellement possible d'installer un ventilateur d'extraction ou quelque chose comme ça ? »

Il dit rien. Je crois qu'ils sont assis sur Monsieur Lit.

« Un tout petit, demande Maman.

— Ouais, tu parles d'une idée de génie, dit Grand Méchant Nick. Pour que tous les voisins se demandent pourquoi je cuisine des plats épicés dans mon atelier ! »

Je pense que c'est encore du sarcasme.

« Ah oui, pardon, dit Maman, je n'avais pas pensé…

— Et si je mettais une flèche au néon qui clignote sur le toit, tant que j'y suis ? »

Je me demande comment une flèche peut clignoter.

« Je suis vraiment désolée, répète Maman. Je n'avais pas réalisé que l'odeur, enfin que… qu'un ventilateur pourrait…

— Moi, je pense que tu te rends pas compte de la bonne petite vie que tu as ici, répond Grand Méchant Nick. Si ? »

Maman se tait.

« Une construction hors sol avec lumière naturelle et la clim, certains n'ont pas cette chance je peux te le dire. Des fruits frais, du sent-bon, tout ce que tu veux, tu n'as qu'à claquer des doigts et tu l'as, ici. Des tas de filles remercieraient leur bonne étoile pour un logement aussi bien pensé, aussi sûr qu'une maison. Surtout avec le mioche… »

C'est moi, ça ?

« Pas besoin de se soucier des chauffards qui conduisent bourrés, ni des dealers, ni des pervers… »

Maman lui coupe la parole et parle très vite : « Je n'aurais pas dû demander un ventilateur, c'était idiot de ma part, tout est parfait.

— Bon, très bien. »

Personne dit rien pendant un temps.

Je compte mes dents mais j'arrête pas de me tromper : j'ai dix-neuf, après vingt, et après encore dix-neuf je me mords la langue jusqu'à ce que ça fait mal.

« Évidemment, il y a l'usure ; ça, c'est typique. » Sa voix s'est changée de place, je crois qu'il est près de Madame Baignoire maintenant. « Ce joint s'est gondolé, faudra que je colmate avec du sable et que je recolle. Et tu vois, là ? La thibaude apparaît sous le revêtement.

— Nous faisons très attention, dit Maman tout doucement.

— Pas assez. Le liège est pas conçu pour supporter trop de passage ; j'avais prévu cet endroit pour un seul occupant, sédentaire.

— Tu viens te coucher ? demande Maman avec cette drôle de voix aiguë.

— Laisse-moi enlever mes chaussures. » J'entends comme un grognement et après quelque chose cogner Monsieur Par-Terre. « C'est toi qui me tombes dessus avec tes histoires de rénovations à peine j'arrive… »

Madame Lampe s'éteint.

Grand Méchant Nick fait grincer Monsieur Lit et je compte jusqu'à 97 mais après je crois que je perds le fil.

Je reste réveillé même quand il y a plus rien à écouter.

* * *

Dimanche, on mange des bagels au dîner, des très durs à mâcher avec de la gelée aux fruits et du beurre de cacahuète en plus. Quand Maman sort le sien de sa bouche, il y a un truc pointu planté dedans. « Enfin ! » elle dit.

Je prends le truc tout jauni avec des bouts marron sombre. « C'est Dent Malade ? » Maman fait oui de la tête. Elle se tâte le fond de la bouche.

Vraiment bizarre. « On pourrait la remettre, avec de la colle de farine, peut-être. »

Maman secoue la tête avec un grand sourire. « Je suis contente qu'elle soit tombée, maintenant elle ne me fera plus mal. »

Dent Malade faisait partie de Maman il y a une minute mais maintenant non. C'est plus qu'un truc. « Eh, tu sais quoi, si tu la mets sous ton oreiller une souris viendra pendant la nuit sans se faire voir et la changera en sous.

— Pas ici, désolée, dit Maman.

— Pourquoi ?

— La petite souris ne sait pas que la Chambre existe. » Ses yeux regardent de l'autre côté des murs.

Pourquoi c'est le Dehors qui a tout pour lui ? Maintenant, à chaque fois que je pense à un truc, comme des skis, des feux d'artifice ou des îles, des ascenseurs ou encore des yo-yo, je dois me rappeler que c'est pour de vrai, qu'ils se rencontrent tous ensemble dans le monde de Dehors. Ça me fatigue la tête. Il y a des gens, aussi : pompiers – maîtresses d'école – cambrioleurs – bébés – saints – footballeurs et plein d'autres sortes, ils existent tous en vrai dans le monde de Dehors. Mais pas moi ; moi et Maman on est les seuls qui y sont pas. On existe quand même pour de vrai ?

Après dîner, Maman me raconte *Hansel et Gretel* et *Comment le mur de Berlin s'est fait tomber* et *Raiponce*. J'aime bien quand la reine doit deviner le nom du petit homme sinon il lui prendra son bébé. « Et les histoires, elles sont vraies ?

— Lesquelles ?

— La maman sirène et *Hansel et Gretel* et toutes.

— Eh bien, dit Maman, pas littéralement.

— C'est quoi…

— Elles sont magiques, elles ne parlent pas de véritables personnes qui marchent dans la rue.

— Alors elles sont fausses ?

— Non, non. Les histoires contiennent une autre sorte de vérité. »

Ma figure est toute plissée à force d'essayer de comprendre. « Le mur de Berlin, il existe en vrai ?

— Eh bien, il y avait un mur, mais il n'y est plus. »

Je suis si fatigué que je vais me casser en deux comme Raiponce à la fin de l'histoire.

« Bonne nuit, dit Maman en fermant les portes de Petit Dressing, fais de beaux rêves, sans puces ni punaises. »

***

Je croyais pas que j'avais fait le noir dans ma tête mais après j'entends Grand Méchant Nick tout fort dans la Chambre.

« Mais les vitamines…, dit Maman.

— Du vol pur et simple !

— Tu veux qu'on tombe malades ?

— C'est que de l'arnaque, répond Grand Méchant Nick. J'ai vu les reportages à la télé un jour ; tout ça finit dans les W-C. »

Qui finit dans Monsieur W-C ?

« Disons simplement que si nous avions un régime alimentaire plus sain…

— Ça y est, c'est reparti. Encore en train de pleurnicher… » Je le vois entre les lattes : il est assis sur le rebord de Madame Baignoire.

La voix de Maman se fâche. « Je parie qu'on revient moins cher à l'entretien qu'un chien. On n'a même pas besoin de chaussures !

— Qu'est-ce que tu sais du monde d'aujourd'hui ? Mais enfin, d'où tu crois que l'argent va continuer à venir ? »

Personne dit rien. Après c'est Maman : « Qu'est-ce que tu veux dire ? L'argent en général ou…

— Six mois. » Ses bras sont croisés, ils sont énormes. « Six mois que j'ai été licencié, mais est-ce que tu as eu à t'en soucier dans ta petite tête ? »

Je vois Maman aussi par les lattes, elle est presque à côté de lui. « Que s'est-il passé ?

— T'occupe !

— Tu cherches un autre emploi ? »

Ils se regardent sans bouger les yeux tous les deux.

« Tu as fait des dettes ? elle demande. Comment vas-tu… ? »

Il lui coupe la parole.

« Tais-toi ! »

Je voulais pas mais j'ai si peur qu'il fait encore mal à Maman que le bruit est sorti tout seul de ma tête.

Grand Méchant Nick regarde tout droit sur moi, il fait un pas, après un autre et encore un autre ; il toque sur les lattes. Je vois sa main en ombre. « Eh, là-dedans. »

Il me parle. Ma poitrine fait *boum-boum-boum*. Je serre mes genoux dans mes bras et mes dents très fort ensemble. J'ai envie de me cacher sous Madame Couverture mais je peux pas, je peux plus bouger.

« Il dort, dit Maman.

— Elle t'enferme dans le placard jour et nuit ou seulement la nuit ? »

Il me parle à moi. J'attends le *non* de Maman mais elle le dit pas.

« Je trouve pas ça naturel. » Je vois ses yeux, ils sont tout pâles. Est-ce qu'il me voit, est-ce que je suis en train de me changer en pierre ? Et s'il ouvre la porte ? Je crois que je vais…

« Je suppose qu'il a un truc qui ne tourne pas rond, dit Grand Méchant Nick à Maman, tu ne m'as jamais vraiment laissé le regarder depuis sa naissance. Le pauvre petit, c'est un monstre à deux têtes ou quoi ? »

Pourquoi il a dit ça ? J'ai presque envie de sortir que ma tête de Petit Dressing, juste pour lui faire voir.

Maman est là, devant les lattes, je vois les bosses derrière ses épaules sous son T-shirt. « Il est timide, c'est tout.

— Il n'a aucune raison de l'être avec moi, dit Grand Méchant Nick. J'ai jamais levé la main sur lui. »

Pourquoi il aurait levé la main au-dessus de moi ?

« Je lui ai acheté la super-Jeep, non ? Les mioches, ça me connaît : j'en étais un, autrefois. Allez, Jack… »

Il a dit mon prénom.

« Allez, sors de là et viens chercher ta sucette. »

Une sucette !

« Mettons-nous au lit, tu veux ? » La voix de Maman est bizarre.

Grand Méchant Nick fait comme un rire. « Je sais ce qu'il te faut, mamzelle. »

Il faut quoi à Maman ? C'est dans la liste des provisions ?

« Allez, viens, elle répète.

— Ta mère t'a pas appris les bonnes manières ? »

Madame Lampe s'éteint.

Mais Maman n'a pas de mère !

Monsieur Lit fait un gros bruit, c'est lui qui se couche dedans.

Je mets Madame Couverture sur ma tête et je serre mes oreilles pour pas entendre. Je voulais pas compter mais je le fais quand même.

* * *

Quand je me réveille, je suis toujours dans Petit Dressing et il fait tout noir.

Je me demande si Grand Méchant Nick est encore là. Et la sucette ?

La règle, c'est de rester dans Petit Dressing si Maman vient pas me chercher.

Je voudrais bien savoir quelle couleur elle a, la sucette. Et les couleurs, elles existent aussi la nuit ?

J'essaie de faire le noir dans ma tête mais je suis bien réveillé.

Je pourrais sortir ma tête juste pour…

Je pousse les portes de Petit Dressing, j'y vais tout doucement et sans bruit. J'entends que Monsieur Frigo qui bourdonne. Je me lève et je fais un pas, deux pas, trois. Je me cogne le pied contre quelque chose, *aïe aïe aïe*. Je ramasse le truc, c'est une chaussure, une chaussure géante. Je regarde Monsieur Lit : il est là, Grand Méchant Nick ; sa figure est en pierre, je crois. Je tends le doigt, pas pour le toucher mais presque.

Ses yeux s'ouvrent tout blancs. Je recule d'un bond et je lâche la chaussure. Je crois qu'il va crier mais il fait un grand sourire avec de longues dents qui brillent et il dit : « Salut, fiston ! »

Je sais pas ce que ça…

Alors Maman hurle plus fort que je l'avais jamais entendue pour jouer à Grand Cri : « Sauve-toi, éloigne-toi de lui ! »

Je retourne dans Petit Dressing en courant, je me cogne la tête, *aouh !* Maman crie toujours : « Sauve-toi !

— La ferme ! dit Grand Méchant Nick. La ferme ! » Il l'appelle par des noms que j'entends pas à cause des cris. Après la voix de Maman se brouille. « Arrête de me casser les oreilles » il dit.

Maman gémit à la place des mots. Je tiens ma tête à deux mains là où elle s'est cognée.

« T'es un vrai paquet de nerfs, hein ?

— Je sais garder mon calme. » Elle chuchote presque, j'entends sa respiration toute râpeuse. « Tu sais que j'en suis tout à fait capable. Il suffit que tu laisses Jack tranquille. Je n'ai jamais rien demandé d'autre. »

Grand Méchant Nick grogne pour se moquer d'elle. « Tu me réclames un truc chaque fois que je franchis cette porte !

— Pour Jack, rien que pour Jack.

— Ouais, eh bien n'oublie pas comment tu l'as eu. »
J'écoute très fort mais Maman dit rien.

Il y a des bruits. Il s'habille, c'est ça ? Ses chaussures,
je crois qu'il met ses chaussures.

Je dors pas après qu'il est parti. Je reste réveillé toute
la nuit dans Petit Dressing. J'attends des centaines
d'heures mais Maman vient pas me chercher.

* * *

Je regarde Monsieur Toit et tout d'un coup il se soulève : le ciel tombe dans la Chambre avec les étoiles et les
vaches et les arbres qui s'écrasent sur ma tête…

Non, je suis assis dans Monsieur Lit ; Madame Lucarne
commence à donner de la lumière goutte à goutte, ça
doit être le matin.

« Ce n'était qu'un cauchemar », dit Maman en me
caressant la joue.

Je prends mon Doudou-Lait mais pas trop, le gauche
qui est superbon.

Après je me rappelle et je me redresse dans Monsieur
Lit pour voir si Maman a des nouvelles marques mais
j'en vois pas. « Pardon, j'aurais pas dû sortir de Petit
Dressing cette nuit.

— Oui. »

Oui, c'est comme pardonner ? Je me rappelle d'autres
choses. « Qu'est-ce que c'est, un monstre ?

— Oh, Jack.

— Pourquoi il a dit que j'ai un truc qui tourne pas
rond ? »

Maman gémit. « Il n'y a rien qui cloche chez toi, tu es parfaitement normal. »

Elle me fait un bisou sur le nez.

« Mais pourquoi il a dit ça ?

— Il essaie de me faire tourner en bourrique, c'est tout.

— Pourquoi il… ?

— Toi tu aimes bien t'amuser avec des voitures, des ballons et tout. Eh bien lui, il aime bien jouer avec ma tête. » Elle donne des tapes dessus.

Je sais pas comment on joue à ça. « Et *licencié*, c'est quoi ?

— Ça veut dire qu'il a perdu son travail. »

Moi je croyais qu'on pouvait perdre que des choses, comme une des six épingles. Ça doit pas être pareil du tout dans le monde de Dehors. « Pourquoi il a dit n'oublie pas comment tu m'as eu ?

— Oh, oublie un peu tout ça, tu veux ? »

Je compte mais sans le son : un, deux… mais pendant tout le temps des soixante secondes, les questions font des petits bonds dans ma tête.

Maman remplit un verre de lait pour elle, mais pas pour moi. Elle regarde longtemps dans Monsieur Frigo et la lumière s'allume pas : bizarre. Elle referme la porte.

La minute est finie. « Pourquoi il a dit n'oublie pas comment tu m'as eu ? C'était pas du Ciel ? »

Maman fait cliquer le bouton de Madame Lampe mais elle veut pas se réveiller, elle non plus. « Il voulait dire… à qui tu appartiens.

— À toi ! »

Elle me fait un petit sourire.

« L'ampoule de Madame Lampe est usée pour de bon ?

113

— Je ne crois pas que ce soit ça. » Elle frissonne et elle va regarder Monsieur Thermostat.

« Pourquoi il t'a dit de pas oublier ?

— Eh bien, en fait, il a tout faux : il s'imagine que tu lui appartiens. »

Pff ! « Il est vraiment bête. »

Maman regarde Monsieur Thermostat. « C'est une coupure de courant.

— Une quoi ?

— Il n'y a plus d'électricité nulle part pour l'instant. »

C'est un jour plutôt bizarre, aujourd'hui.

On mange nos céréales, on se brosse les dents, après on s'habille et on arrose Madame Plante. On essaie de remplir Madame Baignoire mais, après le début, l'eau sort toute glacée alors on se lave juste au gant. La lumière de Madame Lucarne s'allume un peu mais pas trop. Madame Télé aussi marche pas : mes amis me manquent. Je fais comme s'ils venaient sur l'écran, je les tapote avec mes doigts. Maman dit qu'on a qu'à mettre une autre chemise et encore un pantalon chacun pour avoir chaud et même deux chaussettes à chaque pied. On court sur Petite Piste pendant des kilomètres et des kilomètres pour se réchauffer ; après Maman me laisse enlever les chaussettes du dessus parce que mes doigts des pieds sont tout écrasés. « J'ai mal aux oreilles », je lui dis.

Elle lève les sourcils.

« Il y a trop de silence dedans.

— Ah, c'est parce qu'on n'entend pas tous les petits bruits auxquels on est habitués, comme le radiateur ou le ronronnement du frigo. »

Je joue à cacher Dent Malade à des endroits différents comme dessous Madame Commode, dans le riz et derrière Petit Liquide Vaisselle. J'essaie d'oublier où elle est, comme ça après je suis tout surpris. Maman est en train de couper tous les haricots verts de Monsieur Freezer, pourquoi elle en coupe tant ?

Alors je me rappelle la seule bonne chose d'hier soir : « Oh, Maman ! Ma sucette ! »

Maman continue à couper. « Elle est dans la poubelle. »

Pourquoi il l'a laissée là ? J'y cours et j'appuie sur la pédale le couvercle fait *ping* mais je vois pas la sucette. Je cherche dans les peaux d'orange, le riz, le ragoût et le plastique.

Maman me prend par les épaules. « Laisse ça.

— Mais c'est mon bonbon, je l'ai eu en Cadeau du Dimanche ! je lui réponds.

— C'est un déchet.

— Même pas vrai !

— Ça a dû lui coûter quoi, *cinquante* cents ? Il se moque de toi.

— J'ai jamais eu de sucette ! » Je m'arrache de ses mains.

On ne peut rien chaudir sur Madame Cuisinière à cause de la coupure de courant. Alors au déjeuner on mange des haricots verts tout glissants et gelés qui sont encore plus pires que les cuits. Il faut finir sinon ils vont fondre et se gâter. Moi, ça me dérangerait pas mais c'est gâcher.

« Tu veux que je te lise *Je vais me sauver* ? » demande Maman quand on a lavé la vaisselle dans l'eau toute froide.

Je secoue la tête. « Quand est-ce que l'électricité sera découpée ?

— Désolée, je n'en sais rien. »

On se met dans Monsieur Lit pour avoir un peu plus chaud. Maman soulève son tas d'habits pour me donner mon Doudou-Lait, le gauche et après le droit.

« Et si la Chambre devient de plus tant plus froide ?

— Oh, ça n'arrivera pas. Dans trois jours on est en avril, dit Maman en me faisant tout plein de câlins. Il ne doit pas faire si froid que ça, dehors. »

On fait un petit somme, mais le mien il est tout petit. J'attends que Maman devienne toute lourde pour me sortir du lit et retourner voir dans Madame Poubelle.

Je trouve la sucette presque dans le fond : elle est rouge en forme de balle. Je me lave les bras et aussi ma sucette parce qu'il y a du ragoût dessus, *beurk*. J'enlève vite le plastique et je la mets dans ma bouche ; c'est le truc le plus sucré que j'avais jamais mangé. Je me demande si le monde de Dehors a le même goût.

Si je me sauvais, je deviendrais une chaise et Maman saurait pas laquelle. Ou bien je me ferais invisible, je me collerais à Madame Lucarne et elle me verrait même pas en regardant. Ou alors un minuscule grain de poussière, j'irais lui chatouiller le nez et elle m'éternuerait.

Ses yeux sont ouverts.

Je mets la sucette derrière mon dos.

Elle les referme.

Je continue à sucer pendant des heures même si j'ai un peu envie de vomir. Après ça reste juste un petit bâton que je jette dans Madame Poubelle.

Quand Maman se lève elle dit rien sur la sucette ; peut-être qu'elle a pas vu, peut-être qu'elle était encore endormie avec les yeux ouverts. Elle essaie encore le bouton de Madame Lampe qui reste éteinte. Elle dit qu'elle va la laisser sur *Marche*, comme ça, on le saura tout de suite, quand le courant reviendra.

« Et s'il revient au milieu de la nuit et qu'il nous réveille ?

— Je ne crois pas que ça arrivera en pleine nuit. »

On joue au bowling avec Petite Balle Rebondisseuse et Ballon des Mots : on renverse des flacons de vitamines avec des têtes différentes qu'on leur avait faites quand j'avais quatre ans, comme Tête de Dragon, Tête d'Alien et aussi Tête de Princesse et de Crocodile ; je gagne le plus souvent. Je m'entraîne aux additions et aux soustractions, aux suites numériques, et aussi aux multiplications, aux divisions et à écrire les plus grands nombres qui existent. Maman me coud deux nouvelles marionnettes avec des petites chaussettes de quand j'étais bébé : elles ont des sourires en points de croix et des yeux en boutons tous différents. Moi aussi, je sais coudre mais c'est pas très amusant. J'aimerais bien me rappeler comment j'étais, en bébé.

J'écris une lettre à Bob l'Éponge et derrière la page je mets un dessin de moi et Maman en train de danser pour se tenir chaud. On joue à la Bataille, au Memory et aux Sept Familles ; Maman réclame une partie d'échecs mais ça rend mon cerveau ramollo alors elle dit d'accord pour les dames.

Mes doigts sont tellement gelés que je les mets dans ma bouche. Mais Maman dit que ça donne des microbes et elle m'oblige à retourner les laver dans l'eau glacée.

On fabrique plein de perles en farine pour faire un collier sauf qu'on peut pas les enfiler avant qu'elles soient toutes séchées et bien dures. On fabrique aussi un vaisseau spatial avec des boîtes et des pots en plastique ; il y a presque plus de scotch mais Maman dit : « Après tout, pourquoi pas ? » et prend le dernier morceau.

Madame Lucarne commence à s'éteindre.

Au dîner, c'est du fromage tout suant et du brocoli à moitié fondu. Maman dit que je dois manger sinon j'aurai encore plus froid.

Elle prend deux a-mal-gésiques et avale un grand coup.

« Pourquoi tu as encore mal si Dent Malade y est plus ?

— Je suppose que je sens plus les autres, maintenant. »

On met nos T-shirts de nuit et encore d'autres habits par-dessus. Maman commence à chanter une chanson : « "Il ne voyait pas plus loin…

— Il ne voyait pas plus loin, je chante avec elle.

— Il ne voyait pas plus loin…"

— Que l'aut' côté de la montagne !" »

Je chante « 99 Bouteilles de bière sur le mur » sans m'arrêter jusqu'à 70.

Maman met les mains sur ses oreilles et demande si on pourrait pas la finir demain. « Le courant sera sans doute revenu d'ici là.

— Cool !

— Et même si ce n'est pas le cas, il ne peut pas empêcher le soleil de se lever. »

Qui, Grand Méchant Nick ? « Pourquoi il arrêterait le soleil ?

— Il ne peut pas, j'ai dit. » Maman me serre fort dans ses bras et dit : « Je te demande pardon.

— Pourquoi ? »

Elle souffle. « C'est ma faute, je l'ai mis en colère. »

Je regarde sa figure longtemps mais je la vois presque plus.

« Il ne supporte pas que je me mette à hurler ; je ne l'avais plus fait depuis des années. Il veut nous punir. »

Ma poitrine cogne superfort. « Comment il va nous punir ?

— Non, c'est ce qu'il fait en ce moment, je voulais dire. En coupant l'électricité.

— Oh, ça c'est pas grave ! »

Maman rit. « Tu trouves ? On se gèle, on mange des légumes pleins d'eau…

— Oui, mais je croyais qu'il allait nous punir, nous. » J'essaie d'imaginer. « Par exemple, si il y avait deux Chambres et qu'il me mettrait dans une et toi dans l'autre.

— Jack, tu es merveilleux.

— Pourquoi ?

— Je ne sais pas, répond Maman, c'est juste la façon dont tu as sorti ça. »

On se blottit encore plus serrés dans Monsieur Lit. « J'aime pas quand c'est sombre, je lui dis.

— Eh bien, il est l'heure de dormir maintenant, donc il ferait noir de toute façon.

— C'est vrai.

— Et on se reconnaît sans les yeux, pas vrai ?

— Oui.

— Bonne nuit, fais de beaux rêves, sans puces ni punaises.

— Je dois pas aller dans Petit Dressing ?

— Pas ce soir », dit Maman.

Quand on se réveille, l'air est devenu de plus tant plus froid. Madame l'Heure dit 7 h 09 (elle a sa petite électricité à elle, cachée dans une pile).

Maman arrête pas de bâiller parce qu'elle est restée réveillée pendant la nuit.

J'ai mal au ventre, elle dit que c'est peut-être à cause de tous les légumes crus d'hier. Je réclame un a-malgésique du flacon mais elle m'en donne juste une moitié. J'attends, j'attends encore, mais mon ventre se sent pas mieux.

Madame Lucarne commence à s'éclairer.

« Je suis content qu'il soit pas venu hier soir, je dis à Maman. Je parie qu'il reviendra jamais, ça serait supergénial !

— Jack. » Elle fronce les sourcils. « Réfléchis un peu.

— C'est ce que je fais.

— Mais enfin, qu'est-ce qui se passerait ? D'où viennent nos provisions. »

J'ai la réponse ! « Des champs du Petit Jésus, dans le monde de Dehors.

— Non… Qui les apporte ? »

Ah.

Maman se lève, elle dit que c'est bon signe si les robinets marchent encore. « Il aurait aussi pu couper l'eau, mais il ne l'a pas fait. »

Signe de quoi ? J'en sais rien.

Il y a un bagel au petit-déjeuner mais il est froid et pâteux.

« Qu'est-ce qui arrivera s'il remet pas l'électricité ? je demande.

« — Je suis sûre qu'il le fera. Peut-être plus tard dans la journée. »

Parfois, j'essaie les boutons de Madame Télé. C'est rien qu'une boîte grise qui se tait, je me vois dedans mais moins bien que dans Monsieur Miroir.

On fait toutes les activités du cours de sport qu'on trouve pour se réchauffer : Karaté, les Îles, Jacques-a-dit et Trampoline. À la Marelle on doit sauter d'un carreau en liège à l'autre sans jamais toucher les lignes ou tomber en avant. Maman choisit Colin-Maillard et elle attache mon pantalon de camouflage autour de ses yeux. Je me cache sous Monsieur Lit à côté de Serpendœuf sans respirer, même, et aussi aplati qu'une page de livre ; elle met des centaines d'heures à me trouver. Après je choisis Descente-en-Rappel, Maman me tient les mains, je grimpe sur ses cuisses jusqu'à ce que mes pieds sont plus hauts que ma tête et je reste suspendu à l'envers ; mes tresses pendouillent, ça me fait rire. Une culbute et je me retrouve dans le bon sens. J'ai envie de recommencer des tonnes de fois mais son poignet fragile lui fait mal.

Après on est fatigués.

On fabrique un mobile avec un long spaghetti où on accroche des fils avec des choses collées au bout, des petites photos de moi, tout orange, et de Maman, toute verte, et aussi des bouts de papier d'alu entortillés et des touffes de papier-toilette. Maman accroche le fil du haut à Monsieur Toit avec la dernière épingle de Boîte de l'Étagère et le spaghetti se balance avec tous les petits trucs qui volent quand on se met en dessous et qu'on souffle fort.

J'ai faim, Maman dit que je peux manger la dernière pomme.

Et si Grand Méchant Nick en rapporte plus ?

« Pourquoi il nous punit encore ? » je demande.

Maman tord sa bouche. « Il nous prend pour ses choses, tout ça parce que la Chambre lui appartient.

— Comment ça se fait ?

— Eh bien, c'est lui qui l'a construite. »

Ça c'est vraiment bizarre ; moi je croyais que la Chambre existait et c'est tout. « C'est pas Dieu qui a tout créé ? »

Maman dit rien pendant une minute et après elle me caresse le cou. « Tout ce qu'il y a de bon, en tout cas. »

On joue à l'Arche de Noé sur Madame Table : toutes les choses, comme Monsieur Peigne, Petite Assiette et Grande Spatule et aussi les livres et Petite Jeep doivent se mettre à la queue leu leu et rentrer dans Boîte à Jeux vite-vite avant l'inondation géante. Maman joue plus vraiment, elle a mis sa figure dans sa main comme si sa tête était trop lourde.

Je croque la pomme. « Tes autres dents te font mal ?

— Lesquelles ? »

Maman se lève si vite que j'ai failli avoir peur. Elle va s'asseoir dans Monsieur Rocking-Chair et tend les mains. « Viens par ici. J'ai une histoire à te raconter.

— Une nouvelle ?

— Oui.

— Super ! »

Elle attend que je suis serré dans ses bras. Je grignote la deuxième moitié de la pomme pour la faire durer. « Tu sais qu'Alice n'a pas toujours vécu au pays des merveilles ? »

Elle m'a bien eu, je la connais déjà, celle-là. « Oui, elle rentre dans la maison du Lapin Blanc et elle devient si grande qu'elle doit passer son bras par la fenêtre et mettre son pied dans la cheminée et elle donne un coup de pied à Pierre le Lézard et *pouf* il en ressort ; c'est rigolo, ce passage.

— Non, mais avant. Tu te rappelles qu'elle était couchée dans l'herbe ?

— Après elle est tombée dans le trou pendant des milliers de kilomètres mais elle s'est pas fait mal.

— Eh bien, je suis comme Alice », dit Maman.

Je ris. « Même pas vrai ! C'est une petite fille avec une grosse tête, plus grosse que celle de Dora, même. »

Maman se mordille sa lèvre, il y a une tache noire dessus. « Oui, mais je viens d'ailleurs, comme elle. Il y a très longtemps, j'étais…

— Au Ciel ! »

Elle pose son doigt sur ma bouche pour que je me taise. « Je suis née et j'ai été enfant, comme toi ; je vivais avec ma mère et mon père. »

Je secoue la tête. « C'est toi, la mère !

— Mais j'en avais une à moi que j'appelais Maman. Elle est toujours ma mère. »

Pourquoi elle fait semblant comme ça, c'est un jeu que je connais pas ?

« Elle est… j'imagine que tu l'appellerais Mamie. »

Comme l'*abuela* de Dora ! Et sainte Anne dans le tableau où la Vierge Marie est assise sur ses genoux. Je mange le trognon, il reste presque plus rien dessus. Je le mets sur la table. « Tu as grandi dans son ventre ?

— Euh… en fait, non : j'ai été adoptée. Elle et mon papa (toi, tu l'appellerais Papy). Et j'avais… j'ai aussi un grand frère qui s'appelle Paul. »

Je fais non avec la tête. « C'est un saint.

— Non, un autre Paul. »

123

Il peut y avoir deux Paul ?

« Pour toi, ce serait Oncle Paul. »

Ça fait trop de noms, ma tête est pleine. Mais mon ventre est toujours vide comme si la pomme était pas dedans. « Qu'est-ce qu'on mange à midi ? »

Maman arrête de sourire. « Je suis en train de te parler de ta famille. »

Je secoue la tête.

« Ce n'est pas parce que tu ne les as jamais rencontrés qu'ils n'existent pas ! Il y a plus de choses sur Terre que tu n'en as jamais imaginé.

— Il reste du fromage, du pas suant ?

— Jack, c'est important, ce que je te raconte. Je vivais dans une maison avec ma maman, mon papa et Paul. »

Je dois jouer avec Maman, sinon elle sera fâchée. « Une maison qui existe dans Madame Télé ?

— Non, dehors. »

N'importe quoi, Maman n'est jamais allée dans le monde de Dehors.

« Mais elle ressemblait à une maison que tu pourrais voir à la télé, oui. Une maison à la sortie de la ville avec un jardin à l'arrière et un hamac.

— C'est quoi, un hamac ? »

Maman va chercher le crayon sur Madame Étagère et dessine deux arbres ; entre les deux, il y a plein de cordes attachées ensemble avec un bonhomme couché dessus.

« C'est un pirate ?

— C'est moi, en train de me balancer sur le hamac. » Elle dessine sur toute la feuille, elle est tout excitée. « J'allais à l'aire de jeux avec Paul, et aussi faire de la balançoire et manger des glaces. Ta mamie et ton papy nous

124

emmenaient faire des promenades en voiture, au zoo et à la plage. J'étais leur petite chérie.

— Je te crois pas ! »

Maman chiffonne la feuille. Il y a du mouillé sur la table, ça rend son plateau blanc tout brillant.

« Pleure pas, je dis.

— Je ne peux pas me retenir. » Elle frotte les larmes sur sa figure.

« Pourquoi tu y arrives pas ?

— J'aimerais pouvoir mieux décrire tout cela. Ça me manque.

— Le hamac ? Il te manque ?

— Tout. Vivre dehors. »

Je tiens sa main dans ma mienne. Elle veut que j'y croive alors j'essaie mais ça me fait mal à la tête. « Tu as vraiment vécu dans Madame Télé un jour ?

— Je te l'ai expliqué, ce n'est pas de la télé. C'est le monde réel, tu ne peux même pas imaginer comme il est vaste. » Ses bras s'ouvrent en grand, elle montre tous les murs. « La Chambre n'en est qu'une sale petite miette.

— La Chambre n'est pas sale, je gronde presque. Elle sent juste mauvais, des fois, quand tu proutes. »

Maman s'essuie encore les yeux.

« Tes prouts sont pires que les miens. Tu essaies juste de me raconter des histoires et tu ferais mieux d'arrêter tout de suite.

— Bon, d'accord. » Elle souffle fort, ça siffle comme un ballon qui se dégonfle.

« Allez, on va se faire un sandwich.

— Pourquoi ?

— Tu as dit que tu avais faim.

— Non, j'ai pas faim. »

Elle a repris sa figure toute fâchée. « Je vais faire un sandwich et tu vas le manger. Compris ? »

Il y a juste du beurre de cacahuète parce que le fromage est tout coulant. Pendant que je le mange, Maman reste assise à côté de moi mais elle en veut pas. Elle dit : « Je sais que ça fait beaucoup, pour toi. »

Le sandwich ?

Au dessert, on se partage une barquette de mandarines à nous deux ; c'est moi qui mange les gros bouts vu que Maman préfère les petits.

« Je ne raconterais pas de mensonges là-dessus, dit Maman pendant que je bois le jus. Je n'ai pas pu t'en parler plus tôt, tu étais trop petit pour comprendre. On pourrait dire que je te mentais. Mais maintenant tu as cinq ans, je pense que tu peux comprendre. »

Je secoue la tête.

« Ce que je te raconte est tout sauf des mensonges. C'est… comme… sortir du mensonge. »

On fait une longue sieste.

Maman est déjà réveillée, elle me regarde, à presque cinq centimètres de moi. Je me glisse vers elle pour prendre mon Doudou-Lait, le gauche.

« Pourquoi ça te plaît pas ici ? » je lui demande.

Elle s'assoit sur le lit et baisse son T-shirt.

« J'avais pas fini !

— Si, puisque tu parlais. »

Je m'assois aussi. « Pourquoi tu aimes pas être dans la Chambre avec moi ? »

Maman me serre fort. « J'aime toujours être avec toi.

— Mais tu as dit que c'était sale et tout petit.

— Oh, Jack ! » Elle se tait pendant une minute. « Oui, je préférerais être dans le monde de Dehors. Mais avec toi.

— Moi je suis content ici avec toi.

— D'accord.

— Comment il l'a construite ? »

Elle sait qui je veux dire. Je crois qu'elle va pas me raconter mais si : « En fait c'était une cabane de jardin au départ. Un simple local d'un peu plus de trois mètres sur trois aux cloisons en acier doublées de vinyle. Mais il a ajouté une lucarne insonorisée et plein de mousse isolante à l'intérieur des murs, plus une couche de tôle de plomb, parce que le plomb absorbe tous les bruits. Ah oui, et une porte blindée avec un code de sécurité. Il lui arrive de se vanter du beau boulot qu'il a fait. »

Après ça, l'après-midi passe au ralenti.

On lit tous nos livres avec des images dans la lumière froide comme de la glace. Madame Lucarne est pas comme d'habitude aujourd'hui. Elle a un truc noir qui ressemble à un œil. « Regarde, Maman ! »

Elle lève les yeux et sourit. « C'est une feuille.

— Pourquoi ?

— Le vent a dû la faire tomber d'un arbre sur la vitre.

— Un vrai arbre de Dehors ?

— Oui. Tu vois ? C'est la preuve. Le monde entier s'étend là-dehors.

— Si on jouait à Haricot Magique ? On met ma chaise ici, sur Madame Table… »

Maman m'aide. « Après Madame Poubelle par-dessus, je lui dis. Et moi, je grimpe tout là-haut…

— C'est dangereux.

— Oui, mais pas si tu es debout sur Madame Table et que tu tiens Madame Poubelle pour pas que je tremble.

— Hum, dit Maman ; c'est presque non.

— On peut juste essayer, s'il te plaît, s'il te plaît ? »

Ça marche superbien, je tombe pas du tout. Quand je suis debout sur Madame Poubelle, je peux même toucher les bords en liège de Monsieur Toit là où il commence à pencher vers Madame Lucarne. Elle a un truc sur sa vitre que j'avais jamais vu.

« Des rayons de miel, je raconte à Maman en les caressant.

— C'est un grillage en PVC, incassable. Je montais souvent là-haut pour regarder par la fenêtre avant ta naissance.

— La feuille est toute noire avec des trous.

— Oui, ça doit être une feuille morte de l'hiver dernier. »

Je vois du bleu autour (c'est le ciel) avec du blanc dedans que Maman appelle nuages. Je regarde longtemps à travers les rayons de miel, je regarde et je regarde encore mais je vois juste du ciel, avec rien dedans. Il y a pas de bateaux, de trains ou de chevaux ni des petites filles et des gratte-ciel qui filent à toute vitesse.

Je redescends de Madame Poubelle et de ma chaise ; sur Madame Table, je repousse le bras de Maman.

« Jack… »

Je saute sur Monsieur Par-Terre sans qu'elle m'aide. « Tu mens, tu mens, comme un arracheur de dents, le monde de Dehors existe même pas ! »

Elle recommence à expliquer mais je mets mes doigts dans mes oreilles et je crie : « Blablablablabla ! »

Je joue tout seul avec Petite Jeep. J'ai envie de pleurer mais je fais semblant que non.

Maman fouille dans Monsieur Placard en faisant claquer les boîtes de conserve, je crois que je l'entends compter. Elle compte ce qui nous reste.

J'ai superfroid maintenant, mes mains sont toutes gelées même si j'ai mis des chaussettes par-dessus.

J'arrête pas de demander si on pourrait pas manger le reste de céréales au dîner alors à la fin Maman dit oui. Si j'en renverse, c'est parce que je sens plus mes doigts.

La nuit revient mais Maman a gardé toutes les comptines du *Grand Livre* dans sa tête. Je demande « Oranges et citrons », ma phrase préférée c'est : « Moi je n'en sais rien, dit la cloche des Londoniens », parce qu'elle sonne tout grave comme un rugissement de lion. Et aussi celle qui parle de Tchac-Tchac, la coupeuse de têtes. « Qu'est-ce qui fait *tchac-tchac* ?

— Un énorme couteau, je pense.

— Non, moi je crois que c'est un hélicoptère avec ses lames qui tournent hyperrapido et coupent les têtes.

— Beurk ! »

On a pas sommeil mais il y a pas beaucoup de choses à faire quand on y voit rien. On s'assoit sur Monsieur Lit et on invente des comptines nous-mêmes : « Notre ami Gribouille craint les chatouilles.

— Nos amis les *Backyardigans* doivent recommencer comme des grands.

— Pas mal, je dis à Maman. C'est notre amie Douce qu'avait gagné la course.

— Qui a gagné, corrige Maman. Notre amie Francine aime bien les piscines.

— Notre ami Barney habite dans une ferme, hey !

— Triché ! »

— D'accord, je dis. Notre ami l'oncle Paul était tombé sur l'épaule.

— Il est tombé de sa moto un jour. »

Je m'étais pas rappelé qu'il existait en vrai. « Pourquoi il est tombé de sa moto ?

— Par accident. Mais l'ambulance l'a emmené à l'hôpital et les docteurs l'ont bien soigné.

— Ils lui ont fait un trou ?

— Non, non, ils lui ont simplement posé un plâtre sur le bras pour qu'il n'ait plus mal. »

Alors l'hôpital, ça existe aussi pour de vrai, et pareil pour les motos ! Ma tête va exploser à force de croire à toutes ces nouvelles choses.

Il fait tout noir maintenant sauf Madame Lucarne qui est sombre mais brillante. Maman dit que dans une ville il y a toujours de la lumière qui vient des réverbères, des lampes des immeubles et tout.

« Où elle est, la ville ?

— Juste là, dehors, elle répond en montrant du doigt Monsieur Mur-Côté-Lit.

— J'ai regardé par Madame Lucarne et je l'avais même pas vue.

— Oui, c'est pour ça que tu m'en voulais.

— Je suis plus fâché. »

On se fait un bisou chacun. « Madame Lucarne regarde vers le ciel. La plupart des choses dont je t'ai parlé se trouvent au niveau du sol ; pour les voir, il nous faudrait une fenêtre qui donne sur les côtés.

— On pourrait en demander une comme Cadeau du Dimanche. »

Maman a un drôle de rire.

Je m'étais pas rappelé que Grand Méchant Nick revient plus. Peut-être que ma sucette était le tout dernier Cadeau du Dimanche.

Je croyais que j'allais pleurer mais en fait je bâille très fort. « Bonne nuit, la Chambre.

— Il est si tard que ça ? Très bien. Bonne nuit, dit Maman.

— Bonne nuit, Madame Lampe et Ballon Gonflable. » J'attends le tour de Maman mais elle en dit pas d'autres. « Bonne nuit, Petite Jeep, et bonne nuit, Madame Commande. Bonne nuit, Monsieur Tapis et Madame Couverture mais sans puces ni punaises. »

**

Ce qui me réveille, c'est un bruit qui recommence encore et encore. Maman n'est pas dans Monsieur Lit. Il y a un petit peu de lumière, l'air est toujours glacé. Je regarde par-dessus le bord : elle est au milieu de Monsieur Par-Terre et elle fait *poum-poum-poum* avec sa main. « Qu'est-ce qu'il a fait, Monsieur Par-Terre ? »

Maman s'arrête, elle souffle fort et longtemps. « J'ai besoin de frapper quelque chose, elle dit, mais je ne veux rien casser.

— Pourquoi ?

— En fait, j'adorerais casser un objet. J'aimerais tant pouvoir tout casser ! »

J'aime pas quand elle est comme ça. « Qu'est-ce qu'on mange, ce matin ? »

Maman me regarde longtemps. Après elle se lève, elle s'approche de Monsieur Placard et elle en sort un bagel ; je crois que c'est le dernier.

Elle en mange qu'un quart parce qu'elle a pas très faim.

Quand on respire, ça souffle de la brume. « C'est parce qu'il fait plus froid aujourd'hui, explique Maman.

— Mais tu avais dit qu'il ferait pas plus froid.

— Excuse-moi, je me suis trompée. »

Je finis le bagel. « J'ai toujours une mamie, un papy et un oncle Paul ?

— Oui, dit Maman avec un petit sourire.

— Ils sont au Ciel ?

— Non, non. » Elle fait une grimace. « Enfin, je ne crois pas. Paul n'a que trois ans de plus que moi, il… Dis donc ! Il doit avoir vingt-neuf ans !

— En fait, ils sont ici, je chuchote. Cachés. »

Maman regarde autour d'elle. « Où ?

— Sous Monsieur Lit.

— Oh, ils seraient sacrément à l'étroit. Ils sont trois et plutôt gros.

— Comme des hippopotames ?

— Pas tant que ça…

— Peut-être qu'ils sont… dans Petit Dressing.

— Avec mes robes ?

— Oui. Quand on entend du bruit, c'est eux qui font tomber les cintres. »

La figure de Maman est toute lisse.

« C'était juste pour rire », je lui dis.

Elle fait oui de la tête.

« Ils pourraient venir pour de vrai, un jour ?

— J'aimerais tant qu'ils puissent le faire. Je prie pour que ça arrive, toutes les nuits.

— Je t'entends pas.

— Dans ma tête », dit Maman.

Je savais pas qu'elle fait des prières dans sa tête où je peux pas l'entendre.

« Ils aimeraient bien venir, eux aussi, mais ils ne savent pas où je suis.

— Tu es dans la Chambre avec moi.

— Mais ils ignorent où elle se trouve et ils ne savent rien de toi. »

C'est bizarre. « Ils pourraient regarder sur la carte de Dora et quand ils arriveraient, je sortirais d'une cachette pour leur faire une surprise. »

Maman rit presque, mais pas vraiment. « La Chambre n'est indiquée sur aucune carte.

— On pourrait leur dire où c'est, avec un téléphone. Bob le Maçon en a un.

— Mais pas nous.

— On pourrait en demander un comme Cadeau du Dimanche. » Après je me rappelle. « Si Grand Méchant Nick est plus fâché.

— Jack, il ne nous donnerait jamais un téléphone ni une fenêtre. Tu ne comprends donc pas ? » Maman prend mes pouces et les serre fort. « On est comme les personnages d'un livre et, lui, il ne laisse personne l'ouvrir. »

Comme activité sportive, on va faire Course sur Piste. C'est dur de pousser Madame Table et les chaises quand on sent plus ses mains. Je cours dix fois en allers-retours mais j'ai encore froid et mes pieds sont tout grelotteux. On joue à Trampoline, à Karaté (*Aï-yâ*) et après je choisis encore Haricot Magique. Maman dit d'accord si je promets de pas piquer une crise parce que je vois rien. Je grimpe sur Madame Table, sur ma chaise et sur Madame Poubelle mais je tremble même pas. Je me tiens au rebord où Monsieur Toit penche vers Madame Lucarne ; je regarde si fort le bleu derrière les rayons de miel que ça me fait cligner des yeux. Au bout d'un moment Maman dit qu'elle veut descendre préparer le déjeuner.

« Pas de légumes s'il te plaît, c'est trop dur pour mon ventre.

— Il faut tout consommer avant qu'ils se gâtent.

— On pourrait manger des pâtes.

— Il n'y en a presque plus.

— Alors du riz. Et si… » Après j'oublie de parler parce que je vois à travers les rayons de miel un truc si petit que je le prends juste pour une poussière qui flotte sur mon œil mais non. C'est une petite ligne qui laisse une grosse trace blanche sur le ciel.

« Maman…

— Quoi ?

— Un avion !

— Vraiment ?

— Oui, pour de vrai ! Oh… »

Je tombe sur Maman et après sur Monsieur Tapis. Madame Poubelle nous dégringole dessus et ma chaise aussi. Maman dit « Aïe ! aïe ! aïe ! » en se frottant le poignet. « Pardon, pardon. » Je fais des bisous dessus pour le guérir. « Je l'ai vu, c'était vraiment un avion mais un minuscule.

— C'est simplement parce qu'il est très loin, dit Maman toute souriante. Je parie que si tu le voyais de tout près, il serait vraiment énorme.

— Et le plus extraordinaire, c'est qu'il écrivait un grand I en lettre sur le ciel !

— Ça s'appelle un… » Elle se donne une claque sur la tête. « Je me rappelle plus. C'est une sorte de traînée produite par la fumée de l'avion ou quelque chose comme ça. »

Au déjeuner, on mange tous les sept crackers qui restent avec le fromage tout coulant : on se retient de respirer pour pas sentir son goût.

Maman me donne mon Doudou-Lait sous Madame Couette. Il y a de la lumière grâce à la figure dorée du bon Dieu mais pas assez pour prendre un bain de soleil. J'arrive pas à faire le noir dans ma tête. Je regarde Madame Lucarne si fort que ça me pique les yeux mais je vois plus d'avions. L'autre, je l'ai vraiment vu quand j'étais sur Haricot Magique, c'était pas un rêve. Je l'ai vu voler de l'autre côté donc il y a vraiment un monde de Dehors où Maman habitait quand elle était petite.

On se lève et on joue à des jeux de ficelle, aux Dominos et aussi au Sous-Marin, aux marionnettes et à plein d'autres choses mais juste un peu de chaque. Après on s'amuse à « Fredonne-Moi une Chanson », mais elles sont trop faciles à deviner. On retourne dans Monsieur Lit pour se tenir chaud.

« Et si on allait dans le monde de Dehors demain ? je dis.

— Oh, Jack ! »

Je suis couché sur le bras de Maman qui est tout gros à cause de ses deux pulls.

« J'aime bien comme ça sent ici. »

Elle tourne la tête et ouvre des grands yeux.

« Quand Madame Porte s'ouvre après neuf heures et que l'air rentre d'un coup, il est pas pareil que le nôtre.

— Tu as remarqué, dit Maman.

135

— Je remarque tout.

— Oui, l'air est plus frais. L'été, il sent l'herbe coupée parce qu'on est dans son jardin. Parfois j'aperçois les arbustes et les haies.

— Le jardin de qui ?

— De Grand Méchant Nick. La Chambre a été aménagée dans sa cabane de jardin, tu te souviens ? »

C'est dur de se rappeler tous les trucs, aucun n'a l'air très vrai.

« Il est le seul à avoir le code de sécurité extérieur, dit Maman. Et quand il repart, il refait le code sur celui-ci. » Elle montre Petit Clavier.

« C'est le jardin de la maison avec le hamac ?

— Non ! » Elle parle fort. « Grand Méchant Nick vit dans une autre maison.

— On pourra y aller un jour ? »

Elle serre sa bouche dans sa main. « Je préférerais aller chez ta mamie et ton papy.

— On pourrait se balancer dans le hamac.

— On pourrait faire tout ce qu'on voudrait, on serait libres.

— Quand j'aurai six ans ?

— Un jour, promis. »

La figure de Maman est mouillée, ça coule sur la mienne. Je sursaute, c'est salé.

« Ça va aller. » Elle se frotte la joue. « Ça va aller. J'ai juste… un peu peur.

— T'as pas le droit ! je crie presque. Mauvaise idée !

— Un tout petit peu. Tout va bien, nous avons de quoi survivre. »

136

Maintenant j'ai de plus en plus peur. « Mais si Grand Méchant Nick fait pas revenir le courant et qu'il rapporte plus à manger de toute la vie ?

— Il le fera, j'en suis sûre », dit Maman. Elle respire encore en hoquets. « Il y a quatre-vingt-dix-neuf chances sur cent. »

Quatre-vingt-dix-neuf, c'est pas cent. Ça fait assez de chances ?

Maman se redresse et se frotte fort la figure avec le bras de son pull.

Mon ventre grogne, je me demande ce qu'il nous reste à manger. La nuit revient déjà. J'ai pas l'impression que la lumière gagne la course de l'équinoxe.

« Écoute, Jack, il faut que je te raconte une autre histoire.

— Une histoire vraie ?

— Tout à fait vraie. Tu sais qu'avant j'étais toute triste ? »

Je l'aime bien, celle-là. « Et après je suis descendu du Ciel et j'ai grandi dans ton ventre.

— Oui, mais tu vois, si j'étais triste… c'était à cause de la Chambre, dit Maman. Grand Méchant Nick… je ne le connaissais même pas, j'avais dix-neuf ans. Il m'a volée. »

J'essaie de comprendre. « Chipeur arrête de chiper ! » Mais chiper des gens, ça je l'avais jamais entendu.

Maman me serre trop fort. « J'étais étudiante. C'était tôt le matin, je traversais un parking pour aller à la bibliothèque de l'université en écoutant… une toute petite machine qui contient des centaines de chansons et te les joue à l'oreille ; de toutes mes amies, j'ai été la première à en avoir une. »

J'aimerais bien l'avoir, cette machine !

« Bref, un homme a couru vers moi en appelant à l'aide : son chien faisait une crise d'épilepsie et il avait peur qu'il ne meure.

— Comment il s'appelle ?

— L'homme ? »

Je secoue la tête. « Le chien.

— Mais non, le chien n'était qu'une ruse pour me faire monter dans son pick-up, c'était le camion de Grand Méchant Nick !

— Il est de quelle couleur ?

— Le camion ? Marron, il a toujours le même ; il n'arrête pas de s'en plaindre.

— Combien de roues ?

— Je voudrais que tu te concentres sur ce qui est important », dit Maman.

Je fais oui de la tête. Ses mains sont trop serrées, je tire un peu dessus.

« Il m'a mis un bandeau sur les yeux…

— Comme à Colin-Maillard ?

— Oui, mais c'était pas pour rire. Il a conduit long-temps, longtemps ; j'étais terrifiée.

— Et moi, où j'étais ?

— Tu n'étais pas encore arrivé, ne l'oublie pas. »

Je me rappelais plus. « Et le chien, il était dans le camion avec vous ?

— Il n'y avait pas de chien. » Maman a repris sa voix grincheuse. « Laisse-moi raconter.

— Je peux choisir une autre histoire ?

— C'est comme ça que ça s'est passé.

— Je peux avoir *Jack le Tueur de Géants* ?

— Écoute, dit Maman en mettant la main sur ma bouche. Il m'a fait prendre des mauvais médicaments pour m'endormir. Et je me suis réveillée ici. »

Il fait presque noir et je vois plus du tout sa figure qui est tournée de l'autre côté, j'entends juste sa voix.

« La première fois qu'il a ouvert la porte, j'ai hurlé au secours et il m'a assommée ; je n'ai plus jamais essayé. »

Mon ventre se serre en nœud.

« J'avais peur de m'endormir au cas où il reviendrait, dit Maman, mais c'était le seul moment où je ne pleurais pas, alors je dormais environ seize heures par jour.

— Tu as fait une mare ?

— Quoi ?

— Alice fait une mare de larmes parce qu'elle arrive pas à se rappeler tous ses poèmes et ses nombres, elle a failli se noyer.

— Pas moi, répond Maman, mais j'avais tout le temps mal à la tête et mes yeux me démangeaient. L'odeur des dalles en liège me donnait envie de vomir. »

Quelle odeur ?

« Je me rendais folle à regarder ma montre et à compter les secondes. Les objets m'effrayaient, ils semblaient grossir ou rétrécir sous mes yeux et chaque fois que je regardais ailleurs, ils se mettaient à dériver. Quand il a fini par m'apporter la télé, je la laissais allumée du matin au soir toute la semaine : je regardais des trucs débiles, des pubs pour des choses que je me rappelais avoir mangées et qui me manquaient terriblement. Parfois j'entendais les voix de la télé me parler.

— Comme Dora ? »

Elle secoue la tête. « Pendant qu'il était au travail, j'essayais de sortir, j'ai tout essayé. Je montais sur la table et j'y passais des journées sur la pointe des pieds à gratter le plafond autour de la fenêtre ; je me suis cassé tous les ongles. Je lançais tous les objets possibles contre la vitre mais la grille de sécurité était trop solide, je n'ai jamais réussi ne serait-ce qu'à la fêler. »

Madame Lucarne n'est plus qu'un carré presque tout noir. « C'était quoi, tous les objets ?

— La grosse casserole, les chaises, la poubelle… »

Waouh, j'aurais bien aimé la voir lancer Madame Poubelle !

« Et une autre fois j'ai creusé un trou. »

Je comprends pas. « Où ?

— Tu veux le toucher, ça te plairait ? Il va falloir qu'on se faufile… » Maman soulève Madame Couette et sort Boîte de sous Monsieur Lit. Elle glisse dessous Monsieur Lit avec un petit grognement. Je la rejoins, on est près de Serpendœuf mais sans l'écraser. « C'est *La Grande Évasion* qui m'a donné l'idée. » Sa voix résonne fort à côté de ma tête.

Je me rappelle l'histoire du camp nazi, c'est pas comme un camp de vacances où on mange de la guimauve, c'était en hiver, avec des millions de gens qui boivent de la soupe aux asticots. Les Alliés avaient fait sauter les grilles et tout le monde s'était sauvé ; je crois que les Alliés, c'est des anges comme celui de saint Pierre.

« Donne-moi tes doigts… » Maman tire sur mes mains. Je sens le liège de Monsieur Par-Terre. « C'est juste là. » D'un coup, ça s'enfonce avec des bords rugueux. Ma poitrine fait *boum-boum* : si j'aurais su qu'il y avait un trou ! « Attention, ne te coupe pas. Je l'ai fait avec le couteau à dents, dit Maman. J'ai décollé le liège mais après la couche en bois m'a pris beaucoup de temps. Ensuite la tôle de plomb et la mousse isolante ont été assez faciles à creuser mais tu sais ce que j'ai trouvé en dessous ?

— Le pays des merveilles ? »

Elle fait un bruit fâché si fort que je me cogne la tête contre Monsieur Lit.

« Pardon, Maman.

— J'ai trouvé une clôture métallique renforcé.

— Où ça ?

— Juste là, dans le trou. »

Une clôture dans un trou ? J'enfonce ma main de plus tant plus bas.

« La grille métallique, tu la sens ?

— Oui. » C'est froid, tout lisse, je l'attrape avec mes doigts.

« Quand il a transformé la cabane de jardin en chambre, explique Maman, il a caché une couche de grillage sous les solives du plancher, dans tous les murs et même dans le toit pour que je ne puisse jamais passer au travers. »

Ça y est, on est ressortis. On est assis le dos contre Monsieur Lit. Je suis tout essoufflé.

« Quand il a découvert le trou, raconte Maman, ça l'a fait hurler de rire.

— Comme un loup ?

— Non, il riait très fort. J'avais peur qu'il me frappe ce jour-là, mais il a juste trouvé ça tordant.

Mes dents sont serrées ensemble.

« Il riait plus souvent à l'époque », dit Maman.

Grand Méchant Nick est qu'un sale voleur et un zombie puant ! « On pourrait faire une mutinerie, je dis à Maman. Moi je vais le pulvériser avec mon gigaméga-transformerblaster. »

Maman me fait un bisou sur le coin de l'œil. « L'attaquer, ça ne marchera pas. J'ai essayé un jour, j'étais ici depuis environ un an et demi. »

Ça, c'est vraiment incroyable ! « Tu as attaqué Grand Méchant Nick ?

— Voilà comment je m'y suis prise : j'ai démonté le couvercle des W-C et j'avais aussi le couteau sans dents ; un soir, juste avant neuf heures, je me suis postée contre le mur près de la porte. »

Je comprends pas. « Monsieur W-C a pas de couvercle.

— Il y en avait un avant, sur le réservoir. C'était l'objet le plus lourd de la Chambre.

— Monsieur Lit est superlourd.

— Mais je n'aurais pas pu le soulever, tu vois ? répond Maman. Alors quand je l'ai entendu entrer…

— À cause du *bip-bip*.

— Exactement. Je lui ai donné un grand coup de couvercle sur la tête. »

J'ai mis mon pouce dans ma bouche et je le mordille sans m'arrêter.

« Mais je n'y suis pas allée assez fort, le couvercle est tombé par terre, il s'est cassé en deux et il… Grand Méchant Nick, il a réussi à refermer la porte. »

Je sens un goût bizarre.

La voix de Maman est pleine de hoquets. « Je savais que ma seule chance était de le forcer à me révéler le code. Alors je lui ai mis le couteau sous la gorge, comme ça. » Elle pose son ongle sous ma gorge, j'aime pas ça. « Et j'ai dit : "Donne-moi le code."

— Il l'a fait ? »

Elle souffle. « Il a récité des chiffres et je suis allée les taper.

— Quels chiffres ?

— Je ne pense pas que c'étaient les bons. Il a bondi, il m'a tordu le poignet et il a pris le couteau.

— C'est ton poignet fragile ?

— Oui, enfin il était parfaitement normal avant. Ne pleure pas, dit Maman dans mes cheveux, c'était il y a longtemps. »

J'essaie de parler mais ça sort pas.

« Tu vois, Jack, il ne faut plus essayer de l'attaquer. Le soir suivant, quand il est revenu, il a dit que, petit un, pour rien au monde il ne me donnerait le code et que, petit deux, si j'essayais encore de lui faire un coup pareil, il partirait, il ne reviendrait jamais et me laisserait mourir de faim. »

Elle a fini l'histoire, je crois.

Mon ventre grogne très fort et je comprends, je sais pourquoi Maman me raconte cette histoire. Elle m'explique qu'on va…

Après je cligne des yeux et je mets mes mains dessus : c'est tout éblouissant parce que la lumière de Madame Lampe est revenue.

MOURIR

Il fait bien chaud. Maman est déjà debout. Sur Madame Table, il y a une nouvelle boîte de céréales et quatre bananes, *youpi !* Grand Méchant Nick a dû venir dans la nuit. D'un bond, je sors de Monsieur Lit. Je vois des macaronis aussi, des hot-dogs et des mandarines…

Maman mange rien de tout ça, elle est debout devant Madame Commode et elle regarde Madame Plante. Trois feuilles sont tombées. Maman touche la tige de Madame Plante et…

« Non !

— Elle était déjà morte.

— C'est toi qui l'as cassée ! »

Maman secoue la tête. « Quand elles sont en vie, elles se plient, Jack. Je crois que c'est le froid, ça l'a rendue toute dure à l'intérieur. »

J'essaie de remettre sa tige droite. « Il lui faut du scotch. » Je me rappelle qu'on en a plus : Maman a collé le dernier morceau sur Petit Vaisseau Spatial, quelle idiote ! Je cours sortir Boîte de sous Monsieur Lit, je trouve Petit Vaisseau Spatial et j'arrache les bouts de scotch.

Maman regarde sans rien faire.

Je colle le scotch sur Madame Plante mais il fait rien qu'à glisser et elle reste cassée en deux.

« Je suis vraiment désolée.

— Refais-la vivre ! je lui dis.

— Je le ferais si je le pouvais. »

Elle attend que j'arrête de pleurer, après elle m'essuie les yeux. J'ai trop chaud maintenant, j'enlève mes habits en plus.

« Il va falloir la mettre à la poubelle maintenant, dit Maman.

— Non, dans Monsieur W-C.

— Ça pourrait boucher les canalisations.

— On peut la casser en tout petits morceaux. »

Je donne des bisous à quelques feuilles de Madame Plante et je tire la chasse, encore quelques autres et je tire la chasse ; après c'est le tour de la tige, par petits bouts. « Au revoir, Madame Plante », je chuchote. Peut-être que dans la mer elle se recollera en entière et qu'elle poussera pour monter au Ciel.

La mer existe en vrai, je viens juste de m'en rappeler. Tout est pour de vrai dans le monde de Dehors (toutes les choses qui y sont) puisque j'ai vu l'avion dans le bleu entre les nuages. Maman et moi, on peut pas y aller parce qu'on connaît pas le code secret, n'empêche qu'il est bien vrai.

Avant j'avais pas l'idée de vouloir sortir, ma tête était trop petite pour y mettre le monde de Dehors alors j'imaginais pas qu'il existait. Quand j'étais tout petit je pensais comme un petit mais maintenant que j'ai cinq ans, je sais tout.

On prend un bain juste après le petit-déjeuner, l'eau est toute fumante, *miam*. On remplit Madame Baignoire si haut qu'elle fabrique presque une inondation. Maman pose sa tête sur le bord et bientôt elle va s'endormir ; je la réveille pour lui laver la tête et elle à moi. On met la lessive dans la même eau mais après il y a des longs cheveux sur les draps et on doit les enlever un par un : on fait la course pour voir qui c'est le plus rapide.

Les dessins animés sont déjà finis, des enfants colorient des œufs pour le Lapin de *Je vais me sauver*. Je regarde chacun des enfants et je lui dis dans ma tête : *Tu existes en vrai.*

« C'est le lapin de Pâques, pas celui de *Je vais me sauver*, explique Maman. Paul et moi… enfin, quand on était petits, le lapin de Pâques nous apportait des œufs en chocolat pendant la nuit et les cachait partout dans notre jardin, sous les buissons, dans les troncs creux et même dans le hamac.

— Il prenait tes dents ? je demande.

— Non, il nous les offrait. » Sa figure est toute lisse.

Je crois pas que le lapin de Pâques sait où est la Chambre et de toute façon, on a pas de buissons ni d'arbres, ils sont de l'autre côté de Madame Porte.

C'est un bon jour à cause de la chaleur et des provisions mais Maman n'est pas joyeuse. Sans doute que Madame Plante lui manque.

Je choisis l'activité sportive : Randonnée où on marche main dans la main sur Petite Piste et on dit tout ce qu'on voit. « Regarde, Maman, une cascade ! »

Au bout d'une minute je dis : « Regarde, un gnou !

— Waouh !

— À toi.

— Oh, regarde, dit Maman, un escargot ! »

Je me penche pour le voir. « Regarde, un bulldozer géant qui détruit un gratte-ciel !

— Regarde, un flamant rose qui passe dans le ciel.

— Regarde, un zombie tout baveux.

— Jack ! » Ça la fait sourire pendant la moitié d'une seconde.

Après on avance plus vite et on chante « This Land Is Your Land ».

Après, on remet Monsieur Tapis à sa place et il devient notre tapis volant : on file et on passe au-dessus du pôle Nord !

Maman choisit Cadavre où on doit rester couchés sans bouger du tout ; j'oublie et je me gratte le nez, alors c'est elle qui gagne. Après je veux faire Trampoline mais elle veut arrêter les activités sportives.

« Toi tu fais les commentaires et moi le rebondisseur !

— Non, désolée, je vais retourner un peu au lit. »

Elle est pas très drôle aujourd'hui.

Je sors Serpendœuf de sous Monsieur Lit tout douce-ment ; je crois que je l'entends siffler avec sa langue en aiguille : *Sssssalut !* Je le caresse, surtout ses œufs fendus ou un peu craqués. Il y en a un qui tombe en miettes dans mes doigts ; je vais fabriquer de la colle avec une pincée de farine pour coller les bouts de coquille sur une feuille de papier à lignes : ça fait une montagne pleine de pics. J'ai envie de la montrer à Maman mais ses yeux sont fermés.

Je vais dans Petit Dressing jouer au Mineur de Charbon. Je trouve une pépite d'or sous mon oreiller (en vrai c'est Dent Malade). Elle est pas vivante et elle se pliait pas alors elle s'est cassée mais on est pas obligés de la jeter dans Monsieur W-C. Elle sort de Maman tout craché.

Je passe la tête entre les portes et les yeux de Maman s'ouvrent. « Qu'est-ce que tu fais ? je lui demande.

— Rien, je réfléchissais. »

Moi je peux réfléchir et faire des trucs intéressants en même temps. Pas elle ?

Elle se lève pour préparer le déjeuner, c'est une boîte de macaronis tout orangés, *delicioso*.

Après je joue à Icare avec ses ailes qui fondent. Maman lave la vaisselle au ralenti. J'attends pour qu'elle joue avec moi mais elle a pas envie, elle reste assise dans Monsieur Rocking-Chair rien qu'à se balancer.

« Qu'est-ce que tu fais ?

— Je réfléchis toujours. » Au bout d'une minute elle demande : « Qu'est-ce qu'il y a dans la taie d'oreiller ?

— C'est mon sac à dos. » J'ai attaché deux coins autour de mon cou. « C'est pour aller dans le Dehors quand on viendra nous sauver. » Dedans j'ai mis Dent Malade et Petite Jeep et Madame Commande et aussi une culotte pour moi et une pour Maman, plus des chaussettes, Petite Paire de Ciseaux et les quatre pommes pour si on a faim. « Il y a de l'eau là-bas ? » je lui demande.

Maman fait oui de la tête. « Des fleuves, des lacs…

— Non, mais pour boire, il y a un robinet ?

— Plein de robinets. »

Je suis content de pas être obligé d'apporter une bouteille d'eau parce que mon sac est vraiment lourd maintenant, je dois le tenir avec mes mains pour qu'il m'étrangle pas quand je parle.

Maman se balance encore et encore. « Avant je rêvais qu'on venait me délivrer, elle raconte. J'écrivais des messages que je cachais dans les sacs-poubelle, mais personne ne les a jamais trouvés.

— Tu aurais dû les envoyer par la cuvette de Monsieur W-C.

— Et quand on crie personne ne nous entend. J'ai fait des signaux lumineux pendant la moitié d'une nuit et ensuite je me suis dit : personne ne regarde.

— Mais…

— Personne ne viendra nous sauver. »

Je dis rien. Après je réponds : « Tu sais pas tout ce qui va arriver. »

Maman a une figure plus bizarre que j'avais jamais vue.

J'aimerais mieux la voir Ailleurs toute la journée quand elle se ressemble pas comme ça.

Je descends tous mes livres de Madame Étagère et je les lis : *Le Livre Aéroport à déplier*, *Mon grand livre de comptines* et *Dylan le Maçon* qui est mon préféré et aussi *Je vais me sauver* mais je m'arrête au milieu et je le garde pour Maman ; je lis un peu d'*Alice* à la place et je saute l'horrible Duchesse qui fait peur.

Maman s'arrête enfin de se balancer.

« Je peux avoir mon Doudou-Lait ?

— Bien sûr, viens par ici. »

Je m'assois sur ses genoux, je soulève son T-shirt et je prends Doudou-Lait pendant très longtemps.

« Fini ? me demande Maman à l'oreille.

— Oui.

— Écoute, Jack. Tu m'écoutes ?

— J'écoute toujours.

— Il faut qu'on sorte d'ici. »

J'ouvre des grands yeux.

« Et il faut qu'on se débrouille tout seuls. »

Mais elle avait dit qu'on était comme les personnages d'un livre : comment ils font pour se sauver ?

« Il faut qu'on trouve un truc. » Sa voix est tout aiguë.

« Comme quoi ?

— Je ne sais pas, moi. Ça fait sept ans que j'essaie de trouver une idée.

— On pourrait trouer les murs. » Sauf qu'on a pas de Jeep pour leur foncer dedans, même pas un bulldozer. « On pourrait… exploser Madame Porte.

— Avec quoi ?

— Le chat l'avait fait dans *Tom et Jerry*…

— C'est très bien de chercher des solutions, dit Maman, mais il nous faut une idée qui marchera vraiment.

— Non mais une très grosse explosion !

— Si elle est vraiment grosse, elle nous fera exploser aussi. »

J'y avais pas pensé. Je cherche encore dans ma tête. « Oh, Maman ! On pourrait… attendre que Grand Méchant Nick arrive une nuit et tu pourrais dire : "Eh, regarde ce bon gâteau qu'on a fait, mange donc une tranche de notre délicieux gâteau de Pâques" mais en fait ça serait du poison. »

Maman secoue la tête. « Même si on le rend malade, il ne voudra pas nous donner le code. »

Je réfléchis trop fort, ça me fait mal.

« D'autres idées ?

— Tu dis non à toutes.

— Pardon, pardon. J'essaie juste d'être réaliste.

— Quelles idées sont réalistes ?

— Je n'en sais rien, je n'en sais rien. » Maman se passe la langue sur les lèvres. « Je n'arrête pas de penser au moment où Madame Porte s'ouvre ; si on arrivait à passer à l'action juste à cet instant, peut-être qu'on pourrait le bousculer et s'échapper ?

— Oh oui, superidée !

— Ou même si tu te glissais dehors pendant que je vise ses yeux… » Maman secoue la tête. « Impossible.

— Si, possible !

— Il te rattraperait, Jack, il te rattraperait avant que tu aies traversé la moitié du jardin et… » Elle s'arrête de parler.

Au bout d'une minute, je dis : « Pas d'autres idées ?

— Toujours les mêmes qui tournent sans arrêt dans ma tête comme des rats dans une roue », dit Maman entre ses dents.

Pourquoi les rats tournent là-dedans ? C'est comme une Grande Roue à la foire ?

« Il faudrait qu'on trouve une ruse, je lui dis.

— Comme quoi ?

— Comme quand tu étais étudiante et qu'il t'a attirée dans son camion avec son chien qui existait pas. »

Maman souffle. « Je sais que tu essaies de m'aider, mais est-ce que tu pourrais arrêter de parler un moment pour me laisser réfléchir ? »

Mais on était en train de réfléchir, on réfléchissait superfort tous les deux ! Je me lève et je vais manger la banane avec une grosse tache marron (le marron, c'est le meilleur).

« Jack ! » Maman parle supervite en ouvrant les yeux tout grands. « Ce que tu as dit à propos du chien… en fait c'était une idée géniale ! Si on faisait croire que tu es malade ? »

154

D'abord je comprends rien mais après je vois : « Comme le chien qui existait pas ?

— Exactement. Quand Grand Méchant Nick viendra… je pourrais lui dire que tu es très malade.

— J'aurais quoi ?

— Un très très gros rhume, par exemple. Essaie de tousser fort. »

Je tousse encore et encore ; elle écoute. « Hum. »

Je crois pas que j'y arrive très bien. Je tousse plus fort, j'ai l'impression que ma gorge va s'arracher.

Maman secoue la tête. « On laisse tomber cette idée.

— Je peux le faire encore plus fort…

— Tu t'en sors très bien mais ça sonne faux. »

Je recommence, c'est la plus énorme et la pire horrible des toux.

« Je ne sais pas, dit Maman, peut-être que c'est simplement trop dur à imiter, Mais non… » Elle se donne une claque sur la tête. « Que je suis bête !

— Non c'est pas vrai. » Je lui frotte le front.

« Si c'est une maladie contagieuse, il en faut une que Grand Méchant Nick aurait pu te passer, tu vois ? C'est le seul à introduire des microbes dans la Chambre et il n'a pas le rhume. Non, on doit trouver… quelque chose qui vienne de la nourriture ? » Elle regarde les bananes d'un air très méchant. « Des coliques ? Est-ce que ça pourrait te donner la fièvre ? »

Normalement, c'est pas Maman qui pose les questions, elle sait toutes les réponses.

« Une très mauvaise fièvre qui t'empêche de parler et d'être bien réveillé.

— Pourquoi je peux pas parler ?

— Ce sera plus facile pour toi si tu peux te taire. Oui, c'est ça ! dit Maman avec des yeux tout brillants. Je lui dirai : "Il faut que tu conduises Jack à l'hôpital pour que les docteurs lui donnent les bons médicaments."

— Je vais monter dans le camion marron, moi ? »

Maman fait oui de la tête. « Pour aller à l'hôpital. »

J'arrive pas à y croire ! Mais après je pense à la planète médicale. « Je veux pas qu'on me creuse des trous dans le ventre !

— Eh, les docteurs ne te feront rien du tout puisque tu ne seras pas vraiment malade, n'oublie pas. » Elle me caresse l'épaule. « C'est juste une ruse pour notre Grande Évasion. Grand Méchant Nick t'emmènera à l'hôpital et dès que tu verras un médecin (ou une infirmière, ou n'importe) tu crieras "Au secours !"

— T'auras qu'à crier, toi. »

D'abord je crois que Maman m'a pas entendu. Après elle dit : « Je ne serai pas là.

— Où tu seras ?

— Ici, dans la Chambre. »

J'ai une meilleure idée. « Tu pourrais être malade pour de faux, toi aussi, comme le jour où on a eu la diarrhée en même temps et il nous emmènerait tous les deux dans son camion. »

Maman se mordille la lèvre. « Il ne marchera pas. Je sais que ça te fera vraiment bizarre d'y aller seul mais je te parlerai dans tes pensées à chaque instant, promis. Tu te rappelles quand Alice tombait toujours plus bas ? Pendant tout ce temps elle parlait à sa chatte Dinah dans sa tête. »

Maman sera pas dans ma tête pour de vrai. Rien que d'y penser, j'ai mal au ventre. « J'aime pas cette idée.

— Jack…

— C'est pas une bonne idée.

— En fait…

— J'irai pas dans le Dehors sans toi.

— Jack…

— Jamais, jamais, jamais de la vie !

— D'accord, calme-toi. On laisse tomber.

— C'est vrai ?

— Oui, ce n'est pas la peine de tenter le coup si tu n'es pas prêt. »

Elle a repris sa voix grincheuse.

Aujourd'hui, comme on est en avril, je peux gonfler un ballon. Il en reste trois : un rouge, un jaune et encore un jaune ; je choisis jaune comme ça il y en aura encore un de chaque (rouge ou jaune) pour le mois d'après. Je souffle dedans et je le laisse filer plein de fois dans Madame Chambre, j'aime bien ce bruit qui pétarade. C'est dur de me décider à faire le nœud parce que après le ballon filera plus dans les airs, il volera juste au ralenti. Mais il faudra bien si on veut jouer au Ralen-Tennis. Alors je le laisse se vider jusqu'au bout *zoum-prout-prout-prout* et je le regonfle encore trois fois avant de faire le nœud où je coince mon doigt sans faire exprès. Quand il est bien attaché Maman et moi, on joue au Ralen-Tennis ; je gagne cinq fois sur sept.

« Tu veux ton Doudou-Lait ? demande Maman.

— Le gauche s'il te plaît. » Je monte sur Monsieur Lit.

Il y en a pas beaucoup mais il est très bon.

Je crois que je dors un peu mais après Maman me parle à l'oreille. « Rappelle-toi comme ils rampaient dans le tunnel tout noir pour échapper aux nazis. L'un après l'autre.

— Oui.

— C'est comme ça qu'on s'y prendra, quand tu seras prêt.

— Quel tunnel ? » Je regarde partout.

« J'ai dit *comme ça*, je ne parlais pas d'un vrai tunnel. Ce que j'essaie de t'expliquer c'est que les prisonniers ont dû faire preuve de courage et y aller un à un. »

Je secoue la tête.

« C'est la seule solution. » Les yeux de Maman sont trop brillants. « Tu es mon courageux Prince JackerJack. Tu iras à l'hôpital le premier, d'accord ? Et ensuite tu reviendras avec la police…

— La police va m'arrêter ?

— Non, non, ils vont nous aider. Tu les ramèneras ici pour me délivrer et on sera réunis pour de bon.

— Je peux pas sauver des gens, je lui dis. J'ai que cinq ans.

— Mais tu as des superpouvoirs. Tu es le seul de nous deux qui est capable de sortir. Alors, tu veux bien ? »

Je sais pas quoi répondre mais elle attend longtemps, longtemps.

« D'accord.

— Ça veut dire oui ?

— Oui. »

Elle me fait un énorme bisou.

On sort de Monsieur Lit et on mange une barquette de mandarines chacun.

Notre plan a des petits trucs qui clochent et chaque fois que Maman les trouve, elle dit « Oh, non ! » mais après elle pense à une solution.

« La police connaît pas le code secret pour te faire sortir, je rappelle à Maman.

— Ils trouveront un moyen.

— Quoi par exemple ? »

Elle se frotte l'œil. « Je ne sais pas, une lampe à souder ?

— C'est quoi… ?

— Un outil qui produit une flamme capable de découper Madame Porte pour l'ouvrir.

— On a qu'à en fabriquer une ! » Je fais des petits bonds. « On pourrait, on pourrait prendre le flacon de vitamines à tête de dragon, allumer Madame Cuisinière et le mettre jusqu'à ce qu'il brûle…

— Et mourir dans l'incendie, répond Maman, d'une voix pas gentille.

— Mais…

— Jack, ce n'est pas un jeu. Reprenons notre plan… »

Je me rappelle tous les trucs mais j'arrête pas de les dire à l'envers.

« Écoute, c'est comme dans *Dora*, dit Maman, quand elle va dans un endroit et ensuite dans un deuxième endroit pour aller au troisième. Pour nous c'est "Camion, Hôpital, Police". À toi !

— Camion, Hôpital, Police.

— Ou peut-être qu'en fait il y aura cinq étapes : «Malade, Camion, Hôpital, Police, Sauver Maman». » Elle attend.

Je commence : « Camion…

— Malade.

— Malade, je répète.

— Hôpital… non, pardon. D'abord Camion. Malade, Camion…

— Malade, Camion, Hôpital, Sauver Maman.

— Tu as oublié "Police" ! Compte sur tes doigts. "Malade, Camion, Hôpital, Police, Sauver Maman". »

On le répète encore et encore. On le dessine sur une feuille de papier à lignes : dans l'image « Malade », j'ai les yeux fermés et la langue qui pend ; après on voit un pick-up marron et après des gens avec des grandes blouses blanches (c'est des docteurs) ; encore après, il y a une voiture de police avec une sirène qui clignote et Maman qui agite la main en souriant vu qu'elle est libre et la lampe à souder qui crache plein de feu comme un dragon. Ma tête est fatiguée mais Maman dit qu'on doit s'entraîner pour la partie « Malade », la plus importante.

« Parce que, s'il n'y croit pas, il n'y aura aucune des autres étapes. J'ai une idée, je vais faire en sorte que ton front soit vraiment brûlant et le laisser le toucher…

— Non !

— N'aie pas peur, je ne vais pas te brûler… »

Elle comprend pas. « Lui, je veux pas qu'il me touche.

— Ah ! dit maman. Juste une fois, promis, et je serai juste à côté. »

Je continue à secouer la tête.

« Si, ça pourrait marcher ! Tu pourrais peut-être t'allonger tout contre la bouche d'aération… » Elle se met à genoux et tend la main sous Monsieur Lit près de Monsieur Mur-Côté-Lit mais elle fronce les sourcils : « Pas assez chaud. Alors… un sac en plastique rempli d'eau vraiment très chaude sur ton front, juste avant qu'il arrive ? Tu seras dans Monsieur Lit et quand on entendra Madame Porte faire *bip-bip*, je le cacherai.

— Où ?

— C'est sans importance.

— Si, c'est important ! »

Maman me regarde. « Tu as raison, il faut tout prévoir dans le moindre détail pour que rien ne gâche notre plan. Je mettrai le sac sous Monsieur Lit, d'accord ? Ensuite, quand Grand Méchant Nick touchera ton front, il sera superchaud. Tu veux qu'on essaie ?

— Avec le sac d'eau chaude ?

— Non, pour l'instant couche-toi simplement dans Monsieur Lit et entraîne-toi à être tout mou, comme quand on joue à Cadavre. »

J'y arrive très bien, ma bouche s'ouvre toute seule. Maman fait semblant d'être lui avec une voix très grave et bourrue. Elle pose la main sur mes sourcils : « Dis donc, sacrément chaud ! »

Je rigole.

« Jack.

— Pardon. » Je reste allongé superimmobile.

On s'entraîne beaucoup, après j'en ai assez d'être malade pour de semblant, alors Maman veut bien arrêter.

Au dîner, c'est des hot-dogs. Maman mange presque pas le sien. « Bon, tu te rappelles notre plan ? » elle demande.

Je fais oui de la tête.

« Récite-le-moi. »

J'avale mon morceau de pain. « "Malade, Camion, Hôpital, Police, Sauver Maman".

— Fantastique ! Alors, tu es prêt ?

— Pour quoi ?

— Pour notre Grande Évasion. Ce soir. »

Je savais pas que c'était ce soir. Je suis pas prêt. « Pour-quoi c'est ce soir ?

— Je ne veux plus attendre. Depuis qu'il a coupé le courant…

— Mais il l'a remis hier soir !

— Oui, au bout de trois jours et Madame Plante est morte de froid. Qui sait ce qu'il fera demain ? » Maman se lève avec son assiette, elle crie presque. « Il a l'air humain mais il n'a rien à l'intérieur. »

J'y comprends rien. « Comme un robot ?

— Pire.

— Une fois dans *Bob le Maçon*, il y avait un robot… »

Maman me coupe la parole. « Tu sais où est ton cœur, Jack ?

— *Boum-boum*. » Je lui montre l'endroit sur ma poitrine.

« Non, celui qui sent les émotions quand tu es triste, quand tu as peur, que tu ris et tout ça. »

C'est plus bas, dans mon ventre, je crois.

« Eh bien, Grand Méchant Nick n'en a pas.

— Un ventre ?

— Un cœur qui ressent les émotions », dit Maman.

Je regarde mon ventre. « Il a quoi à la place ? »

Elle hausse les épaules. « Juste un trou. »

Comme un cratère ? Mais ça, c'est un trou où quelque chose est arrivé. Qu'est-ce qui s'est passé ?

Je comprends toujours pas pourquoi si Grand Méchant Nick est un robot, nous, on est obligés de faire notre ruse ce soir. « On a qu'à choisir un autre soir.

— D'accord, répond Maman en se laissant tomber dans son fauteuil.

— D'accord ?

— Oui. » Elle se frotte le front. « Pardon, Jack, je sais que je te bouscule. J'ai eu beaucoup de temps pour réfléchir à tout ça, mais c'est tout nouveau pour toi. »

Je fais oui-oui-oui de la tête.

« Je suppose qu'un ou deux jours de plus n'y changeront pas grand-chose. Tant que je ne le laisse pas chercher la bagarre. » Elle me sourit. « D'ici quelques jours peut-être ?

— Ou quand j'aurai six ans. »

Maman ouvre des grands yeux.

« Oui c'est ça ! je serai prêt à lui jouer notre tour pour sortir quand j'aurai six ans. »

Elle cache sa figure dans ses bras.

Je tire dessus. « Non ! »

Quand elle relève la tête, elle a une figure effrayante. « Tu avais dit que tu serais mon superhéros. »

Je me rappelle pas ça.

« Tu ne veux pas t'échapper ?

— Si, mais pas en vrai.

— Jack ! »

Je regarde mon dernier bout de hot-dog mais j'en ai plus envie. « On a qu'à rester. »

Elle secoue la tête. « Ça devient trop petit.

— Quoi ?

— La Chambre.

— Mais non, elle n'est pas petite. Regarde. » Je grimpe sur ma chaise, je saute en écartant les bras et je tourne en rond sans me cogner à rien.

« Tu ne te rends même pas compte de l'effet que ça a sur toi. » Sa voix tremble. « Tu as besoin de voir des choses, de les toucher…

— Je le fais déjà.

— Plus de choses, d'autres choses. Il te faut plus d'espace. De l'herbe. Je croyais que tu voulais rencontrer Mamie et Papy et Oncle Paul, monter sur les balançoires au jardin public, manger des glaces…

— Non merci.

— Bon, on laisse tomber. »

Maman enlève ses habits et met son T-shirt de nuit. Moi pareil. Elle dit rien parce qu'elle est vraiment très fâchée. Elle fait le nœud du sac-poubelle et le pose à côté de Madame Porte. Il y a pas de liste dessus, ce soir.

On brosse nos dents. Elle crache. Il reste du blanc sur sa bouche. Ses yeux regardent les miens dans Monsieur Miroir. « Je te laisserais plus de temps si je le pouvais, elle dit. Je te jure que j'attendrais tout le temps qu'il faut si je pensais qu'on était en sécurité. Mais ce n'est pas le cas. »

D'un coup, je me tourne vers la vraie Maman et je cache ma figure dans son ventre. Je mets du dentifrice sur son T-shirt mais elle dit que c'est pas grave.

On se couche sur Monsieur Lit et pendant qu'elle me donne mon Doudou-Lait, le gauche, on dit plus rien.

Dans Petit Dressing, j'arrive pas à m'endormir. Je chante tout doucement : « "John Jacob Jingleheimer Schmidt." » J'attends. Je recommence la chanson.

Enfin Maman répond : « "Porte le même nom que moi.

— Chaque fois que je sors de chez moi.

— Les gens crient quand ils me voient.

— Voilà John Jacob Jingleheimer Schmidt…" »

D'habitude elle chante le « nana nana nana nana » avec moi, c'est le plus drôle, mais pas ce soir.

* * *

Maman me réveille, pourtant il fait encore nuit. Elle est penchée sur moi dans Petit Dressing, je me cogne l'épaule quand je m'assois. « Viens voir », elle chuchote.

On se lève et on s'approche de Madame Table pour regarder Madame Lucarne : la figure ronde et blanche du bon Dieu est plus géante que jamais. Si brillante qu'elle éclaire toute la Chambre, les robinets et Monsieur Miroir et aussi les casseroles, Madame Porte et même les joues de Maman. « Tu sais, elle me chuchote, parfois la lune a la forme d'un demi-cercle, d'un croissant et parfois ce n'est qu'une petite courbe, comme un bout d'ongle.

— Même pas vrai ! » C'est que dans Madame Télé.

Elle montre Madame Lucarne du doigt. « Tu ne la vois que lorsqu'elle est pleine et juste au-dessus de nous. Mais quand on sortira d'ici, on pourra l'apercevoir plus bas dans le ciel, alors qu'elle a toutes sortes de formes. Et même en plein jour, dit Maman.

— Jamais de la vie !

— Je te dis la vérité. Tu vas tellement te plaire dans le monde extérieur. Attends de voir le soleil couchant, tout rose et pourpre… »

Je bâille.

« Désolée. » Elle s'est remise à chuchoter. « Allez, viens au lit. »

Je regarde si le sac-poubelle est parti : oui, « Grand Méchant Nick est venu ?

— Oui. Je lui ai dit que tu couvais quelque chose. J'ai parlé de crampes d'estomac, de diarrhée », dit Maman presque en riant.

« Pourquoi tu as… ?

— Comme ça il commencera à croire à notre ruse. Demain soir ce sera le moment. »

J'arrache mes mains des siennes. « Tu devais pas lui dire ça !

— Jack…

— Mauvaise idée !

— C'est un bon plan.

— C'est un stupide plan débile !

— Nous n'en avons pas d'autre, répond Maman très fort.

— J'avais dit non.

— Oui, mais avant tu avais dit peut-être et encore avant c'était oui.

— Tricheuse !

— Je suis ta mère ! » Elle hurle presque. « Ça veut dire que parfois c'est moi qui décide. »

On se couche dans Monsieur Lit. Je me blottis bien serré et je lui tourne le dos.

Dommage qu'on a pas reçu les gants de boxe pour enfants en Cadeau du Dimanche, j'aurais eu le droit de la taper.

* * *

Quand je me réveille, j'ai peur, tout le temps peur.

Maman veut pas qu'on tire la chasse après le caca du matin ; elle le casse avec le manche de Grande Cuiller en Bois pour que ça fasse une soupe avec une odeur trop horrible.

On joue pas, on m'entraîne juste à rester tout mou sans dire aucun mot. Je me sens un peu malade pour de vrai, Maman appelle ça la force de suggestion. « Tu fais si bien semblant que la ruse opère même sur toi ! »

Je prépare encore mon sac à dos en taie d'oreiller : j'y mets Madame Commande et Ballon Gonflable jaune mais Maman dit non. « Si tu prends quoi que ce soit, Grand Méchant Nick devinera que tu essaies de te sauver.

— Je pourrais cacher Madame Commande dans la poche de mon pantalon. »

Elle secoue la tête. « Tu n'auras que ton T-shirt de nuit et ta culotte parce que c'est ce que tu porterais si tu brûlais de fièvre. »

Je pense à Grand Méchant Nick qui me met dans son camion et j'ai la tête qui tourne comme quand je tombe.

« La peur, voilà ce que tu ressens, explique Maman, mais tu te montres aussi très courageux.

— Hein ?

— Peureux et courageux.

— Peurageux ! »

Les mots sandwich, ça la fait toujours rire, sauf que là je voulais pas être drôle.

Au déjeuner, c'est du bouillon de bœuf ; je mange que les crackers trempés dedans.

« Quelle étape de notre plan te tracasse maintenant ? demande Maman.

— L'hôpital. Et si je dis pas les bons mots ?

— Tout ce que tu auras à faire, c'est leur expliquer que ta maman est enfermée et que le monsieur qui t'a amené à l'hôpital l'a capturée.

— Mais les mots…

— Quoi ? » Elle attend.

« Si les mots restent bloqués dans ma gorge ? »

Maman appuie sa bouche sur sa main. « J'oublie tout le temps que tu n'as jamais parlé qu'à moi. »

J'attends.

Maman souffle lentement et fort. « Tu sais quoi ? J'ai une idée. Je vais t'écrire un mot que tu garderas bien caché, un message qui explique tout.

— Super !

— Tu n'auras qu'à le donner à la première personne que tu verras… mais pas à un malade, quelqu'un en uniforme.

— Qu'est-ce qu'il fera avec le papier ?

— Il le lira, bien sûr.

— Les gens de Madame Télé savent lire ? »

Maman me fait les gros yeux. « Ils existent vraiment, comme toi et moi, tu te rappelles ? »

J'y crois toujours pas mais je dis rien.

Maman prépare le message sur un bout de feuille de papier à lignes. C'est une histoire rien que sur nous et sur la Chambre avec « Envoyez-nous des secours de toute urgence » (ça veut dire super-rapido). Vers le début, il y a deux mots que j'avais jamais vus : Maman m'explique qu'elle a un prénom et un nom comme les gens de Madame Télé et que tout le monde l'appelait comme ça dehors, sauf moi qui dis Maman.

J'ai mal au ventre, j'aime pas qu'elle ait d'autres noms que je savais pas qu'elle avait. « Moi aussi, j'en ai d'autres ?

— Non, tu restes Jack. Enfin… je suppose que tu porterais aussi mon nom de famille. » Elle me montre le deuxième.

« À quoi ça sert ?

— Eh bien, à montrer que tu es Jack, mais pas tous les autres Jack du monde.

— Quels autres Jack ? Comme dans les histoires magiques ?

— Non, des petits garçons bien réels, dit Maman. Il y a des millions de gens là-dehors mais pas assez de prénoms pour tout le monde, alors ils doivent se les partager. »

— Moi je veux pas partager. » J'ai encore plus mal au ventre. Comme j'ai pas de poches, je mets le message dans ma culotte, ça gratte.

Toute la lumière commence à partir goutte à goutte. J'aurais voulu que le jour reste encore pour empêcher la nuit.

Il est 8 h 41 et je m'entraîne dans Monsieur Lit. Maman a rempli un sac en plastique avec de l'eau vraiment très chaude, elle a fait un nœud très serré pour que ça coule pas et maintenant elle le met dans un autre sac qu'elle ferme aussi. « Aïe ! »

J'essaie de m'écarter.

« C'est tes yeux ? » Elle le remet sur ma figure. « Il faut que ça soit très chaud sinon la ruse ne marchera pas.

— Mais ça fait mal ! »

Elle l'essaie sur elle. « Encore une minute. »

Je mets mes poings entre ma peau et le sac.

« Il faut être aussi courageux que le Prince JackerJack si tu veux que notre plan réussisse. Je devrais peut-être simplement dire à Grand Méchant Nick que tu vas mieux ?

— Non.

— Je parie que Jack le Tueur de Géants se mettrait un sac d'eau bouillante sur la figure s'il le fallait. Allez, encore un petit peu.

— C'est moi qui fais. » Je pose le sac sur l'oreiller, je durcis ma figure et je l'enfonce dans le brûlant. Des fois je relève la tête pour une pause pour que Maman touche mon front ou mes joues et elle dit « Bouillant ! » mais après elle m'oblige à recommencer. Je pleure un peu, pas à cause du chaud mais parce que Grand Méchant Nick va arriver si c'est ce soir qu'il vient. Je veux pas, je crois que je vais être malade pour de vrai. J'arrête pas de guetter le *bip-bip*, j'espère qu'il viendra pas : je suis pas peurageux, j'ai juste superpeur.

Je cours m'asseoir sur Monsieur W-C, et je fais encore un caca que Maman remue. Je veux tirer la chasse mais elle dit non et que la Chambre doit puer comme si j'aurais eu la diarrhée toute la journée.

Quand je retourne dans Monsieur Lit, elle me fait un bisou sur la nuque et elle dit : « Tu t'en sors très bien, tes larmes vont beaucoup nous aider.

— Pourquoi… ?

— Ça te donne l'air encore plus malade. Occupons-nous aussi de tes cheveux… J'aurais dû y penser plus tôt. » Elle verse du liquide vaisselle sur ses mains et les frotte tout fort sur ma tête. « Parfait, ils ont l'air bien gras. Oh, mais ça sent trop bon ! Il faut que tu sentes moins bon. » Elle court regarder encore une fois Madame l'Heure. « On n'a plus beaucoup de temps. » Elle est toute tremblante. « Quelle idiote je fais ! Il faut que tu sentes mauvais, tu dois vraiment… Attends ! »

Elle se penche au-dessus de Monsieur Lit et elle fait une drôle de toux en mettant la main dans sa bouche. On dirait le hoquet. Après, des trucs tombent de sa bouche, comme de la salive mais beaucoup plus épais. Je vois les bâtonnets de poisson qu'on a mangés au dîner.

Elle étale ça sur l'oreiller, sur mes cheveux. « Arrête ! » je crie. J'essaie de m'écarter.

« Désolée, je n'ai pas le choix. » Les yeux de Maman brillent, ils sont bizarres. Elle essuie son vomi sur mon T-shirt, même sur ma bouche. Ça sent la plus pire odeur du monde, tout acide et empoisonnée. « Remets ton visage dans le sac d'eau chaude.

— Mais…

— Obéis, Jack, dépêche-toi !

— Je veux arrêter maintenant.

— Ce n'est pas un jeu, on ne peut pas arrêter. Vas-y ! »

Je pleure à cause de l'odeur qui pue et du sac d'eau chaude ça va faire fondre la peau.

« Méchante !

— J'ai une bonne raison. »

Bip-bip. Bip-bip.

Maman enlève le sac d'eau d'un coup, il m'arrache la figure. « Chut ! » Elle me ferme les yeux de force, elle enfonce ma tête dans l'oreiller dégoûtant et elle remonte Madame Couette sur mon dos.

L'air plus froid rentre avec lui. Maman s'écrie tout de suite « Ah, te voilà !

— Parle moins fort, grommelle Grand Méchant Nick mais tout bas.

— Je voulais juste…

— Tais-toi ! » Encore un *bip-bip* et après le *boum*. « Tu connais le mode opératoire, explique Grand Méchant Nick, tu la fermes tant que la porte est ouverte.

— Pardon, pardon. C'est juste que Jack est très malade. » La voix de Maman tremble et pendant une minute j'y crois presque : elle fait encore mieux semblant que moi.

« Ça pue ici !

— Il n'a pas arrêté de vomir et d'avoir la diarrhée.

— C'est sans doute simplement un virus qui passera en vingt-quatre heures.

— Il est déjà malade depuis plus de trente heures ! Il a des frissons, une fièvre brûlante…

— Donne-lui un de ces comprimés pour les maux de tête.

— Qu'est-ce que tu crois que j'ai essayé toute la journée ? Il vomit les cachets. Même l'eau, il ne la tolère pas. »

Grand Méchant Nick souffle. « Voyons ça.

— Non ! dit Maman.

— Allez, pousse-toi de là !

— Non, j'ai dit non… »

Je garde ma figure enfoncée dans l'oreiller, il est poisseux. Mes yeux sont fermés. Grand Méchant Nick est là, juste à côté de Monsieur Lit : il me voit. Je sens sa main sur ma joue, je fais un bruit parce que j'ai trop peur. Maman avait dit qu'il toucherait mon front mais non, c'est ma joue, et sa main est froide et lourde, pas comme celle de Maman…

Après elle y est plus. « Je vais lui chercher quelque chose de plus fort au drugstore.

— Quelque chose de plus fort ? Il a à peine cinq ans et il est complètement déshydraté à cause d'une fièvre dont on ignore tout ! » Maman crie, elle doit pas crier, Grand Méchant Nick va se fâcher.

« Ferme-la une seconde et laisse-moi réfléchir.

— Il faut le conduire aux urgences tout de suite, voilà de quoi il a besoin et tu le sais très bien. »

Grand Méchant Nick fait un bruit, je sais pas ce que ça veut dire.

La voix de Maman ressemble à quand elle pleure : « Si tu ne l'y emmènes pas maintenant, il va... il pourrait...

— Arrête, tu es hystérique.

— Je t'en prie, je t'en supplie.

— Pas question ! »

J'ai failli dire « Jamais de la vie » à sa place. Je le pense mais je parle pas, je me tais, je reste juste tout mou et Ailleurs.

« Tu n'auras qu'à leur dire que c'est un immigré clandestin qui n'a pas de papiers, explique Maman, il n'est pas en état de prononcer une seule parole ; tu le ramèneras ici dès qu'ils l'auront réhydraté... » Sa voix est plus loin, elle suit Grand Méchant Nick. « S'il te plaît. Je ferai tout ce que tu veux.

— Impossible de discuter avec toi. » On dirait qu'il est déjà devant Madame Porte.

« Ne t'en va pas ! Je t'en prie, je t'en prie... »

Quelque chose tombe. J'ai si peur que j'ouvre plus jamais les yeux.

Maman gémit. *Bip-bip. Boum*, Madame Porte s'est refermée, on est tout seuls.

C'est tout silencieux. Je compte mes dents cinq fois : toujours vingt sauf une fois où c'est dix-neuf mais je recompte jusqu'à quand j'ai vingt. Je jette un coup d'œil de côté. Après je sors ma tête de l'oreiller qui pue.

Maman est assise sur Monsieur Tapis, le dos contre Monsieur Mur-Côté-Porte. Elle regarde devant elle. Je chuchote : « Maman ? »

Elle fait le truc le plus bizarre du monde : un drôle de sourire.

« J'ai pas bien fait semblant ?

— Oh si ! Une vraie star !

— Mais il m'a pas emmené à l'hôpital.

— Ce n'est pas grave. » Maman se lève et va mouiller un tissu dans Monsieur Évier ; elle vient me laver la figure.

« Mais tu avais dit… » Tout ça, la peau brûlante, le vomi et lui qui me touche, mais j'ai même pas pu monter dans le camion marron ! « Tu avais dit "Malade, Camion, Hôpital, Police, Sauver Maman". »

Maman fait oui de la tête, elle soulève mon T-shirt et nettoie ma poitrine. « Ça c'était le Plan A, ça valait la peine d'essayer. Mais, comme je le pensais, il a eu trop peur. »

Elle a tout faux. « Il avait peur, lui ?

— Oui, peur que tu parles de la Chambre aux médecins et que la police le mette en prison. J'espérais qu'il en prendrait le risque, s'il te croyait vraiment en danger… mais je n'y ai jamais vraiment cru. »

J'ai compris : « Tu m'as bien eu ! je hurle. En vrai j'allais même pas monter dans son camion !

— Jack. » Quand elle me serre contre elle, ses os s'enfoncent dans ma figure.

Je la pousse. « Tu avais dit que tu mentirais plus et que tu étais sortie du mensonge, mais après tu as recommencé.

— Je fais de mon mieux », répond Maman.

Je boude.

« Écoute. Tu veux bien m'écouter une minute ?

— J'en ai marre de t'écouter. »

Elle fait oui de la tête. « Je sais. Mais écoute quand même. Il y a un Plan B. En fait, le Plan A était la première étape du Plan B.

— Tu l'avais jamais dit.

— C'est très compliqué. J'y réfléchis déjà depuis plusieurs jours.

— Mais moi j'ai des millions de cerveaux pour réfléchir.

— Oui, des millions de cellules, rajoute Maman.

— Bien plus que toi.

— C'est vrai. Mais je ne voulais pas que tu aies les deux scénarios dans la tête en même temps, tu aurais pu t'embrouiller.

— Je suis déjà embrouillé, complètement embrouillé ! »

Elle m'embrasse la figure sous mes cheveux tout poisseux. « Laisse-moi te raconter le Plan B.

— J'ai pas envie d'écouter tes sales plans débiles.

— Très bien. »

Je frissonne parce que j'ai pas de T-shirt. J'en trouve un propre dans Madame Commode, un bleu.

Quand on se couche dans Monsieur Lit, l'odeur est horrible. Maman m'apprend à respirer par la bouche parce que avec la bouche, on sent pas les odeurs. « Et si on se couchait dans l'autre sens ?

— Excellente idée ! »

Elle essaie d'être gentille mais je veux pas lui pardonner.

On met les pieds côté Mur-Qui-Pue et la figure à l'autre bout.

Je crois que j'arriverai jamais à faire le noir dans ma tête.

* * *

Il est déjà 8 h 21, j'ai dormi longtemps et maintenant je prends mon Doudou-Lait, le gauche est si crémeux. Grand Méchant Nick est pas revenu, je crois que non.

« On est samedi ? je demande.

— C'est ça.

— Génial, on va se laver les cheveux ! »

Maman secoue la tête. « Il ne faut pas que tu sentes le propre. »

Pendant une minute j'avais oublié. « Alors qu'est-ce que c'est ?

— Quoi ?

— Le Plan B.

— Tu es prêt à m'écouter maintenant ? »

Je dis rien.

« Bon. Voilà. » Maman se racle la gorge. « Je n'ai pas arrêté d'y réfléchir dans les moindres détails, je crois bien que ça pourrait marcher. Je ne sais pas trop, je ne peux pas en être sûre : ça a l'air fou et je sais que c'est incroyablement dangereux mais…

— Dis-moi juste le plan.

— D'accord, d'accord. » Elle inspire un grand coup. « Tu te rappelles le comte de Monte-Cristo ?

— Lui qui était enfermé dans un donjon sur une île.

— Oui, mais tu te rappelles comment il est sorti ? Il a fait semblant d'être son ami qui était mort, il s'est caché

176

dans le linceul et les gardiens l'ont jeté à la mer ; mais le comte ne s'est pas noyé, il s'est dégagé et a rejoint la terre à la nage.

— Raconte-moi la fin de l'histoire. »

Maman agite la main. « C'est sans importance. Ce qui compte, Jack, c'est que tu vas faire la même chose.

— Me laisser jeter dans la mer ?

— Non, t'échapper comme le comte de Monte-Cristo. »

J'y comprends encore plus rien. « Mais j'ai pas d'ami mort !

— Je veux simplement dire que tu te feras passer pour mort. »

Je la regarde avec des grands yeux.

« À vrai dire, ça me rappelle plutôt une pièce que j'avais vue au lycée. La fille, Juliette, voulait s'enfuir avec le garçon qu'elle aimait, alors elle a fait semblant d'être morte en buvant un médicament, et quelques jours plus tard elle s'est réveillée : surprise !

— Non, ça c'est le Petit Jésus.

— Euh… pas tout à fait. » Maman se frotte le front. « Lui, il était vraiment mort pendant trois jours et ensuite il est revenu à la vie. Alors que toi, tu ne seras pas mort du tout, tu feras juste semblant, comme la fille dans la pièce de théâtre.

— Comment je vais faire pour ressembler à une fille ?

— Non, tu devras ressembler à un mort ! » La voix de Maman est un peu grincheuse.

« Mais on a pas de linceul.

— Ah ah ! On va utiliser le tapis. »

Je regarde Monsieur Tapis, avec ses petits zigzags rouges, noirs et marron.

« Quand Grand Méchant Nick reviendra – ce soir, demain ou un autre soir, je lui dirai que tu es mort et je lui montrerai le tapis dans lequel tu seras enroulé. »

C'est l'histoire la plus dingo que j'ai jamais entendue. « Pourquoi ?

— Parce qu'il n'y avait plus assez d'eau dans ton corps et je suppose qu'à cause de la fièvre, ton cœur s'arrêterait de battre.

— Non, pourquoi dans Monsieur Tapis ?

— Ah, dit Maman, bonne question. Ce sera ton déguisement, pour que Grand Méchant Nick ne puisse pas deviner qu'en fait tu es vivant. Tu vois, tu t'en es très bien tiré hier soir, mais, faire le mort, c'est beaucoup plus dur. S'il remarque que tu respires même une seconde, il devinera que c'est une ruse. En plus les morts sont tout froids.

— On pourrait utiliser un sac d'eau froide… »

Elle secoue la tête. « Pas seulement ton visage : entièrement froid. Oh, et ils se raidissent aussi, il faudra rester couché comme si tu étais un robot.

— Pas tout mou ?

— Non, le contraire. »

Mais c'est lui, Grand Méchant Nick, le robot, moi j'ai un cœur.

« Donc je pense que t'envelopper dans le tapis est le seul moyen de l'empêcher de deviner que tu es bel et bien vivant. Ensuite je lui dirai qu'il doit aller t'enterrer quelque part, tu comprends ? »

Ma bouche commence à trembler. « Pourquoi il doit m'enterrer ?

— Parce que les morts commencent très vite à sentir mauvais. »

Madame Chambre est déjà toute puante aujourd'hui à cause de la chasse qu'on a pas tirée, du vomi sur l'oreiller et tout. « «Les p'tits vers de terre entrent par ici, les p'tits vers ressortent par là…"

— Exactement.

— Je veux pas être enterré et gluant avec des petits vers ! »

Maman me caresse la tête. « C'est juste une ruse, ne l'oublie pas.

— Comme un jeu.

— Mais pas pour de rire. Un jeu sérieux. »

Je fais oui de la tête. J'ai envie de pleurer.

« Crois-moi, dit Maman, s'il y avait une alternative, la moindre chance d'y arriver autrement… »

Je sais pas ce que c'est, une alternative.

« Bon. » Maman se lève. « Laisse-moi te raconter comment ça va se passer et ensuite tu auras moins peur. Grand Méchant Nick fera le code pour ouvrir la porte, ensuite il te sortira de la Chambre tout enroulé dans le tapis.

— Tu y seras aussi, dans Monsieur Tapis ? » Je connais la réponse mais je demande quand même.

« J'attendrai ici, explique Maman. Il te mettra dans son pick-up, à l'arrière, dans la partie ouverte…

— Je veux attendre ici avec toi. »

Elle pose le doigt sur ma bouche pour que je me taise. « Et ça, c'est ta chance.

— Quoi ?

— Le camion ! Dès qu'il ralentira à un stop, tu te glisseras hors de Monsieur Tapis, tu sauteras dans la rue et tu courras prévenir la police pour qu'elle vienne me délivrer. Tu seras mon superhéros JackerJack ! »

Je la regarde avec des grands yeux.

« Donc cette fois-ci, le plan c'est : "Mort, Camion, Courir, Police, Sauver Maman". À toi, tu veux ?

— "Mort, Camion, Courir, Police, Sauver Maman". »

On prend notre petit-déjeuner, 125 céréales chacun parce qu'il nous faut plus de forces. J'ai pas faim mais Maman dit que je dois tout manger.

Après on s'habille et on s'entraîne un peu à faire le mort. On dirait une activité sportive, mais la plus bizarre qu'on a jamais faite. D'abord, je me couche sur le bord de Monsieur Tapis et Maman le replie sur moi ; elle me dit de me mettre sur le ventre, sur le dos, sur le ventre et encore sur le dos et après je suis bien enroulé dedans. Ça sent une drôle d'odeur dans Monsieur Tapis (de la poussière avec autre chose), elle y est pas quand je suis juste couché dessus.

Après Maman me soulève et je suis tout aplati. Elle dit que je suis comme un long paquet, c'est lourd mais Grand Méchant Nick me soulèvera facilement parce qu'il a plus de muscles. « Il traversera le jardin et t'emmènera sans doute dans son garage, comme ça… » Je sens qu'on fait le tour de la Chambre. Ça m'écrase le cou mais je bouge pas d'un poil. « Sinon peut-être qu'il te prendra sur son épaule comme ça… » Elle me soulève, elle grogne et je suis plié en deux, tout serré.

« C'est très-très loin ?

— Qu'est-ce que tu as dit ? »

Mes mots se perdent dans Monsieur Tapis.

« Attends, dit Maman. Je viens juste d'y penser, il te posera peut-être une fois ou deux, pour ouvrir des portes. » Elle me pose, côté tête en première.

« Oooh !

— Mais tu ne feras aucun bruit, hein ?

— Pardon. » Monsieur Tapis est sur ma figure, il me chatouille le nez mais j'arrive pas à le toucher.

« Il te laissera tomber sur le plateau de son camion, comme ça. »

Elle me lâche, *boum*. Je me mords la bouche pour pas crier.

« Reste bien raide comme un robot, d'accord ? Quoi qu'il arrive.

— D'accord.

— Parce que si tu te ramollis, si tu bouges ou si tu fais le moindre bruit, Jack, si tu commets une de ces erreurs, il saura que tu es vivant et il se fâchera si fort que…

— Quoi ? » J'attends. « Maman. Il fera quoi ?

— Ne t'inquiète pas, il croira que tu es mort. »

Comment elle peut le savoir sûre et certaine ?

« Ensuite il montera à l'avant de son camion et se mettra à conduire.

— Pour aller où ?

— Euh, pour sortir de la ville, sans doute. Là où personne ne pourra le voir creuser un trou. Dans une forêt, par exemple. Mais le truc, c'est qu'à l'instant où le moteur démarrera – tu le sentiras au bruit, ça va vibrer et trembler, comme ça… » Elle me fait des *prout-prout-prout* avec sa bouche à travers Monsieur Tapis, d'habitude ça me fait rire mais là non. « Pour toi, ce sera le signal : tu devras commencer à sortir du tapis. Tu veux essayer ? »

Je me tortille mais j'y arrive pas, c'est trop serré. « Je suis coincé, Maman, je suis coincé ! »

Elle me déroule tout de suite. Je respire plein d'air. « Ça va ?

— Ça va. »

Elle me sourit mais c'est un sourire bizarre comme pour de semblant. Après elle m'enroule encore mais un peu moins serré.

« Ça m'écrase toujours.

— Désolée, je pensais que le tapis serait moins rigide. Attends… » Maman me déballe encore une fois. « Essaie de croiser les bras en sortant un peu les coudes pour faire de la place. »

Cette fois-ci, quand elle m'a roulé avec les bras croisés, j'arrive à les tendre au-dessus de ma tête et j'agite les doigts au bout de Monsieur Tapis.

« Super ! Essaie de te dégager maintenant, comme si c'était un tunnel.

— C'est trop serré. » Mais comment il a fait, le Comte, pendant qu'il se noyait ?

« Laisse-moi sortir !

— Juste une minute.

— Non, maintenant !

— Si tu paniques à chaque fois, dit Maman, notre plan ne marchera pas. »

Je me remets à pleurer, Monsieur Tapis est mouillé sur ma figure. « Je veux sortir ! »

Monsieur Tapis se déroule, je peux respirer.

Maman met sa main sur ma figure mais je la repousse.

« Jack…

— Non.

— Écoute.

— Débile, ce Plan B !

— Je sais bien que c'est effrayant, qu'est-ce que tu crois ? Mais il faut qu'on essaie.

« — Non, on est pas obligés. Pas avant que j'aie six ans.

— Tu sais, Grand Méchant Nick peut se faire saisir ses biens.

— Quoi ? » Je regarde Maman avec des grands yeux.

« C'est difficile à expliquer. » Elle souffle. « Sa maison, elle n'est pas vraiment à lui ; le vrai propriétaire, c'est la banque. S'il a perdu son travail, qu'il n'a plus d'argent et qu'il arrête de payer… ils vont se fâcher et ils essaieront peut-être de prendre sa maison. »

Je me demande comment une banque ferait ça. Avec un excavateur géant ? « Pendant que Grand Méchant Nick serait dedans ? je demande. Comme Dorothy quand la tornade a arraché sa maison ?

— Écoute-moi. » Maman tient mes coudes si fort que ça fait presque mal. « Ce que j'essaie de t'expliquer, c'est qu'il ne laisserait jamais personne entrer dans sa maison ni dans son jardin, sinon ils trouveraient la Chambre, tu comprends ?

— Et ils nous sauveraient !

— Non, il ferait tout pour l'empêcher.

— Comment ? »

Maman rentre les lèvres, on les voit plus. « Tout ce qui compte, c'est que nous devons nous échapper avant. Alors tu vas retourner dans le tapis et t'entraîner jusqu'à ce que tu aies trouvé le truc pour te dégager.

— Non.

— Jack, s'il te plaît…

— J'ai trop peur ! je crie. Je veux plus le faire jamais et je te déteste ! »

Maman respire d'une façon bizarre, elle s'assoit sur Monsieur Par-Terre. « Ce n'est pas grave. »

C'est pas grave si je la déteste ?

Elle a mis ses mains sur son ventre. « Je t'ai fait naître dans cette Chambre, je ne l'ai pas voulu mais c'est arrivé et je ne l'ai pas regretté un seul instant. »

Je la regarde longtemps et elle pareil.

« Je t'ai fait naître ici et ce soir je vais t'en faire sortir.

— D'accord. »

Je le dis tout-tout bas mais elle entend. Elle fait oui de la tête.

« Et toi aussi, avec la lampe à souder. Un après l'autre, mais tous les deux. »

Elle continue à faire oui. « Mais c'est toi qui comptes. Toi seul. »

Je secoue la tête jusqu'à tant que ça tremble dedans, parce que c'est pas moi seul !

On se regarde sans sourire.

« Prêt à retourner dans Monsieur Tapis ? »

Je fais oui. Je me couche et Maman m'enroule super-serré. « J'y arrive pas…

— Bien sûr que si. » Je la sens qui me donne des petites tapes à travers Monsieur Tapis.

« J'y arrive pas, j'y arrive pas !

— Tu pourrais compter jusqu'à cent s'il te plaît ? »

Facile : je le fais à toute vitesse.

« Tu as déjà l'air plus calme. On va trouver la solution dans une minute, dit Maman. Hum. Je me demande… Si tu n'arrives pas à te dégager, tu pourrais peut-être… te dérouler en quelque sorte ?

— Mais je suis en dedans.

— Je sais, tu peux quand même attraper le haut du tapis et trouver le coin. Essayons ça. »

Je cherche à tâtons jusqu'à ce que je trouve un truc pointu.

« C'est ça, dit Maman. Très bien, maintenant tire ! Pas dans ce sens, de l'autre côté : il faut que tu le sentes se desserrer. Comme si tu pelais une banane. »

Je le fais juste un peu.

« Tu es couché sur le bord, tu pèses dessus.

— Pardon. » Les larmes reviennent.

« Mais non, tu t'en sors très bien. Et si tu essayais de rouler ?

— De quel côté ?

— Celui qui te semble le moins serré. Sur le ventre, peut-être, ensuite retrouve le bord et tire dessus.

— J'y arrive pas. »

En fait, si. Je sors un coude.

« Super ! dit Maman. Tu l'as bien desserré en haut. Et si tu essayais de t'asseoir ? Tu crois que tu pourrais ? »

Ça fait mal, c'est trop impossible.

J'arrive quand même à me redresser et à écarter les deux coudes ; Monsieur Tapis commence à se dérouler autour de ma tête. J'arrive à l'enlever tout entier. « J'ai réussi, je crie. Je suis champion au jeu de la Banane !

— Oui, un vrai champion », dit Maman. Elle embrasse ma figure qui est toute mouillée. « Allez, essayons encore une fois. »

Quand je suis si fatigué que je dois m'arrêter, Maman me raconte comment ça sera, dans le monde de Dehors. « Grand Méchant Nick roulera dans la rue. Tu seras à l'arrière, dans le plateau ouvert du camion, donc il ne te verra pas, compris ? Agrippe-toi au rebord du camion pour ne pas tomber parce qu'il ira vite, comme ça. » Elle me tire et me secoue d'un côté à l'autre. « Ensuite, quand il freinera, tu te sentiras comme… tiré dans l'autre sens et le camion ralentira. Ça veut dire qu'il y a un stop où les conducteurs doivent s'arrêter une seconde.

— Même lui ?

— Oui, bien sûr. Alors dès que tu auras l'impression que le camion ne bouge presque plus, tu pourras sauter. »

Et tomber dans l'Espace… Je le dis pas, je sais que c'est faux.

« Tu te retrouveras sur le macadam, ce sera dur comme… » Elle regarde autour de nous. « Comme de la céramique, mais plus rugueux. Et ensuite tu courras, vite, très vite, comme GingerJack.

— Mais le renard l'a mangé.

— D'accord, mauvais exemple, répond Maman. Cette fois-ci, c'est nous les rusés filous. "Jack l'agile, Jack le rapide…

— Saute par-dessus la chandelle !"

— Il faudra que tu coures dans la rue, que tu t'éloignes du camion aussi vite que possible, comme… Tu te rappelles ce dessin animé qu'on avait vu un jour, *Bip-Bip et Coyote* ?

— Tom et Jerry aussi, ils courent. »

Maman fait oui de la tête. « Le plus important c'est que tu ne laisses pas Grand Méchant Nick t'attraper. Oh, essaie de monter sur le trottoir si tu peux – le côté de la route qui est un peu plus haut – pour éviter qu'une voiture ne te renverse. Et n'oublie pas de crier pour qu'on vienne à ton secours.

— Qui ?

— Je ne sais pas, n'importe qui.

— Qui c'est, n'importe qui ?

186

— Contente-toi de courir vers la première personne que tu verras. Enfin… il sera très tard. Il n'y aura peut-être personne dans la rue. » Elle se mordille le pouce, l'ongle du pouce, mais je lui dis pas d'arrêter. « Si tu ne vois personne, il faudra que tu fasses signe à une voiture pour qu'elle s'arrête ; tu expliqueras que toi et ta maman vous avez été kidnappés. Sinon, s'il n'y a pas de voitures… Oh, mince ! je crois qu'il faudra que tu coures vers une maison – n'importe laquelle pourvu que les lumières soient allumées – et que tu frappes très fort à la porte, à coups de poing. Il faudra trouver la porte de devant, tu sauras la reconnaître ?

— Celle qui est sur le devant.

— Bon, vas-y. » Maman attend. « Parle-leur exactement comme tu me parles. Fais comme si j'étais eux. Qu'est-ce que tu leur dis ?

— Moi et toi, on a…

— Non, fais comme si j'étais les habitants de la maison, les passagers de la voiture ou les gens qui marchent sur le trottoir, dis-leur que toi et ta Maman… »

Je recommence. « "Toi et ta Maman…"

— Non, tu diras : "Ma Maman et moi…"

— Toi et moi… »

Maman souffle. « Bon, c'est pas grave, donne-leur simplement le message… il est bien dans sa cachette ? »

Je regarde dans ma culotte. « Il a disparu ! » Mais après je le sens : il s'était glissé entre mes fesses. Je le sors et je lui montre.

« Garde-le devant. Si par hasard tu le fais tomber, tu pourras juste leur dire : "J'ai été kidnappé." Vas-y, répète exactement ces mots.

— "J'ai été kidnappé."

— Dis-le bien haut et fort pour qu'ils t'entendent.

— "J'ai été kidnappé !" je crie.

— Fantastique. Ensuite ils appelleront la police, explique Maman, et… je suppose que la police cherchera dans tous les jardins du quartier pour trouver la Chambre. » Elle a pas l'air très sûre.

« Avec la lampe à souder », je lui rappelle.

On s'entraîne encore et encore. « Mort, Camion, Se Dérouler, Sauter, Courir, Quelqu'un, Message, Police, Lampe à Souder ». Ça fait neuf je crois pas que je peux tout garder dans ma tête en même temps. Maman dit bien sûr que si : je suis Monsieur Cinq, son superhéros.

J'aimerais bien ravoir mes quatre ans.

Au déjeuner, j'ai le droit de choisir ce qu'on mange parce que c'est un jour spécial : notre dernier dans la Chambre. C'est ce que dit Maman mais j'y crois pas vraiment. Tout à coup je meurs de faim alors je choisis des macaronis et des hot dogs et des crackers qui font comme trois repas ensemble.

Pendant tout le temps où on joue aux dames, je pense à notre Grande Évasion et j'ai peur ; je perds deux fois et après j'ai plus envie de jouer.

On essaie de faire une sieste mais on y arrive pas. Je prends mon Doudou-Lait, le gauche, après le droit et encore le gauche jusqu'à ce qu'il en reste presque plus.

On a pas envie de dîner, ni Maman ni moi. Je dois remettre le T-shirt plein de vomi. Maman dit que je peux garder mes chaussettes. « Sinon l'asphalte pourrait te faire mal aux pieds. » Elle s'essuie un œil et après l'autre. « Mets les plus épaisses. »

Je vois pas pourquoi elle pleure pour des chaussettes. Je vais dans Petit Dressing chercher Dent Malade sous mon oreiller. « Je vais la cacher dedans. »

Maman secoue la tête. « Et si tu poses le pied dessus et que tu te blesses ?

— Non, elle restera juste là, sur le côté. »

Il est 6 h 13, on s'approche vite du soir. Maman dit qu'il faudrait vraiment que je sois dans Monsieur Tapis maintenant : Grand Méchant Nick pourrait bien venir en avance vu que je suis malade.

« Pas encore !

— Mais…

— S'il te plaît !

— Reste assis là, d'accord ? Comme ça je pourrai t'enrouler en vitesse s'il le faut. »

On récite le plan des tas de fois pour m'entraîner aux neuf étapes : « "Mort, Camion, Se Dérouler, Sauter, Courir, Quelqu'un, Message, Police, Lampe à Souder". »

Je tressaille à chaque fois que j'entends *bip-bip* mais c'est pas en vrai, juste imaginé. Je regarde Madame Porte : elle est toute brillante comme un poignard. « Maman ?

— Oui ?

— On a qu'à le faire demain soir. »

Elle se penche et me serre fort dans ses bras. Ça veut dire non.

Je recommence à la détester un peu.

« J'irais à ta place si je le pouvais.

— Pourquoi tu peux pas ? »

Elle secoue la tête. « Je regrette, il faut que ce soit toi et c'est le moment ou jamais. Mais je serai là, dans ta tête, n'oublie pas. Je te parlerai à chaque instant. »

On répète le Plan B encore et encore. « On est prêts, je pense qu'on est fin prêts. » Maman arrête pas de dire ça mais moi je suis pas prêt du tout. « Et si il ouvre Monsieur Tapis ? Juste pour me regarder mort ? »

Maman dit rien pendant une minute. « Tu sais qu'il ne faut pas taper les autres ?

— Oui.

— Eh bien, ça ne vaut pas pour ce soir. Je suis quasiment sûre qu'il n'ouvrira pas le tapis ; il sera pressé, il voudra se débarrasser de cette corvée, mais si jamais… frappe-le de toutes tes forces. »

Waouh !

« Donne-lui des coups de pied, mords-le, enfonce-lui tes doigts dans les yeux… » Elle griffe l'air avec ses mains. « Fais ce qu'il faudra pour t'enfuir ! »

J'arrive presque pas à le croire. « J'ai même le droit de le tuer ? »

Maman court vers l'endroit de Monsieur Placard où les choses sèchent après la vaisselle. Elle prend Petit Couteau Sans Dents.

Je le vois briller et je me rappelle l'histoire où Maman l'avait mis sous le cou de Grand Méchant Nick.

« Tu crois que tu arriverais à le tenir aussi serré quand tu seras dans Monsieur Tapis ? Et si… » Elle regarde Petit Couteau Sans Dents avec des grands yeux et le remet avec les fourchettes. « Mais à quoi est-ce que je pensais ? »

Comment je pourrais répondre si elle le sait même pas ?

« Tu vas te blesser.

— Même pas vrai !

— Mais si, Jack, c'est inévitable. Tu vas te lacérer à force de te débattre dans un tapis avec une lame nue… je crois que je perds l'esprit. »

Je secoue la tête. « Non, il est juste là. » Je lui tapote les cheveux.

Elle, elle me caresse le dos.

Je vérifie que Dent Malade est toujours dans ma chaussette et le papier dans ma culotte, sur le devant. On chante pour faire passer le temps, mais pas fort : « Lose Yourself » et « Tubthumping » et « Home On the Range ».

« "Où jouent le cerf et l'antilope, je chante.

On n'entend guère de parole décourageante…

Sous des cieux sans nuages tout le jour."

— Il est l'heure », dit Maman. Elle tient Monsieur Tapis.

J'ai pas envie. Je me couche avec mes mains sur les épaules et mes coudes sortis.

J'attends que Maman m'enroule.

Mais elle me regarde les pieds, les jambes, les bras et la tête : ses yeux se promènent sur moi tout du long, encore et encore, comme si elle comptait.

« Qu'est-ce qu'il y a ? » je demande.

Elle dit pas un mot. Elle se penche, elle m'embrasse même pas, elle touche juste ma figure avec la sienne si longtemps que je sais plus qui est qui. Ma poitrine fait *boum-boum-boum*. Je veux plus lâcher Maman.

« Bon. » Sa voix est toute râpeuse. « On est peurageux, pas vrai ? Très peurageux ! On se retrouve dehors ! » Elle remet mes bras dans la position spéciale avec les coudes qui dépassent. Elle replie Monsieur Tapis sur moi et il y a plus de lumière.

Je suis enroulé dans le noir qui gratouille.

« Pas trop serré ? »

J'essaie pour voir si je peux passer les bras au-dessus de ma tête et les remettre, ça m'écorche un peu.

« Ça va ?

— Ça va. »

Après on fait rien qu'attendre. Quelque chose vient en haut de Monsieur Tapis et me frotte les cheveux : je reconnais sa main sans regarder. Je m'entends que je respire fort. Je pense au Comte de Monte-Cristo dans le sac avec les petits vers qui rentrent. Ils tombent toujours plus bas, toujours plus bas, et ils s'écrasent dans la mer. Est-ce que les vers savent nager ?

« Mort, Camion, Courir, Quelqu'un », non ! « Se Dérouler » et après : « Sauter, Courir, Quelqu'un, Message, Lampe à Souder ». J'ai oublié « Police » qui vient avant « Lampe à Souder », c'est trop compliqué, je vais tout rater et Grand Méchant Nick m'enterrera en vrai et Maman attendra pour toujours.

Au bout d'un long moment je chuchote : « Il vient ou non ?

— Je n'en sais rien, dit Maman. Si, forcément. S'il est un tant soit peu humain… »

Moi je croyais que les humains existaient en vrai ou pour de faux, je ne savais pas qu'on pouvait être un peu humain. Alors il est quoi d'autre ?

J'attends encore et encore. Je sens plus mes bras. Monsieur Tapis est posé sur mon nez, j'ai envie de le gratter. J'essaie, j'essaie encore et j'arrive à le toucher.

« Maman ?

— Je suis là.

— Moi aussi. »

Bip-bip.

Je sursaute ; normalement je suis mort mais là, j'ai pas pu m'empêcher ; je voudrais sortir de Monsieur Tapis mais je suis coincé et je peux même pas essayer sinon il va voir que…

Quelque chose m'appuie dessus, ça doit être la main de Maman. Elle a besoin de super-Prince JackerJack, alors je reste superimmobile. Faut plus bouger : je suis Cadavre, je suis le Comte, non, son ami mais plus mort que mort ! Je suis tout raide comme un robot cassé en panne de courant.

« Tiens. » C'est la voix de Grand Méchant Nick. Il a l'air comme d'habitude. Il sait même pas ce qui s'est passé pour ma mort. « Des antibiotiques, la date limite de vente est à peine dépassée. Le type du drugstore a dit que, pour un enfant, il faut les couper en deux. »

Maman ne répond pas.

« Où il est, dans le dressing ? »

C'est moi, le *il*.

« Il est dans le tapis ? Mais tu es folle de couvrir un gamin malade à ce point !

— Tu n'es pas revenu, dit Maman d'une voix vraiment très bizarre. Son état a empiré pendant la nuit et ce matin, impossible de le réveiller. »

Rien. Grand Méchant Nick fait un drôle de bruit. « Tu es sûre ?

— Si je suis sûre ? » Maman hurle mais je bouge pas, je bouge pas, je reste tout raide sans entendre ni voir ni rien. « Tu t'imagines qu'il me reste le moindre doute ?

— Euh, non. » J'entends son soupir tout long. « C'est vraiment terrible. Pauvre fille, tu… »

Personne dit rien pendant une minute.

« Ça devait être vraiment grave, dit Grand Méchant Nick, ces comprimés n'y auraient rien changé.

— Tu l'as tué ! rugit Maman.

— Allons, calme-toi.

— Comment veux-tu que je me calme alors que Jack est… » Elle respire d'une drôle de façon, ses mots sortent comme quand elle avale. Elle fait si bien semblant que j'y crois presque.

« Laisse-moi faire. » La voix de Grand Méchant Nick est tout près : je me serre et je me raidis très-très fort.

« Ne le touche pas !

— D'accord, d'accord. » Et après il dit : « Tu ne peux pas le garder ici.

— Mon bébé !

— Je sais, c'est terrible. Mais il faut que je l'emmène maintenant.

— Non !

— Ça fait combien de temps ? Ce matin, tu as dit ? Ou pendant la nuit ? Il doit commencer à… Ce n'est pas sain de le garder ici. Je ferais mieux de l'emmener, de lui trouver un endroit.

— Pas dans le jardin, dit Maman d'une voix féroce.

— D'accord.

— Si tu le mets dans le jardin… Tu n'aurais jamais dû faire ça, c'est trop près. Si tu l'y enterres, je l'entendrai pleurer.

— J'ai dit d'accord.

— Il faut que tu le conduises loin, très loin, promis ?

— Oui. Laisse-moi…

— Pas tout de suite. » Elle pleure beaucoup-beaucoup. « Ne le dérange pas.

— Je le laisserai bien enveloppé.

— Ne t'avise pas de mettre tes sales pattes…

— Très bien.

— Jure que tu ne poseras même pas les yeux sur lui.

— OK.

— Jure-le !

— Je le jure, ça te va ? »

Je suis mort-mort-mort.

« Je le saurai, dit Maman, si tu l'enterres dans le jardin je le saurai et je hurlerai chaque fois que cette porte s'ouvrira, je détruirai tout dans cette pièce, je ne me tiendrai plus jamais tranquille, ça je te le jure ! Tu devras me tuer pour me faire taire, ça m'est égal maintenant. »

Pourquoi elle lui dit de la tuer ?

« Tiens-toi tranquille ! » On dirait qu'il parle à un chien. « Maintenant je vais le prendre et l'emmener dans le camion, d'accord.

— Vas-y doucement. Trouve-lui un bel endroit, dit Maman en pleurant si fort que j'entends presque pas ses mots. Un endroit où il y a des arbres, je ne sais pas moi.

— D'accord. Il faut que j'y aille. »

On m'attrape de l'autre côté de Monsieur Tapis, ça serre fort ; c'est Maman :

« Jack ! Jack ! Jack ! »

Après on me soulève. D'abord je crois que c'est elle et après je sais que c'est lui. Ne bouge pas du-tout-du-tout-du-tout, JackerJack ! Reste bien raide, tout-tout raide ! Je suis écrasé dans Monsieur Tapis, j'arrive pas bien à respirer mais quand on est mort, on respire pas de toute façon. *Pourvu qu'il me déballe pas*. J'aimerais bien avoir Petit Couteau Sans Dents.

Encore le *bip-bip* et après le clic, ça veut dire que Madame Porte est ouverte. L'ogre m'a pris : « Ça sent la chair fraîche ! » C'est tout chaud sur mes jambes : oh, non ! Petit Zizi a versé du pipi dessus. Et aussi un peu de caca m'est sorti des fesses. Maman avait jamais dit que ça arriverait. Pouah ! Pardon, Monsieur Tapis. Ça grogne près de mon oreille, Grand Méchant Nick me serre bien fort. J'ai si peur que j'arrive pas à être courageux, stop-stop-stop, mais je dois pas faire un bruit sinon il devinera la ruse et il me mangera d'abord la tête, après il m'arrachera les jambes…

Je compte mes dents mais j'arrête pas de perdre le nombre : dix-neuf, vingt et un, vingt-deux. Je suis le Prince Robot, super-JackerJack alias Monsieur Cinq : je bouge pas. *Tu es là, Dent Malade ? Je te sens pas mais tu dois être dans ma chaussette, sur le côté. Tu es un peu de Maman, tu es un petit bout de Maman tout craché qui reste avec moi.*

Je sens plus mes bras.

L'air est différent. Il y a toujours la poussière de Monsieur Tapis mais quand je lève un tout petit peu le nez, je sens cet air qui est…

Dehors.

J'y suis en vrai ?

Ça bouge plus. Grand Méchant Nick est juste debout. Pourquoi il reste debout sans marcher dans le jardin ? Qu'est-ce qu'il va… ?

Ça se remet à bouger. Je reste bien raide, tout-tout raide.

Aïe ! J'atterris sur un truc tout dur. Je crois pas que j'ai fait du bruit, j'ai rien entendu. Je crois que je me suis mordu la bouche, elle a le goût du sang.

J'entends encore un *bip* mais pas le même qu'avant. Un *ratata-tatac* tout métal. On me soulève encore et je retombe sur la figure, aie, ouille, *bang !* Après tout se met à bouger, à secouer et à gronder sous mon ventre, c'est un tremblement de terre…

Non : c'est le camion, je pense. Ça ressemble pas du tout aux « prouts » qu'on souffle, c'est cent mille fois plus fort. *Maman !* je crie dans ma tête. « Mort, Camion » : ça fait deux sur neuf. Je suis à l'arrière du pick-up marron, tout pareil que dans l'histoire.

Je suis pas dans la Chambre. C'est encore moi, Jack ?

Ça bouge maintenant. Je fonce dans le camion pour de vrai, pour de vraiment vrai !

Oh, j'allais oublier « Se Dérouler ». Je commence à ramper comme un serpent mais Monsieur Tapis s'est resserré, alors je sais plus comment, je suis coincé, je suis coincé. *Maman, Maman, Maman…* J'arrive pas à sortir comme on s'était entraînés même si on l'avait recommencé des tas de fois : tout va de travers, *pardon*. Grand Méchant Nick va m'emmener dans un endroit et m'enterrer et « les p'tits vers entrent par ici, les p'tits vers ressortent par là ». Je me remets à pleurer, j'ai le nez qui coule, mes bras sont coincés sous ma poitrine, je me bagarre avec Monsieur Tapis qui est plus mon copain ; je lui donne des coups de pied comme au Karaté mais il veut pas me lâcher, comme le linceul des cadavres jetés à la mer…

Le bruit est moins fort. Ça bouge plus. Le camion s'est arrêté.

C'est un stop, c'est un stop, ça veut dire que c'est le moment de « Sauter », le numéro quatre de la liste mais j'ai pas encore fait le trois ! Comment je peux sauter si j'arrive pas à me dérouler ? Je peux pas passer à quatre, cinq, six, sept, huit ou neuf, je suis bloqué à trois et il va m'enterrer avec les vers de terre…

On repart, *vroum-vroum*.

Je remonte une main vers ma figure toute couverte de morve ; ça râpe fort jusqu'en haut du tapis mais je pousse aussi l'autre bras. Mes dix doigts attrapent l'air nouveau, un truc froid, en métal et un autre truc qui est pas du métal et fait des bosses. J'attrape et je tire et tire encore ; je donne un coup de pied et mon genou dit *aïe, aïe, aïe !* Pas la peine, laisse tomber. *Trouve le coin,* c'est Maman qui parle dans ma tête, elle répète les mots qu'elle avait dits ou c'est juste moi qui me rappelle ? Je touche tout le tour de Monsieur Tapis mais il n'a pas de coin, sauf qu'après je le trouve et je tire. Il s'ouvre un tout petit peu, je crois. Je roule sur le dos mais c'est encore plus serré et j'ai perdu le coin.

Arrêté, le camion s'est encore arrêté ; je suis toujours pas sorti et je devais sauter au premier stop. Je tire si fort sur Monsieur Tapis qu'il va me casser le coude et je vois un énorme éclair, mais après il est parti à cause du camion qui s'est remis à rouler : *VROU-OU-OUM.*

Je crois que c'était Dehors, ce que j'ai vu : le monde de Dehors existe en vrai, il est tout brillant mais j'arrive pas à…

Maman n'est pas là, ce n'est pas le moment de pleurer ; je suis le Prince JackerJack, bien obligé sinon par ici les p'tits vers. Je me suis remis sur le ventre, je plie les genoux et je sors les fesses, je vais faire exploser Monsieur Tapis qui est déjà moins serré, il se détache de ma figure…

Je peux respirer le bon air tout sombre. Je suis assis et je pèle Monsieur Tapis comme si je serais une banane tout aplatie. Ma queue-de-cheval s'est défaite, j'ai plein de cheveux dans les yeux. Je retrouve mes jambes, la une et la deux, et je me sors tout entier : j'ai réussi, j'ai réussi. Si seulement Dora me voyait, elle chanterait : « C'est gagné ! »

Un autre éclair filant, au-dessus de ma tête. Des trucs glissent dans le ciel, des arbres, je crois. Et des maisons et des lumières sur des perches géantes et aussi des voitures : tout passe supervite. Comme si j'étais dans un dessin animé mais tout mélangé. Je me tiens au rebord du camion qui est tout dur et froid. Le ciel est le plus énorme que j'ai jamais vu ; par là-bas, il y a un morceau rose et orange mais le reste est gris. Quand je regarde en bas la rue est noire et très très longue. Je sais bien sauter mais pas dans ce tonnerre avec les secousses et les lumières toutes floues et l'air si bizarre qui sent un peu la pomme. Mes yeux marchent pas bien, j'ai trop peur, je suis pas assez courageux !

Le camion s'est encore arrêté. Je peux pas sauter, j'arrive même pas à bouger. J'arrive à me lever et je regarde au bord mais…

Je glisse et je tombe en plein dans le camion, ma tête cogne un truc qui fait mal, je crie sans faire exprès : « Aaaah ! »

On roule plus.

Un bruit de métal. La figure de Grand Méchant Nick. Il est sorti du camion, je l'ai jamais vu aussi fâché et…

« Sauter ».

Le sol m'écrase les pieds, m'explose le genou et me frappe la figure mais je cours, je cours, je cours pour arriver à « Quelqu'un ». Maman avait dit de crier pour alerter quelqu'un ou une voiture ou une maison avec des lumières ; j'ai vu une voiture mais noire dedans et de toute façon rien sort de ma bouche qui est pleine de cheveux alors j'arrête plus de courir : *Ginger Jack, agile et rapide !* Maman est pas là mais elle avait promis d'être dans ma tête pour dire *Vas-y cours, cours, cours !* J'entends rugir derrière moi, c'est lui, Grand Méchant Nick, qui vient me couper en deux (« Ça sent la chair fraîche ! »). Je dois trouver quelqu'un pour appeler au secours, au secours mais j'en trouve pas un seul, aucun, nulle part ; je dois courir pour toujours sauf que j'ai presque plus de souffle, j'y vois rien et…

Un ours !

Un loup ?

Un chien, un chien ça compte pour quelqu'un ?

Quelqu'un arrive derrière le chien mais c'est une toute petite personne, un bébé qui marche, il pousse un truc à roulettes où il y a un autre bébé encore plus minuscule.

Je sais plus ce que je dois crier, comme si on m'avait coupé le son, alors je cours juste vers eux. Le bébé rit, il n'a presque pas de cheveux. L'autre minus bébé dans le truc à roulettes c'est pas un vrai, je crois, c'est une poupée. Le chien est petit, lui aussi, mais il existe en vrai : il fait caca par terre, j'avais jamais vu ça dans Madame Télé. Quelqu'un suit le bébé et ramasse la crotte pour la mettre dans un sac comme un trésor, je crois que c'est un monsieur, il a des cheveux courts comme Grand Méchant Nick mais plus frisés et une peau encore plus marron que le bébé. Je dis : « Au secours ! » mais ça sort pas très fort. Je cours, je leur fonce presque dedans ; le chien aboie, il saute et il me *croque*…

J'ouvre la bouche toute grande pour hurler comme jamais, sauf que rien n'en sort.

« Raja ! »

Il y a du rouge sur mon doigt, plein de petites taches.

« Raja, couché ! » Le monsieur retient le chien par le cou.

Mon sang coule par terre.

Tout à coup, on m'attrape par-derrière, c'est Grand Méchant Nick, ses mains géantes me serrent les côtes. J'ai tout raté, il m'a recapturé. *Oh, pardon, pardon, pardon, Maman !* Il me soulève. Je me mets à crier, à crier même sans les mots. Il m'a pris sous le bras, il m'emporte et on retourne au camion. Maman avait dit que j'ai le droit de taper, de le tuer : je frappe encore et encore mais j'arrive pas à le toucher, c'est juste moi qui reçois les coups…

« Excusez-moi, crie le monsieur qui tient le sac à caca. Hé, s'il vous plaît ! » Sa voix est pas grave, elle est plus douce qu'avant.

Grand Méchant Nick nous retourne. J'oublie de crier.

« Je suis vraiment désolé, votre petite fille va bien ? »

Quelle petite fille ?

Grand Méchant Nick se racle la gorge, il me ramène toujours au camion mais à reculons. « Très bien.

— D'habitude Raja est un bon chien, mais la petite est apparue tout d'un coup et elle lui a foncé dessus…

— C'est rien, une simple colère, dit Grand Méchant Nick.

— Hé ! Attendez, je crois qu'elle a du sang sur la main. »

Je regarde mon doigt croqué, ça saigne goutte à goutte.

Le monsieur a pris le bébé dans ses bras, il le porte d'un côté et le sac à crottes dans l'autre main ; il a l'air tout perdu.

Grand Méchant Nick me pose sur mes pieds mais il garde ses doigts sur mes épaules, ça brûle. « Je m'en occupe.

« — Il y en a aussi sur son genou, vilaine blessure. Ce n'est pas Raja qui lui a fait ça. Elle est tombée ? » demande le monsieur.

« Je suis pas *elle* ! » je réponds, mais ça reste coincé dans ma gorge.

« Et si vous vous occupiez de ce qui vous regarde ? » grommelle presque Grand Méchant Nick.

Maman, Maman, viens m'aider à parler ! Elle est plus dans ma tête, elle est nulle part. Elle a écrit le message, j'avais oublié. Je mets la main pas croquée dans ma culotte, je trouve plus le papier mais après je l'ai sauf qu'il est plein de pipi. J'arrive pas à parler alors je l'agite pour le montrer au monsieur.

Grand Méchant Nick me l'arrache et le fait disparaître.

« Écoutez, ça… tout ça ne me dit rien de bon. » Le monsieur a un petit téléphone dans la main, d'où c'est sorti ? « Oui, la police s'il vous plaît. »

Ça se passe tout comme Maman avait dit : on est déjà à « Police », le numéro huit, et j'ai même pas montré le message ni parlé de la Chambre ! Je fais le Plan B à l'envers. Je dois parler aux gens comme s'ils étaient des humains. Je commence à dire : « J'ai été kidnappé », mais c'est tout chuchoté vu que Grand Méchant Nick m'a soulevé ; il repart vers le camion en courant, je suis secoué de partout et je trouve rien à taper ! Il va…

« J'ai vu votre plaque d'immatriculation, monsieur ! »

C'est le monsieur de la rue qui crie, il me parle à moi ? Quelle plaque ?

« K93… » Il crie des numéros, mais je sais pas pourquoi.

Tout à coup, *aaah*, la rue me donne des claques dans le ventre, les mains, la figure et Grand Méchant Nick se sauve mais sans moi. Il m'a lâché. À chaque seconde qui passe, il est de plus tant plus loin. K93 doit être un nombre magique pour l'obliger à me laisser là.

J'essaie de me relever mais je me rappelle plus comment on fait.

Ça hurle comme un monstre, c'est le camion en train de vroumer en fonçant sur moi : *grrrrrrr*, il va m'écrabouiller en mille morceaux, je sais pas comment, où, quoi… Le bébé pleure, j'en avais jamais entendu un en vrai…

Le camion est parti. Il est juste passé à côté de moi et il a tourné au coin de la rue sans s'arrêter. Je l'entends encore un peu et après c'est fini.

Le bord de route qui est plus haut, le trottoir ; Maman avait dit de monter dessus. Je suis obligé de ramper mais sans laisser mon genou blessé toucher par terre. Le trottoir est plein de grands carrés qui raclent la peau.

Ça sent horrible. Le nez du chien est tout près de moi, il est revenu pour me dévorer, je hurle.

« Raja ! » Le monsieur tire son chien en arrière. Il s'accroupit avec le bébé qui gigote sur un de ses genoux. Il a plus le sac à crottes. On dirait un habitant de Madame Télé sauf qu'il est plus près, plus grand et aussi je sens son odeur : un peu comme celle de Petit Liquide Vaisselle avec de la menthe et du curry tout mélangés. Sa main qui tient pas le chien essaie de se poser sur moi mais je roule par terre juste à temps pour l'empêcher. « Tout va bien, mon ange. Tout va bien. »

C'est qui, l'ange ? Il me regarde en plein dans les yeux, ça veut dire que c'est moi. Moi j'y arrive pas, ça fait trop bizarre de le voir me regarder et me parler.

« Comment tu t'appelles ? »

Les habitants de Madame Télé posent jamais de questions, sauf Dora mais elle sait déjà mon nom.

« Tu peux me dire ton prénom ? »

Maman voulait que je parle à quelqu'un de Dehors, je dois le faire. Quand j'essaie, ça sort pas. Je me lèche la bouche. « Jack.

— Pardon ? » Il se penche plus près, je me recroqueville avec ma tête dans mes mains. « Tout va bien, personne ne te fera de mal. Tu peux me répéter ton prénom un peu plus fort ? »

C'est plus facile si je le regarde pas : « Jack.

— Jackie ?

— Jack.

— Ah, d'accord. Excuse-moi. Ton papa est parti maintenant, Jack. »

Qu'est-ce qu'il dit ?

Le bébé se met à tirer sur… le truc par-dessus la chemise… ah oui, une veste !

« Au fait, je m'appelle Ajeet, dit le monsieur, et voici ma fille. Une minute, Naisha, Jack a besoin d'un sparadrap pour son bobo au genou, voyons si… » Il fouille dans tous les coins de son sac. « Raja est vraiment désolé de t'avoir mordu. »

Il a pas l'air désolé avec sa bouche pleine de dents sales et pointues. Est-ce qu'il a bu mon sang comme un vampire ?

« Tu n'as pas très bonne mine, Jack, tu as été malade ? »

Je secoue la tête. « C'est Maman.

— Comment ?

— C'est Maman qu'a vomi sur mon T-shirt. »

Le bébé parle beaucoup mais pas en mots. Il attrape les oreilles de Raja le Chien : pourquoi il a pas peur ?

« Pardon, je n'ai pas compris », répète le monsieur Ajeet.

Je dis plus rien.

« La police devrait être ici d'un instant à l'autre, d'accord ? » Il s'est tourné pour regarder la rue ; le bébé Naisha pleure un peu. Le monsieur le fait sauter sur son genou. « On rentre chez Ammi dans une minute et après au dodo. »

Je pense à Monsieur Lit. Tout chaud.

Le monsieur Ajeet appuie sur les petits boutons de son téléphone, il recommence à parler mais j'écoute pas.

Je n'ai pas envie de rester là. Sauf que si je bouge, je crois que Raja le chien va encore me mordre pour boire mon sang. Comme je suis assis sur une ligne, il y a un bout de moi dans un carré de trottoir et un bout dans un autre. Mon doigt croqué fait très-très mal et aussi mon genou le droit qui laisse couler du sang par la peau écorchée (c'était rouge mais ça devient noir). Il y a un truc ovale avec un coin pointu près de mon pied. Quand j'essaie de le ramasser, il reste collé mais après il vient sur mes doigts : une feuille. C'est une feuille d'un vrai arbre, comme celle qui s'était posée sur Madame Lucarne, l'autre jour. Je regarde en haut et j'en vois un au-dessus de moi qui a dû faire tomber la feuille. La lumière sur la perche géante m'éblouit. Derrière elle, le tout grand ciel est noir ; et les morceaux roses et orange, où ils sont partis ?

L'air glisse sur ma figure, je tremble sans faire exprès.

« Tu dois avoir froid, non ? »

D'abord je crois que le monsieur Ajeet demande ça au bébé Naisha, mais c'est à moi qu'il parle. Je le sais parce qu'il enlève sa veste et il me la tend.

« Tiens. »

Je secoue la tête : c'est une veste de monsieur, moi j'en ai jamais eu.

« Comment as-tu perdu tes chaussures ? »

Quelles chaussures ?

Après le monsieur Ajeet ne dit plus rien.

Une voiture s'arrête, je la connais celle-là, c'est une voiture de police de Madame Télé. Des gens sortent de la voiture, ils sont deux (cheveux noirs et cheveux presque jaunes) et très-très pressés. Ajeet leur parle. Le bébé Naisha essaie de se sauver mais il la garde dans ses bras, sans lui faire mal, je crois. Raja est couché sur du marron : de l'herbe (moi j'aurais cru que c'était vert) qui pousse en carrés tout le long du trottoir. J'aimerais bien avoir le message mais Grand Méchant Nick l'a fait disparu.

Je sais plus les mots, ils sont sortis de ma tête.

Maman est encore dans la Chambre, je voudrais tellement, tellement l'avoir avec moi ! Grand Méchant Nick s'est sauvé supervite dans son camion mais où il va ? Plus au lac ni dans la forêt parce qu'il a bien vu que j'étais pas mort ; j'avais le droit de le tuer mais j'y suis pas arrivé.

Tout à coup j'ai une idée horrible. Peut-être qu'il est retourné à la Chambre, peut-être qu'il est là-bas maintenant : *bip-bip*, il ouvre Madame Porte et s'il est fâché, c'est ma faute vu que je suis pas mort…

« Jack ? »

Je cherche les lèvres qui bougent. C'est la police, celle qui est une dame, je crois, mais c'est pas sûr, celle aux cheveux noirs. Elle répète « Jack ». Comment elle sait mon nom ? « Je suis l'Agent Oh. Tu peux me dire quel âge tu as ? »

Mais je dois passer à « Sauver Maman », je dois parler à « Police » pour aller à « Lampe à Souder », mais ma bouche ne veut plus. La dame a un truc sur sa ceinture, un revolver tout pareil que dans Madame Télé. Et si c'est des méchants comme la police qui avait mis saint Pierre en prison ? J'y avais pas pensé. Je regarde la ceinture, pas la figure : c'est une superceinture avec une boucle.

« Tu peux me dire ton âge ? »

Trop facile ! Je montre cinq doigts.

« Cinq ans, très bien. » Madame l'Agent Oh dit un truc que j'entends pas. Après elle demande la Dresse. Elle répète ça deux fois.

Je réponds aussi fort que je peux mais sans regarder. « J'en ai pas, de la Dresse.

— Mais si, où dors-tu la nuit ?

— Dans Petit Dressing.

— Dans un dressing ? »

Essaie, dit Maman dans ma tête, mais Grand Méchant Nick est à côté d'elle, il est tant plus fâché que jamais et…

« Tu as bien dit dans un dressing ?

— Il y a trois robes, j'explique, les robes à Maman. Une rose et une verte avec des rayures et aussi une marron, mais elle préfère les jeans.

— Ta maman, c'est ça ? demande Madame l'Agent Oh. Les robes sont à elle ? »

Faire oui de la tête, c'est plus facile.

« Où est ta maman ce soir ?

— Dans la Chambre.

— Dans une chambre, d'accord. Quelle chambre ?

— La Chambre.

— Tu peux nous indiquer où elle se trouve ? »

Je me rappelle : « C'est sur aucune carte. »

Elle souffle, je crois que mes réponses servent à rien.

L'autre police est un monsieur, je pense ; des cheveux comme ça, j'en avais jamais vu en vrai, ils sont presque transparents. Il dit : « On est à l'angle de Navaho et d'Alcott, on a affaire à un mineur très perturbé, peut-être victime de violences domestiques. » Je crois qu'il parle à son téléphone. C'est comme jouer à Perroquet, je reconnais les mots mais je comprends pas ce que ça veut dire. Il s'approche de Madame l'Agent Oh. « Ça donne quelque chose ?

— On avance lentement.

— Même chose avec le témoin. Le suspect est un homme blanc, environ un mètre soixante-quinze, la quarantaine ou la cinquantaine ; il a pris la fuite dans un pick-up bordeaux ou brun foncé, peut-être un Ford modèle F150 ou un Ram de la marque Dodge, l'immatriculation commence par K93, suivi soit d'un *B* soit d'un *P*, on n'a pas l'État... »

Madame l'Agent Oh recommence à me parler : « L'homme qui t'accompagnait, c'était ton papa ?

— J'en ai pas.

— Le petit ami de ta maman ?

— J'en ai pas. » Déjà dit, j'ai le droit de répéter ?

« Tu sais comment il s'appelle ? »

Je m'oblige à me rappeler. « Ajeet.

— Non, l'autre, celui qui est parti dans le camion.

— Grand Méchant Nick. » Je chuchote parce qu'il voudrait pas que je le dise.

« Comment ?

— Grand Méchant Nick.

— Négatif, dit Monsieur la Police à son téléphone. Le suspect n'était plus sur les lieux à notre arrivée : prénom Nick, Nicholas, pas de nom de famille.

— Et ta maman, comment elle s'appelle ? demande Madame l'Agent Oh.

— Maman.

— Est-ce qu'elle a un autre nom ? » '

Je lève deux doigts.

« Deux ? Très bien. Tu t'en souviens ? »

Ils étaient sur le papier que Grand Méchant Nick a fait disparu. Tout d'un coup je me rappelle un bout de message. « Il nous a volés. »

Madame l'Agent Oh s'assoit à côté de moi sur le trottoir. Il ressemble pas à Monsieur Par-Terre : il est tout dur et il est grelotteux. « Jack, tu veux une couverture ? »

Je sais pas. Madame Couverture est pas là.

« Ce sont de vilaines coupures que tu as là. Ce Nick, il t'a fait du mal ? »

Monsieur la Police est revenu, il me tend un truc bleu mais j'y touche pas. Il parle encore à son téléphone : « Lancez la recherche. »

Madame l'Agent Oh enroule le truc autour de moi, c'est un peu raide, pas gris pelucheux comme Madame Couverture. « Comment tu t'es fait ces blessures ?

— Le chien est un vampire. » Je cherche Raja et ses humains mais ils ont disparu. « Mon doigt, c'est lui qui l'a mordu mais mon genou c'est à cause de la route.

— Pardon ?

— La rue, elle m'a cogné.

— Continuez », dit Monsieur la Police, toujours à son téléphone. Après il regarde Madame l'Agent Oh : « Je devrais peut-être contacter le Service de protection de l'enfance ?

— Laisse-moi encore deux minutes, elle répond. Jack, je parie que tu sais très bien raconter les histoires. »

Comment elle le sait ? Monsieur la Police regarde sa montre qui est collée sur son poignet. Je me rappelle le poignet fragile de Maman. Et Grand Méchant Nick, il est avec elle ? Est-ce qu'il lui tord le poignet ou le cou, est-ce qu'il la casse en morceaux ?

« Tu crois que tu pourrais me raconter ce qui s'est passé ce soir ? » Madame l'Agent Oh me sourit. « Et peut-être que tu pourrais aussi parler bien fort et pas trop vite parce que je n'entends pas très bien. » Peut-être qu'elle est sourde, mais elle parle pas avec ses doigts comme les sourds de Madame Télé.

« Enregistrez, dit Monsieur la Police.

— Tu es prêt ? » demande Madame l'Agent Oh.

C'est moi qu'ils regardent, ses yeux. Je ferme les miens et je fais comme si je parlais à Maman, ça me donne du courage. « On avait préparé une ruse, j'explique en prenant tout mon temps, moi et Maman, on a fait croire que j'étais malade et après que j'étais mort mais en vrai j'allais me dérouler et sauter du camion, sauf que je devais sauter au premier ralenti mais j'ai pas réussi.

— D'accord, et ensuite, que s'est-il passé ? » C'est la voix de Madame l'Agent Oh tout près de ma tête.

Je regarde toujours pas sinon je vais oublier l'histoire. « J'avais un message dans ma culotte mais lui, il l'a fait disparu. J'ai encore Dent Malade. » Je la cherche dans ma chaussette. J'ouvre les yeux.

« Je peux la voir ? »

Elle essaie de prendre Dent Malade mais je la laisse pas faire. « C'est de Maman.

— C'est la maman dont tu me parlais ? »

Je crois pas que son cerveau marche mieux que ses oreilles : comment Maman pourrait être une dent ? Je fais non de la tête. « C'est juste un vieux bout d'elle tout craché. »

Madame l'Agent Oh regarde Dent Malade de tout près et sa figure se durcit.

Monsieur la Police secoue la tête et dit un truc que j'entends pas.

« Jack, demande la dame, tu m'as dit que tu devais sauter du camion la première fois qu'il a ralenti ?

— Oui mais j'étais encore dans Monsieur Tapis, après je me suis pelé comme une banane mais j'étais pas assez peurageux. » Je regarde Madame l'Agent Oh et je parle en même temps. « Mais après le troisième ralenti, le camion a fait *zioup*.

— Il a fait quoi ?

— Comme… » Je lui montre. « Tout dans un sens.

— Il a tourné.

— Oui, ça m'a cogné et lui, Grand Méchant Nick, il est descendu tout fâché alors j'ai sauté.

— Bingo ! » Madame l'Agent Oh applaudit.

« Hein ? dit Monsieur la Police.

— Trois stops et un virage. À droite ou à gauche ? » Elle attend. « Ce n'est pas grave, bravo, Jack ! » Elle surveille la rue, après elle prend un truc dans sa main comme un téléphone, d'où elle l'a sorti, celui-là ? Elle regarde le petit écran et elle dit : « Demandez-leur de lancer une recherche avec le début de l'immatriculation et… essayez Carlingford Avenue, peut-être Washington Drive… »

Je vois plus du tout Raja, Ajeet et Naisha. « Il est allé en prison, le chien ?

— Non, non, dit Madame l'Agent Oh, il ne l'avait vraiment pas fait exprès.

— Continuez », dit Monsieur la Police à son téléphone. Il fait non de la tête à Madame l'Agent Oh.

Elle se lève. « Hé, peut-être que Jack peut nous aider à trouver la maison. Ça te dirait de monter dans une voiture de police ? »

J'arrive pas à me lever, elle tend la main mais je fais semblant que j'ai pas vu. Je pose un pied par terre, l'autre et je me lève avec la tête qui tourne un peu. Quand j'arrive à la voiture, je monte du côté où la porte est ouverte. Madame l'Agent Oh s'assoit aussi derrière et boucle la ceinture de sécurité sur moi, je rentre le ventre pour que sa main touche que la couverture bleue.

La voiture avance : ça secoue moins que le pick-up, ça ronronne doucement. On dirait la planète canapé dans Madame Télé avec la dame aux cheveux gonflés qui pose des questions sauf que là, c'est Madame l'Agent Oh : « Cette chambre, elle demande, elle se trouve dans un bungalow ou elle a des escaliers ?

— Ce n'est pas une maison. » Je regarde le truc qui brille au milieu, comme Monsieur Miroir mais en tout petit. Dedans, il y a la figure de Monsieur la Police, c'est lui qui conduit. Ses yeux me surveillent derrière son dos alors je tourne la tête vers la fenêtre. Dehors, les choses arrêtent pas de glisser vers l'arrière, ça me donne le tournis. La voiture fait plein de lumière sur la route, ça peint des couleurs partout. Voilà une autre voiture, une blanche superrapide : elle va nous foncer dedans…

« Tout va bien », dit Madame l'Agent Oh.

Quand j'enlève les mains de ma figure, l'autre voiture est partie ; est-ce que la nôtre l'a fait disparue ?

« Y a-t-il le moindre détail qui te dise quelque chose ? »

La seule qui dit des choses, c'est elle. Je vois que des arbres, des maisons et des voitures éteintes partout. *Maman, Maman, Maman.* Je l'entends pas dans ma tête, elle me parle pas. Les mains de Grand Méchant Nick la serrent si fort, plus fort, encore plus fort qu'elle peut pas parler ni respirer ni rien. Les choses qui sont en vie se plient mais elle est de plus tant plus pliée et…

« Est-ce que cela pourrait être ta rue ? demande Madame l'Agent Oh.

— J'ai pas de rue.

— Je veux dire celle d'où ce Nick t'a enlevé cette nuit.

— Je l'ai jamais vue.

— Comment ça ? »

Je suis fatigué d'expliquer.

Madame l'Agent Oh fait claquer sa langue.

« Aucun pick-up en vue à part le noir, là-bas derrière, dit Monsieur la Police.

— On ferait aussi bien de s'arrêter. »

La voiture roule plus. *Pardon !*

« Tu penses qu'on a affaire à une secte ? demande le monsieur. Les cheveux longs, l'absence de nom de famille, l'état de cette dent… »

Madame l'Agent Oh tord sa bouche. « Jack, la lumière du jour entre-t-elle dans cette chambre où tu habites ?

— C'est la nuit », je lui rappelle. Elle avait pas remarqué ?

« Pendant la journée, je veux dire. Par où entre la lumière ?

— Par Madame Lucarne.

— Il y a une lucarne, très bien ! »

— Allez-y », dit Monsieur la Police à son téléphone.

Madame l'Agent Oh se remet à regarder son écran qui brille. « Le satellite indique deux ou trois maisons avec des lucarnes sur Carlingford Avenue…

— La Chambre est pas dans une maison, je répète.

— Je ne comprends pas très bien, Jack. Dans quoi se trouve-t-elle alors ?

— Dans rien. Le dedans, c'est la Chambre. »

Dedans, il y a Maman, et aussi Grand Méchant Nick : il veut avoir son mort et moi je suis vivant.

« Alors qu'est-ce qu'il y a à l'extérieur ?

— Dehors.

— Raconte-moi un peu ce qu'il y a, dehors.

— Je te laisse faire, dit Monsieur la Police, tu y crois encore. »

C'est moi, le « tu » ?

« Continue, Jack, dit Madame l'Agent Oh. Décris-moi ce qui se trouve juste de l'autre côté des murs.

— Le Dehors ! » je crie. Je dois vite expliquer pour Maman. *Attends, Maman, attends-moi !* « Il y a des choses qui existent en vrai : des glaces, des arbres et des magasins et des avions, des fermes et le hamac. »

Madame l'Agent Oh fait oui de la tête.

Il faut que je m'applique encore plus sauf que je sais pas comment. « Mais elle est fermée et on connaît pas le code.

— Vous vouliez ouvrir la porte pour sortir ?

— Comme Alice.

— Alice est aussi une de tes amies ? »

Je fais oui de la tête. « Elle habite dans le livre.

— *Alice au pays des merveilles*. C'est à pleurer ! » dit Monsieur la Police.

214

Je reconnais le titre. Mais comment il a pu lire notre livre, il est jamais allé dans la Chambre ? Je lui demande : « Tu connais le moment où elle verse une mare de ses larmes ?

— Comment ? » Il me surveille dans le petit miroir.

« Elle pleure et ça fait une mare, tu te rappelles ?

— Ta maman pleurait ? » demande Madame l'Agent Oh.

Les gens de Dehors ne comprennent rien, je me demande s'ils ne regardent pas trop Madame Télé. « Non, Alice ! Celle qui veut toujours sortir dans le jardin, comme nous.

— Vous vouliez sortir dans le jardin, vous aussi ?

— Le jardin derrière la maison, mais on connaît pas le code secret.

— Cette chambre est juste à côté du jardin ? » elle demande.

Je secoue la tête.

Madame l'Agent Oh se frotte la figure. « Aide-moi un peu, Jack. Y a-t-il un jardin près de cette chambre ?

— Pas près d'elle.

— D'accord. »

Maman, Maman, Maman. « Tout autour.

— Ah, la chambre est *dans* le jardin !

— Oui. »

Madame l'Agent Oh est toute contente mais je sais pas comment j'ai fait. « C'est parti, c'est parti ! » Elle regarde son écran et elle appuie sur les boutons. « Toutes les constructions indépendantes à l'arrière des maisons, sur Carlingford Avenue et Washington Drive…

— Avec lucarne, dit Monsieur la Police.

— Exact, équipées d'une lucarne…

215

— C'est une télé ? je demande.

— Hein ? Non, c'est une photo de toutes ces rues. La caméra est très haut dans l'espace.

— Dans l'Espace interplanétaire ?

— Oui.

— Génial ! »

La voix de Madame l'Agent Oh devient très excitée. « 349, Washington Drive, cabane de jardin assez grande à l'arrière, lucarne éclairée… c'est forcément là.

— C'est au 349, Washington Drive, répète Monsieur la Police à son téléphone. Lancez la recherche. » Il regarde dans le miroir. « Le nom du propriétaire ne correspond pas, mais c'est un homme de type caucasien, date de naissance : 12 octobre 1961…

— Un véhicule ?

— Lancez la recherche », il répète. Il attend. « Une Silverado 2001, couleur marron, immatriculation K93 P742…

— Bingo ! dit Madame l'Agent Oh.

— C'est parti, on a besoin de renforts pour le 349, Washington Drive. »

La voiture tourne complètement dans l'autre sens. Après on roule plus vite, ça me tourbillonne.

On est arrêtés. Madame l'Agent Oh regarde une maison par la fenêtre : « Tout est éteint.

— Il est dans la Chambre, je dis, il la fait mourir ! » Mais les larmes mélangent tous mes mots et je les entends pas.

Derrière nous il y a une autre voiture toute pareille. Plein de gens de la police en sortent. « Ne bouge pas d'ici, Jack. » Madame l'Agent Oh ouvre la porte. « On va chercher ta maman. »

Je fais un bond mais sa main m'oblige à rester dans la voiture. « Je veux venir ! » j'essaie de dire mais tout ce qui sort, c'est des larmes.

Elle a une grosse lampe torche qu'elle allume. « Cet agent va rester ici avec toi… »

Une figure que j'avais jamais vue s'approche de moi.

« Non !

— Laissez-lui un peu d'espace, dit Madame l'Agent Oh à la nouvelle Police.

— La lampe à souder ! » je me rappelle, mais c'est trop tard, elle est déjà partie.

Il y a un grincement et l'arrière de la voiture s'ouvre ; le coffre, voilà comment ça s'appelle.

Je mets mes mains sur ma tête pour que rien y rentre, ni les figures ni les lumières ni les bruits ni les odeurs. *Maman, ne sois pas morte, ne sois pas morte, ne sois pas morte…*

Je compte jusqu'à cent comme elle avait dit mais je suis pas plus calme. Je continue jusqu'à cinq cents, les nombres marchent pas bien. Mon dos grelotte et frissonne, ça doit être à cause du froid ; où elle est tombée, la couverture ?

Un bruit terrible. Monsieur la Police du siège avant se mouche. Il me fait un petit sourire et s'enfonce le mouchoir dans le nez, je tourne la tête.

Je regarde par la fenêtre la maison pas éclairée. Un côté est ouvert où c'était fermé, avant, je crois. Le garage, c'est comme ça qu'on dit ?, il fait un énorme carré noir. Je regarde pendant des centaines d'heures, mes yeux commencent à piquer. Quelqu'un sort du noir mais c'est encore une autre police que j'avais jamais vue. Après, Madame l'Agent Oh arrive et à côté d'elle…

Je donne des coups de pied et de poing sur la porte de la voiture mais je sais pas comment ouvrir ; il faut que je casse la vitre sauf que j'y arrive pas. *Maman, Maman, Maman, Maman, Maman, Maman…*

Maman m'ouvre et je tombe à moitié par terre. Elle me retient, elle m'a pris tout entier dans ses bras. C'est elle, pour de vrai, elle est vraiment vivante.

« On a réussi, elle dit quand on se retrouve ensemble à l'arrière de la voiture. Ou plutôt, *tu* as réussi. »

Je secoue la tête. « J'ai pas arrêté de tout rater.

— Tu m'as sauvée, dit Maman qui m'embrasse sur l'œil et me serre fort.

— Il est venu ici, Grand Méchant Nick ?

— Non, j'étais toute seule à attendre, ça a été l'heure la plus longue de ma vie. Et ensuite on a fait exploser la porte, j'ai cru que mon cœur allait s'arrêter.

— La lampe à souder !

— Non, ils ont utilisé un fusil et une sorte d'explosif.

— Je voulais voir l'explosion.

— Elle n'a duré qu'une seconde. Tu en verras une autre un jour, promis. »

Maman sourit. « On peut tout faire maintenant.

— Pourquoi ?

— Parce que nous sommes libres. »

J'ai la tête qui tourne, mes yeux se ferment tout seuls. J'ai si sommeil, je crois que ma tête va tomber par terre.

Maman m'explique à l'oreille qu'on doit aller parler à d'autres gens de la police. Je me serre contre elle et je réponds : « Je veux Monsieur Lit.

— Ils nous trouveront un endroit où dormir tout à l'heure.

— Non, Monsieur Lit !

— Tu veux dire dans la Chambre ? » Maman s'est écartée, elle me regarde dans les yeux.

« Oui. J'ai vu le monde de Dehors, je suis fatigué maintenant.

— Mais, Jack, nous n'y retournerons jamais. »

La voiture commence à rouler et je pleure si fort que j'arrive plus à m'arrêter.

APRÈS

Madame l'Agent Oh est assise devant, elle se ressemble pas de derrière. Elle se tourne et elle me sourit : « On est arrivés au poste.

— Tu peux descendre tout seul ? demande Maman. Je vais te porter. » Quand elle ouvre la porte, l'air froid entre d'un coup. Je me fais tout petit. Elle me tire, me pose sur mes jambes et je me cogne l'oreille à la voiture. Elle marche en me portant sur sa hanche, je m'accroche à son épaule. D'abord il fait noir mais après il y a des lumières super-rapides comme des feux d'artifice.

« Les vautours sont là », dit Madame l'Agent Oh.

Où ça ?

« Pas de photos ! » crie Monsieur la Police.

Quelles photos ? Je vois pas de vautours, juste des figures de gens avec des gros bâtons noirs et des machines qui lancent des éclairs. Ils crient mais je comprends pas. Madame l'Agent Oh essaie de me mettre la couverture sur la tête, je la renlève. Maman court, je suis secoué de partout ; on arrive dans un immeuble éclairé à mille pour cent alors je me cache les yeux avec la main.

Le sol brille tout dur, pas comme Monsieur Par-Terre, les murs sont bleus et plus nombreux, ça fait trop de bruit. Il y a des gens partout qui sont pas des amis. Je vois un truc qui ressemble à un vaisseau spatial tout allumé avec des choses dedans, rangées chacune dans son petit carré : des sachets de chips, des barres de chocolat ; je vais regarder et j'essaie de toucher mais ils sont tous enfermés dans le verre. Maman me tire par la main.

« Par ici, dit Madame l'Agent Oh. Non, juste là... »

On arrive dans une chambre plus calme. Un énorme monsieur superlarge commence à parler : « Toutes mes excuses pour la présence des médias, nous avons modifié nos fréquences radio mais ils utilisent de nouveaux scanners pour les détecter... » Il avance sa main. Maman me pose par terre et la secoue de haut en bas comme les habitants de Madame Télé.

« Et toi, jeune homme, j'ai cru comprendre que tu avais fait preuve d'un courage remarquable. »

C'est moi qu'il regarde. Mais il me connaît pas et d'abord pourquoi il dit que je suis un homme ? Maman s'assoit sur une chaise qui n'est pas une de nos chaises et elle me fait monter sur ses genoux. J'essaie de me balancer mais c'est pas Monsieur Rocking-Chair. Tout est de travers.

« Bien, dit le gros monsieur, je sais qu'il est tard, que votre fils a des éraflures à soigner et que vous êtes attendus à la clinique Cumberland, un établissement très bien.

— Quel genre d'établissement ?

— Euh, un hôpital psychiatrique.

— Nous ne sommes pas... »

Il lui coupe la parole. « Ils seront en mesure de vous donner tous les soins requis, c'est un endroit très tranquille. Mais en priorité, j'ai vraiment besoin de recueillir votre déposition dès ce soir et de façon aussi détaillée que possible. »

Maman fait oui-oui de la tête.

« Certaines de mes questions risquent d'être pénibles. Souhaitez-vous que l'agent Oh assiste à cet entretien ?

— Ça m'est égal, non », dit Maman. Elle bâille.

« Votre fils a été mis à rude épreuve ce soir, il devrait peut-être attendre dehors pendant que nous évoquons… »

Mais on est déjà dans le Dehors !

« Ce n'est pas un problème, répond Maman et elle m'emmitoufle dans la couverture bleue. Ne fermez pas la porte ! elle dit très vite à Madame l'Agent Oh quand elle sort.

— Bien sûr. » Elle la laisse à moitié ouverte.

Maman parle à l'énorme monsieur, il l'appelle par un de ses autres noms. Je regarde ce qu'il y a sur les murs : ils sont devenus beige clair, presque pas colorés. Il y a des cadres remplis de mots, un autre avec un aigle où c'est écrit « Plus loin que le Ciel ». Quelqu'un passe devant la porte, je sursaute. J'aimerais mieux si elle était fermée. Et j'ai tellement envie de mon Doudou-Lait !

Maman rabaisse son T-shirt sur son pantalon. « Pas maintenant, elle chuchote, je parle au capitaine.

— Et c'est arrivé… Avez-vous le moindre souvenir de la date ? » il demande.

Elle secoue la tête. « Fin janvier. Je n'avais repris les cours que depuis quelques semaines… »

J'ai encore soif, je soulève encore son T-shirt, alors elle souffle et elle me laisse faire, enroulé sur son ventre.

« Euh, vous préféreriez peut-être… ? demande le capitaine.

— Non, continuons », dit Maman. C'est le droit, il y a pas beaucoup de lait, mais je veux pas redescendre pour changer de côté sinon elle pourrait dire « Ça suffit » et moi j'en veux encore.

Elle parle pendant mille ans de la Chambre, de Grand Méchant Nick et tout ça ; je suis trop fatigué pour écouter. Une dame entre et dit quelque chose au capitaine.

Maman demande : « Il y a un problème ?

— Non, non, dit le capitaine.

— Dans ce cas pourquoi nous regarde-t-elle comme des bêtes curieuses ? » Son bras me serre fort. « J'allaite mon fils, ça vous dérange, madame ? »

Peut-être que dans le monde de Dehors ils savent pas ce que c'est, le Doudou-Lait, c'est un secret.

Maman et le capitaine parlent encore beaucoup. J'allais m'endormir mais il y a trop de lumière, je suis pas bien installé.

« Qu'est-ce qu'il y a ? demande Maman.

— Il faut vraiment qu'on retourne dans la Chambre, je lui explique. J'ai besoin d'aller aux W-C.

— Pas de problème, il y en a ici. »

Quand le capitaine nous montre où c'est, on repasse devant l'incroyable machine, je touche la vitre tout près des barres en chocolat. Si seulement je savais le code pour les faire sortir.

Il y a un, deux, trois, quatre W-C, chacun dans sa petite chambre à l'intérieur d'une autre grande chambre avec quatre éviers et tout plein de miroirs. C'était vrai que dans le Dehors les W-C ont un couvercle sur leurs réservoirs : je peux pas regarder dedans. Quand Maman a fait pipi et se relève, j'entends un horrible rugissement qui me fait pleurer. « N'aie pas peur, elle dit en m'essuyant la figure à deux mains, c'est juste une chasse automatique. Regarde, avec ce petit œil, les toilettes voient qu'on a fini et tirent la chasse elles-mêmes : malin, non ? »

Moi j'aime pas les W-C intelligents qui regardent nos fesses.

Maman me fait enlever ma culotte. « J'ai fait un peu caca mais pas exprès quand Grand Méchant Nick me portait, je lui explique.

— Ne t'inquiète pas pour ça. » Après, elle fait une chose très bizarre : elle jette ma culotte dans une poubelle !

« Mais…

— Tu n'en as plus besoin, on t'en achètera des neuves.

— Comme Cadeau du Dimanche ?

— Non, n'importe quel jour de la semaine. »

Vraiment bizarre. J'aime mieux un dimanche.

Le robinet est comme les vrais de la Chambre mais avec une drôle de forme. Maman l'ouvre, elle mouille du papier pour nettoyer mes jambes et mon derrière. Elle met ses mains sous une machine et ça souffle de l'air, comme notre bouche d'aération mais en plus chaud et encore plein de bruit. « C'est un sèche-mains, regarde, tu veux essayer ? » Elle me sourit mais moi je suis trop fatigué pour sourire. « Bon, essuie-toi simplement les mains sur ton T-shirt. » Après elle m'emmitoufle dans la couverture bleue et on ressort. J'ai envie de regarder dans la machine où toutes les canettes et les sachets et les barres en chocolat sont en prison. Mais Maman me tire par la main jusqu'à la chambre où le capitaine attend pour parler encore.

Après des centaines d'heures, Maman me lève, je suis tout ramollo. Dormir ailleurs que dans la Chambre, ça me fait comme si j'étais malade.

On va dans une sorte d'hôpital ; c'était pas le Plan A, ça ? Malade, Camion, Hôpital… Maman a aussi une couverture bleue sur elle maintenant, je crois que c'est la mienne sauf que je l'ai toujours alors ça doit en être une autre. La voiture de police, on dirait la même mais je suis pas sûr : les choses de Dehors sont trompantes. Je trébuche dans la rue ; j'allais tomber mais Maman me rattrape.

On roule. À chaque fois que je vois une voiture approcher je ferme les yeux très fort.

« On est de l'autre côté, tu sais, explique Maman.

— Quel autre côté ?

— Tu vois cette ligne au milieu de la route ? Elles doivent toujours rester de ce côté-là et nous de celui-ci pour éviter les accidents. »

Tout à coup on s'arrête. La voiture s'ouvre et une personne sans figure nous regarde. Je hurle.

« Jack, Jack, dit Maman.

— Un zombie ! »

Je cache ma figure dans son ventre.

« Je suis le docteur Clay, bienvenue à Cumberland, dit le monstre de la voix la plus grave du monde. Si je porte un masque, c'est pour protéger ta santé. Tu veux voir mon visage ? » Il enlève le truc blanc et un monsieur souriant apparaît avec une tête marron tout foncé et un minuscule menton noir en triangle. Il relâche le masque, *clac*. Ses mots sortent du blanc. « En voici un pour chacun de vous. »

Maman les prend. « On doit vraiment les porter ?

— Pensez à tous les micro-organismes avec lesquels votre fils n'a sans doute encore jamais été en contact.

— D'accord. » Elle met un masque sur sa tête et un sur la mienne qui s'attache avec des boucles en ficelle derrière mes oreilles. J'aime pas comme ça serre. « Je vois pas de microtrucs, moi, je chuchote à Maman.

— Des microbes », elle répond.

Moi je croyais qu'il y en avait que dans la Chambre, je savais pas que le Dehors en était plein, lui aussi.

On marche dans un grand immeuble allumé ; d'abord je crois que c'est encore le poste de police mais non. Il y a quelqu'un qui s'appelle Responsable des Admissions, elle tape sur… je sais, c'est un ordinateur comme dans Madame Télé. Tous les gens ressemblent aux gens de la planète médicale et à chaque fois je dois me rappeler qu'ils existent en vrai.

Je vois un truc supergénial : une énorme vitre avec des coins mais à la place des canettes et du chocolat, c'est des poissons vivants qui nagent et qui jouent à cache-cache avec des rochers. Je tire Maman par la main mais elle veut pas venir, elle est encore en train de parler avec Madame la Responsable des Admissions qui a un autre nom sur son étiquette : Pilar.

« Écoute, Jack », dit le docteur Clay. Quand il plie ses jambes, il ressemble à une grenouille géante, pourquoi il fait ça ? Sa tête est tout près de la mienne, ses cheveux font une mousse noire d'un centimètre sur sa tête. Il a plus son masque, c'est que moi et Maman. « Nous devons examiner ta maman dans cette pièce, de l'autre côté du couloir, d'accord ? »

C'est à moi qu'il le dit. Mais il l'a regardée tout à l'heure, non ?

Maman secoue la tête. « Jack reste avec moi.

— Le docteur Kendrick, notre interne de service, va devoir prélever immédiatement l'ensemble des échantillons destinés à l'enquête policière, j'en ai bien peur.

Sang, urine, cheveux, dépôts sous les ongles, salive, frottis vaginal et anal… »

Maman ouvre des grands yeux. Elle respire fort. « Je ne serai pas loin, elle m'explique en montrant la porte, je pourrai même t'entendre si tu m'appelles, d'accord ?

— Pas d'accord.

— Je t'en prie. Tu as été si courageux, mon Jacker-Jack ! Encore un tout petit effort, tu veux bien ? »

Je m'accroche à elle.

« Hum, peut-être qu'il pourrait venir si on installait un paravent ? » dit le docteur Kendrick. C'est une dame avec des cheveux tout beiges enroulés sur la tête.

« Ou une télé ? je chuchote à Maman. Il y en a une là-bas. » Elle est beaucoup plus grosse que celle de la Chambre : ça danse dedans et les couleurs brillent plus fort.

« Eh bien, oui, dit Maman, il pourrait peut-être s'asseoir ici, à la réception ? Ça l'occuperait. »

La dame Pilar est derrière la table en train de parler au téléphone, elle me sourit mais je fais semblant de pas la voir. Il y a plein de chaises, Maman m'en choisit une. Je la regarde partir avec les docteurs. Je dois m'accrocher à la chaise pour pas courir la rejoindre.

La télé a changé de planète : c'est un match de foot et les habitants ont d'énormes épaules et des casques. Je me demande si ça existe en vrai ou seulement en images. Je regarde le verre aux poissons sauf qu'il est trop loin, j'arrive pas à les voir mais ils doivent toujours être là vu qu'ils savent pas marcher. La porte où Maman a disparu reste un peu ouverte, je crois que j'entends sa voix. Pourquoi ils lui prennent du sang, du pipi et des ongles ? Elle est toujours là-bas même si je la vois pas, comme quand elle attendait dans la Chambre pendant que je faisais notre Grande Évasion. Grand Méchant Nick a filé dans son camion ; maintenant, il est pas dans la Chambre ni dans le Dehors et je le vois pas non plus dans Madame Télé. Ma tête est toute fatiguée à force de poser des questions.

Je déteste que le masque me serre la figure alors je le remonte sur ma tête. Il a un bord plissé avec un fil de fer dedans, je crois ; ça empêche mes cheveux de tomber sur mes yeux. Maintenant la télé montre des tanks dans une ville cassée en mille morceaux et une vieille dame qui pleure. Maman reste longtemps dans l'autre chambre, est-ce qu'ils lui font mal ? La dame Pilar parle toujours au téléphone. Sur une autre planète, on voit des monsieurs tous en veste dans une énormantesque salle, on dirait presque qu'ils se disputent. Ils parlent pendant des heures et des heures.

Après ça change encore et je vois Maman, elle porte quelqu'un : mais c'est moi !

Je saute sur mes pieds et je m'approche tout près de l'écran. Il y a moi comme dans Monsieur Miroir sauf que je suis minuscule. Des mots glissent sous les images : LES NOUVELLES LOCALES EN DIRECT. Une dame parle mais je la vois pas : « … le célibataire asocial avait converti sa cabane de jardin en forteresse imprenable des temps modernes. Les victimes de ce tyran présentent une pâleur surnaturelle et semblent au bord de la catatonie après le long cauchemar qu'a été leur incarcération. »

Voilà Madame l'Agent Oh quand elle essaie de me mettre la couverture sur la tête et que je la laisse pas faire. La voix invisible dit : « Incapable de marcher, l'enfant sous-alimenté, que l'on voit ici se débattre convulsivement contre un de ses sauveteurs…

— Maman ! » je crie.

Elle vient pas. Je l'entends dire très fort : « J'ai fini dans deux petites minutes.

— C'est nous ! C'est nous dans la télé ! »

Sauf que ça devient tout gris. Pilar est debout, elle montre l'écran avec une télécommande mais c'est moi qu'elle regarde. Le docteur Clay sort de la chambre et la gronde fort.

« Rallume ! je dis. C'est nous, je veux nous voir.

— Je suis vraiment désolée…, dit Pilar.

— Jack, allons rejoindre ta maman, tu veux ? » Le docteur Clay me tend la main, il a un drôle de truc en plastique dessus. J'y touche pas. « N'oublie pas de mettre ton masque. » Je le rabaisse sur mon nez. Je marche derrière le docteur mais pas trop près.

Maman est assise sur un petit lit tout haut, elle a une robe en papier ouverte dans le dos. (Les gens portent des drôles d'habits dans le monde de Dehors.) « Ils ont gardé mes anciens vêtements », dit sa voix mais je vois pas d'où elle sort à cause du masque.

Je monte sur ses genoux, c'est tout froissé. « Je nous ai vus à la télé.

— C'est ce que j'ai cru comprendre. Comment tu nous as trouvés ?

— Petits. »

Je tire sur sa robe mais on peut pas l'ouvrir. « Attends un peu. » Elle m'embrasse sur le coin de l'œil mais c'est pas un bisou que je veux. « Nous disions… ? »

Moi ? Rien du tout.

« Eh bien, je vous parlais de votre poignet, répond le docteur Kendrick, il faudra sans doute le recasser.

— Non !

232

— Chut, ce n'est pas grave, me dit Maman.

— Elle sera endormie quand cela arrivera, explique le docteur Kendrick en me regardant. Le chirurgien y introduira une broche en métal pour que l'articulation gagne en mobilité.

— Comme un cyborg ?

— Pardon ?

— Oui, un peu comme un cyborg, répond Maman et elle me sourit.

— Mais dans l'immédiat, je pense que les soins dentaires sont la priorité absolue, donc je vais tout de suite vous prescrire des antibiotiques et des analgésiques puissants… »

Je bâille très fort.

« Je sais, dit Maman, tu devrais être au lit depuis des heures.

— Je vais me contenter d'un examen très rapide, pour Jack, vous voulez bien ? demande le docteur Kendrick.

— J'ai déjà dit non. »

Quelque chose pour moi ? « Elle a parlé d'un jouet ? » je chuchote à Maman.

Mais elle répond au docteur Kendrick :

« C'est inutile, vous pouvez me croire sur parole.

— Nous suivons simplement le protocole qui s'applique à ce genre de cas, explique le docteur Clay.

— Ah oui ? Vous en voyez souvent, des cas de ce genre ? » Maman est fâchée, ça s'entend.

Il secoue la tête. « Nous avons eu affaire à d'autres traumatismes majeurs, mais pour être tout à fait honnête avec vous, aucun qui soit comparable au vôtre. Voilà pourquoi nous voulons respecter la procédure et vous donner à tous deux le meilleur traitement possible dès maintenant.

— Jack n'a besoin d'aucun *traitement*, il a besoin de sommeil ! dit Maman entre ses dents. Je n'ai pas relâché ma vigilance un seul instant et il n'a rien eu à subir, contrairement à ce que vous insinuez. »

Les deux docteurs se regardent et après, c'est la dame qui répond : « Je ne voulais pas dire…

— Pendant toutes ces années, je l'ai protégé.

— Cela en a tout l'air, dit le docteur Clay.

— Parfaitement. » Maintenant Maman a des larmes plein la figure ; j'en vois une toute sombre juste à côté de son masque. Pourquoi ils la font pleurer ? « Et ce soir, après ce qu'il a enduré… il dort debout… »

Même pas vrai !

« Je comprends très bien, dit le docteur Clay. Nous allons le peser, le mesurer et ensuite mon confrère soignera ses écorchures, qu'en dites-vous ? »

Au bout d'une seconde, Maman fait oui de la tête.

J'ai pas envie que la dame me touche mais je veux bien monter sur la machine qui montre comme je suis lourd ; quand je m'appuie sur le mur sans faire exprès, Maman me redresse. Après je me mets debout devant les chiffres : ils ressemblent à ceux qu'on avait écrits à côté de Madame Porte sauf qu'il y en a plus et des lignes plus droites. « Formidable ! » dit le docteur Clay.

Le docteur Kendrick écrit des tas de trucs. Elle dirige des machines vers mes yeux, mes oreilles et aussi ma bouche. « Tout semble d'une propreté impeccable.

— On se les brosse à chaque fois qu'on mange.

— Comment ?

— Parle moins vite et plus fort, me dit Maman.

— On se les brosse après manger.

— Si seulement tous mes patients prenaient autant soin d'eux-mêmes », répond la dame.

Maman m'aide à enlever mon T-shirt par la tête. Ça fait tomber mon masque alors je le remets. Le docteur Kendrick me demande de bouger toutes les parties de mon corps. Elle dit que mes hanches fonctionnent parfaitement mais que par la suite j'aurai besoin d'une scintigraphie pour voir ma densité osseuse, c'est comme une radio. Je suis griffé partout sur le dedans des mains et sur les jambes de quand j'ai sauté du camion. Il y a tout plein de sang séché sur mon genou droit. Je sursaute quand le docteur Kendrick le touche.

« Je suis désolée. »

Je me serre contre le ventre de Maman, le papier fait plein de plis. « Les microbes vont sauter dans le trou et je serai mort.

— Ne t'inquiète pas, dit le docteur Kendrick, j'ai un tampon spécial qui les enlève tous. »

Ça pique. Elle soigne aussi mon doigt croqué de la main gauche, celle où le chien avait bu mon sang. Après elle pose un truc sur mon genou, comme un bout de scotch mais avec des figures dessus : c'est Dora et Babouche qui me font coucou.

« Oh, oh… !

— Ça fait mal ?

— Vous avez illuminé sa journée, dit Maman au docteur Kendrick.

— Tu es un fan de Dora ? demande le docteur Clay. Ma nièce et mon neveu aussi. »

Les dents de son sourire brillent comme la neige.

Le docteur Kendrick colle un autre Dora-et-Babouche sur mon doigt, ça serre.

Dent Malade est toujours à l'abri sur le côté de ma chaussette droite. Quand j'ai remis mon T-shirt et ma couverture, les docteurs se parlent tout doucement ; après, le docteur Clay me demande : « Jack, tu sais ce que c'est qu'une piqûre ? »

Maman gémit : « Oh non, c'est pas vrai !

— Cette prise de sang permettrait au labo d'effectuer une numération complète dès demain matin. Pour détecter les marqueurs d'infections, les carences nutritionnelles… Tout cela pourra être considéré comme des preuves à charge et, chose plus importante, nous aidera à savoir très rapidement de quoi Jack a besoin. »

Maman me regarde. « Tu veux bien être un super-héros une minute de plus et laisser le docteur Kendrick te piquer le bras ?

— Non ! » Je les cache tous les deux sous la couverture.

« S'il te plaît. »

Non, non et non, mon courage, je l'ai tout usé.

« Il ne m'en faut pas plus que ça », dit le docteur Kendrick en me montrant un tube.

C'est beaucoup plus que le chien et le moustique m'avaient pris, il m'en restera presque plus.

« Et après tu auras… Qu'est-ce qui lui ferait plaisir ? elle demande à Maman.

— Je voudrais bien retrouver Monsieur Lit.

— Elle pensait à une friandise, m'explique Maman. Quelque chose de bon à manger, tu vois ?

— Hum, je ne crois pas que nous ayons du gâteau, les cuisines sont fermées à cette heure-ci. Mais que dirais-tu d'une sucrerie ? »

Pilar apporte un bocal plein de sucettes ; alors c'est ça, des sucreries ?

« Vas-y, fais ton choix », dit Maman.

Mais il y en a trop : des jaunes, vertes, rouges et aussi des bleues et orange. Elles sont toutes plates en cercles, pas en boules comme celle de Grand Méchant Nick que Maman avait jetée dans Madame Poubelle sauf que je l'avais mangée quand même. Maman en choisit une pour moi, une rouge, mais je secoue la tête parce que celle qu'il m'avait donnée était aussi rouge ; je crois que je vais me remettre à pleurer.

Maman en prend une verte. Pilar enlève le plastique. Quand le docteur Clay plante l'aiguille dans le creux de mon coude, je crie et j'essaie de reculer mais Maman me retient ; elle me met la sucette dans la bouche mais ça m'empêche pas d'avoir mal.

« C'est presque fini, elle dit.

— J'aime pas ça.

— Regarde, l'aiguille est sortie.

— Bravo, dit le docteur Clay.

— Non, la sucette.

— Tu l'as, ta sucette, répond Maman.

— Je l'aime pas, j'aime pas le vert.

— Pas de problème, crache-la. »

Pilar la prend et me dit : « Essaie plutôt une orange, ce sont mes préférées. »

Je ne savais pas que je pouvais en avoir deux. Pilar m'en ouvre une orange, et c'est bon.

* * *

D'abord c'est tiède, mais après la chaleur s'en va. J'aimais bien le chaud mais quand ça refroidit, c'est tout humide. Maman et moi, on est dans Monsieur Lit, sauf qu'il a rétréci et qu'il devient tout froid : le drap de dessus et aussi le drap de dessous.

En plus, Madame Couette a perdu son blanc, elle est toute bleue…

On est pas dans la Chambre !

Cet idiot de Petit Zizi se dresse. « On est dans le Dehors, je lui chuchote. Maman… »

Elle sursaute comme une pile électrique.

« J'ai fait pipi.

— Ce n'est pas grave.

— Mais ça a tout mouillé partout ! Même le devant de mon T-shirt.

— N'y pense plus. »

J'essaie. Je regarde par-dessus la tête de Maman. Par terre, on dirait Monsieur Tapis mais avec des bouclettes et sans les bords ni les petits dessins ; il est un peu gris et il va jusqu'aux murs : je savais pas que ça existait, des murs verts. Je vois un tableau avec un monstre mais quand je regarde mieux, en fait c'est une énorme vague de la mer. Il y a aussi une forme qui ressemble à Madame Lucarne sauf qu'elle est dans le mur, je sais ce que c'est, une fenêtre. Une fenêtre avec des centaines de bandes en bois par-devant mais la lumière passe quand même. « J'arrive pas à l'oublier, je dis à Maman.

— Bien sûr, c'est normal. » Elle cherche ma joue pour l'embrasser.

« Je peux pas penser à autre chose vu que je suis tout mouillé.

— Ah, ça ! elle répond d'une voix différente. Je ne te disais pas d'oublier que tu avais fait pipi au lit mais simplement de ne pas t'inquiéter. » Elle se lève, elle a toujours sa robe en papier qui est toute chiffonnée. « Les infirmières changeront les draps. »

Je les vois pas, les infirmières.

« Et mes autres T-shirts… ? » Ils sont dans Madame Commode, dans le tiroir du bas. Ils y étaient hier alors je crois qu'ils y sont toujours. Mais est-ce que la Chambre existe encore si on est plus là ?

« On trouvera bien une solution », dit Maman. Elle s'approche de la fenêtre et toutes les bandes de bois s'écartent : il y a plein de lumière.

« Comment t'as fait ? » Je cours vers elle et la table cogne ma jambe, *boum*.

Maman frotte le bobo. « Avec la ficelle, tu vois ? C'est le cordon du store.

— Pourquoi… ?

— C'est le cordon qui ouvre et referme le store. Un store… ça empêche de voir.

— Pourquoi il veut m'empêcher d'y voir ?

— Toi ou n'importe qui d'autre. »

J'y comprends rien.

« Ça empêche les gens de regarder dehors ou dedans », explique Maman.

Moi j'y arrive et dehors, c'est comme dans Madame Télé il y a de l'herbe, des arbres et aussi un bout d'immeuble blanc plus trois voitures – une bleue, une marron et une argentée avec des rayures sur les côtés. « Là-bas, dans l'herbe…

— Quoi ?

— C'est un vautour ?

— Juste un corbeau, je crois.

— Un autre…

— Ça c'est un… un… comment dit-on encore ? Un pigeon ! Je suis un peu jeune pour la maladie d'Alzheimer. Bon, allons nous laver.

— Et le petit-déjeuner ? je lui rappelle.

— On le prendra après. »

Je secoue la tête. « Le petit-déjeuner vient avant le bain.

— Pas forcément, Jack.

— Mais…

— Pourquoi reprendre nos anciennes habitudes ? dit Maman. On peut faire comme bon nous semble.

— Moi, j'aime bien le petit-déjeuner en premier. »

Mais elle a disparu derrière un mur et je la vois plus alors je la suis en courant. Je la retrouve dans une deuxième petite chambre à l'intérieur de l'autre ; le sol est en carrés blancs, froids et tout brillants et c'est pareil pour les murs : ils sont devenus blancs. Il y a des W-C (qui sont pas Monsieur W-C), un évier (aussi grand que deux Monsieur Évier) et une grande boîte, on voit pas dedans mais ça doit être une douche comme celles où les habitants de Madame Télé se laissent éclabousser. « Où elle se cache, la baignoire ?

— Il n'y a pas de baignoire. » *Bam*. Maman fait glisser le devant de la boîte à douche pour l'ouvrir. Elle enlève sa robe en papier, la froisse et la jette dans un panier, une poubelle, je crois, sauf qu'elle a pas de couvercle qui fait *bing*. « Débarrassons-nous aussi de ce T-shirt dégoûtant. » Il m'arrache la figure quand on l'enlève. Maman le roule en boule pour le mettre à la poubelle.

« Mais…

— C'est une loque.

— N'importe quoi ! C'est mon T-shirt !

— Tu en auras un autre, des tas d'autres. » Je l'entends presque pas vu qu'elle a allumé la douche qui fait un bruit de torrent. « Allez, viens.

— Comment on fait ? Je connais pas.

— C'est très agréable, crois-moi. » Maman attend. « Bon, tant pis, je n'en ai pas pour longtemps. » Elle entre et commence à fermer la porte invisible.

« Non !

— Il faut que je ferme sinon l'eau va tout éclabousser.

— Non !

— Tu pourras me voir à travers la vitre, je suis juste derrière. » Elle la fait glisser, *bam* et je la vois mais toute floue : elle ressemble pas à ma vraie Maman, on dirait un fantôme qui fait des bruits bizarres.

Je frappe la porte, d'abord je comprends pas comment ça s'ouvre mais après j'y arrive et je tire un grand coup.

« Jack !

— J'aime pas quand tu es dedans et moi dehors.

— Eh bien, entre alors ! »

Je me mets à pleurer.

Maman essuie ma figure avec sa main, ça étale les larmes. « Pardon, elle dit, pardon. Je suppose que je brûle les étapes. » Elle me fait un câlin qui me dégouline de partout. « Tu n'as plus aucune raison de pleurer maintenant. »

Quand j'étais bébé, je pleurais jamais pour rien. Mais si Maman part dans la douche et qu'elle m'enferme du mauvais côté, c'est une très bonne raison.

Cette fois-ci, j'entre dans la boîte et je m'aplatis contre la vitre mais ça m'éclabousse quand même. Maman met sa figure sous la cascade qui s'écrase et elle pousse un long gémissement.

« Tu as mal ? je crie.

— Non, j'essaie simplement d'en profiter, c'est ma première douche depuis sept ans. »

Il y a un tout petit paquet où c'est écrit *Shampoing* ; Maman l'ouvre avec les dents et elle s'en met tellement qu'il en reste presque plus. Elle se rince les cheveux pendant très-très longtemps et après elle prend un autre petit paquet qui s'appelle *Après-Shampoing* et qui rend doux comme la soie. Elle veut me laver la tête à moi aussi mais j'ai pas envie d'être comme la soie et je veux pas mettre ma figure sous l'eau qui éclabousse. Maman me savonne avec ses mains parce qu'il y a pas de gant. Des bouts de peau sont devenus violets sur mes jambes, ça vient du temps où j'avais sauté du camion marron. Mes éraflures font mal de partout, surtout sur mon genou sous le sparadrap Dora-et-Babouche qui commence à s'enrouler sur les bords ; Maman dit que c'est parce que la blessure est en train de guérir. Mais pourquoi avoir mal ça veut dire qu'on guérit ?

Il y a une serviette blanche superépaisse et c'est à chacun la sienne, plutôt qu'une seule pour nous deux. Moi je préférerais partager mais Maman trouve ça idiot. Elle s'enroule encore une autre troisième autour de la tête qui devient énorme et pointue comme une glace : ça nous fait rire.

J'ai soif. « Je peux avoir mon Doudou-Lait maintenant ?

— Oh, pas tout de suite. » Elle me tend un grand truc avec des manches et une ceinture, on dirait un déguisement. « Pour l'instant, tu vas mettre ce peignoir.

— Mais il est à un géant !

— On va se débrouiller. » Elle replie les manches jusqu'à ce qu'elles deviennent plus courtes et toutes gonflées. Elle sent plus comme avant, je crois que c'est l'après-shampoing. Elle attache le peignoir autour de ma taille. Je soulève les longs côtés pour marcher. « Et voilà le roi Jack ! » dit Maman.

Elle sort un autre peignoir tout pareil d'un dressing (mais pas Petit Dressing) et ça lui descend jusqu'aux chevilles.

« "Je deviendrai roi, tralala, et tu seras ma reine !" » je chante.

Maman sourit, elle a la figure toute rose et les cheveux noirs à cause de l'eau. Les miens sont attachés en queue-de-cheval mais avec plein de nœuds vu qu'on a pas Petit Peigne : on l'a laissé dans la Chambre. « T'aurais pu rapporter Petit Peigne.

— Apporter, corrige Maman. J'étais plutôt pressée de te retrouver, tu te rappelles ?

— Oui, mais on en a besoin.

— Ce vieux peigne en plastique qui a perdu la moitié de ses dents ? Tu parles ! »

Je trouve mes chaussettes près du lit et je les mets sauf que Maman dit non parce qu'elles sont toutes sales avec des trous dedans à force d'avoir couru dans la rue. Elle les jette aussi à la poubelle, elle gaspille tout !

« Mais Dent Malade, on l'a oubliée ! » Je cours reprendre les chaussettes et je trouve Dent Malade dans la deuxième.

Maman roule des yeux.

« C'est mon amie », je lui dis en mettant Dent Malade dans la poche de mon peignoir. Les miennes, quand je les lèche, elles sont bizarres : « Oh, non, j'ai oublié de les brosser après la sucette. » J'appuie dessus très fort pour pas qu'elles tombent, mais pas avec le doigt mordu.

Maman secoue la tête. « Ce n'était pas une vraie sucette.

— Elle avait le goût d'une vraie.

— Non, je veux dire qu'elle était sans sucre, elles sont fabriquées avec une sorte de faux sucre qui n'abîme pas les dents. »

C'est compliqué, je trouve. Je montre l'autre lit. « Qui dormira ici ?

— C'est ton lit.

— Mais je dors avec toi !

— Eh bien, les infirmières ne le savaient pas. » Maman regarde par la fenêtre. Son ombre est tout étirée sur le sol gris et laineux, j'en avais jamais vu d'aussi longue.

« C'est un chat que j'aperçois sur le parking ?

— Où ça ? » Je cours voir mais mes yeux le trouvent pas.

« Et si on allait explorer les environs ?

— Où ça ?

— Dehors.

— Mais on y est déjà.

— On pourrait sortir prendre l'air et retrouver le chat, répond Maman.

— Super. »

Elle nous trouve deux paires de chaussons sauf qu'ils sont pas à ma taille et je trébuche ; Maman dit que je peux rester pieds nus pour le moment. Je regarde encore par la fenêtre et je vois un truc arriver à toute vitesse près des autres voitures : une camionnette où c'est écrit *Clinique Cumberland*.

« Et s'il revient ? je chuchote.

— Qui ?

— Grand Méchant Nick, s'il arrive dans son camion ? » Je m'en rappelais déjà presque plus, comment j'ai pu l'oublier ?

« Oh, c'est impossible, il ne sait pas où nous sommes, répond Maman.

— On est encore en secret ?

— En quelque sorte, mais cette fois c'est une bonne chose. »

À côté du lit, il y a un… je sais, c'est un téléphone. Je soulève la partie du dessus et je dis : « Allô ? » mais j'entends pas parler, juste un drôle de *bzz*.

« Oh, Maman, j'ai toujours pas pris mon Doudou-Lait.

— Plus tard. »

On fait tout à l'envers aujourd'hui.

Quand elle essaie d'ouvrir la porte, Maman fait une grimace, ça doit être à cause de son poignet fragile. Elle essaie avec l'autre main. On sort et on est dans une longue chambre aux murs jaunes avec des fenêtres tout du long et des portes de l'autre côté. À chaque fois, les murs changent de couleur, ça doit être une règle. Notre porte est celle qui a un 7 tout doré. Maman dit qu'on a pas le droit d'ouvrir les autres portes parce qu'elles sont à d'autres gens.

« Quels autres gens ?

— On ne les a pas encore rencontrés. »

Alors comment elle le sait ? « Et les fenêtres de côté, on peut les utiliser ?

— Oh oui, elles sont pour tout le monde.

— Nous aussi on est tout le monde ?

— Tout le monde, c'est nous et tous les autres »,
explique Maman.

Tous les autres ne sont pas là, il y a que nous deux.
Ces fenêtres-là ont pas de stores qui empêchent de voir.
Elles montrent une autre planète avec encore plein de
voitures, des vertes, des blanches et aussi une rouge ; je
vois une place en pierre et des trucs qui bougent : c'est
des gens. « Ils sont minuscules, on dirait des petites fées.

— Mais non, c'est simplement parce qu'ils sont très
loin.

— Ils existent pour de vrai ?

— Comme toi et moi. »

J'essaie d'y croire mais c'est dur.

Il y a une femme qui est pas là en vrai, je le sais parce
qu'elle est grise, c'est une statue, toute nue en plus.

« Allez, viens, dit Maman, je meurs de faim.

— C'est juste que je… »

Elle me tire par la main. Après on peut plus avancer à cause des escaliers qui descendent : il y en a plein.
« Tiens-toi à la rampe.

— La quoi ?

— Cette chose, là. »

Je mets ma main dessus.

« Descends une marche à la fois. »

Je vais tomber ! Je m'assois,

« Oui, tu peux aussi faire comme ça. »

Je descends sur les fesses, une marche, une autre et
encore une autre mais le peignoir géant s'ouvre. Une
grosse dame monte les marches tout vite comme si elle
volait, sauf que non, c'est une vraie humaine tout en
blanc. Je cache ma figure dans le peignoir de Maman.
« Oh, dit la dame, vous auriez dû sonner… »

Mais où elle est, la cloche ?

« Vous n'avez pas vu la sonnette à côte de votre lit ?

— Nous nous sommes débrouillés, lui répond Maman.

— Je m'appelle Noreen, je vais vous apporter deux masques propres.

— Ah oui ! Désolée, j'avais oublié.

— Pas de problème, je vous les apporte dans votre chambre ?

— Inutile, nous descendons.

— Fantastique. Jack, veux-tu que je fasse appeler un aide-soignant pour te porter ? »

Je comprends pas, je cache encore ma figure.

« C'est bon, il descend à sa manière. »

Je reste sur les fesses pour les onze marches qui restent. Quand on est en bas, Maman rattache mon peignoir et on redevient le roi et sa reine comme dans la comptine. Noreen me donne un nouveau masque à mettre, elle me raconte qu'elle est infirmière, qu'elle vient d'un endroit qui s'appelle l'Irlande et qu'elle aime bien ma queue-de-cheval. On rentre dans une énorme chambre où il y a tout plein de tables (j'en avais jamais vu autant), avec des assiettes, des verres et des couteaux partout et une qui fonce vers mon ventre, une table je veux dire. Les verres sont invisibles comme les nôtres mais les assiettes sont bleues : *beurk*, dégoûtant !

On se croirait dans une planète de Madame Télé où c'est nous les personnages : les gens nous disent « Bonjour » et « Bienvenue à Cumberland » et « Félicitations » mais je sais pas pourquoi. Certains ont des peignoirs tout pareils que nous et d'autres des pyjamas ou alors des uniformes différents. Presque tous sont supergrands mais ils ont pas les cheveux très longs comme nous ; tout d'un coup ils arrivent de tous les côtés, même de derrière. Ils s'approchent avec leurs sourires pleins de dents, ils sentent une odeur bizarre. Un monsieur avec une barbe sur toute la figure dit : « Eh bien, mon gars, t'es un vrai héros ! »

C'est de moi qu'il parle. Je le regarde pas.

« Comment trouves-tu le monde extérieur pour l'instant ? »

Je réponds rien.

« Plutôt bien ? »

Je fais oui de la tête. Je serre fort la main de Maman mais mes doigts glissent, ils sont tout mouillés. Maman avale des pilules que Noreen lui donne.

Je connais une des têtes, tout là-haut, celle avec des cheveux courts très frisés, c'est le docteur Clay sauf qu'il a pas de masque. Il serre la main de Maman dans la sienne en plastique blanc et il demande si on a bien dormi.

« J'étais trop tendue », répond Maman.

D'autres gens uniformés s'approchent ; le docteur Clay dit des noms que je comprends pas. Il y a une dame aux cheveux pleins de courbes et tout gris qui s'appelle la Directrice de la Clinique, ça veut dire la chef mais elle rit et dit qu'en fait non, pas vraiment (moi, je trouve pas ça drôle).

Maman me montre une chaise à côté d'elle pour que je m'assois. Il y a un truc vraiment extraordinaire sur l'assiette, c'est argenté, bleu et rouge : un œuf, je crois, mais pas un vrai, en chocolat.

« Ah oui, joyeuses Pâques, dit Maman, ça m'était complètement sorti de l'esprit. »

Je prends le faux œuf. J'aurais jamais cru que le Lapin venait dans les immeubles.

Maman baisse son masque sur son cou pour boire un jus d'une drôle de couleur. Elle remonte le mien sur ma tête pour que je goûte aussi mais il y a des petits morceaux dedans ; ils sont invisibles comme les microbes et ils me coulent dans la gorge alors je recrache tout dans le verre sans bruit. Tous-les-autres sont trop près, ils mangent des trucs bizarres, carrés avec pleins de trous carrés, et aussi des tranches de bacon aux bords enroulés. Comment ils peuvent poser la nourriture sur les assiettes et laisser le bleu se mettre dessus ? Ça sent vraiment superbon mais c'est trop, mes mains sont redevenues glissantes alors je repose le Pâques dans l'exact milieu de l'assiette. Je m'essuie les doigts (sauf celui qui est mordu) sur mon peignoir. Les couteaux et les fourchettes aussi sont bizarres : ils ont pas de blanc sur le manche, rien que le métal ; ça doit faire mal.

Les gens ont des yeux énormes et des figures de plein de formes différentes avec des moustaches ou des bijoux qui pendent et des bouts de peau peints en couleurs. « Je vois pas d'enfants, je chuchote à Maman.

— Qu'est-ce que tu dis ?

— Où sont les enfants ?

— J'ai l'impression qu'il n'y en a pas.

— Tu avais dit qu'il y avait des millions d'enfants dans le Dehors.

— Cette clinique n'est qu'une petite partie du monde, explique Maman. Bois ton jus de fruits. Hé, regarde, un garçon là-bas ! »

Je jette un coup d'œil du côté qu'elle montre mais le garçon est aussi grand qu'un monsieur et il a des clous dans le nez, dans le menton et au-dessus des yeux. C'est peut-être un robot.

Maman boit un truc marron tout fumant, après elle fait une grimace et le repose.

« Qu'est-ce que tu voudrais manger ? » elle demande.

Noreen l'infirmière est juste à côté de moi, je sursaute. « Nous avons un buffet, elle m'explique, tu peux choisir, voyons, des gaufres, de l'omelette, des pancakes… »

Je chuchote : « Non.

— On répond : «Non, *merci*», dit Maman, quand on est bien élevé. »

Des gens qui ne sont pas des amis me regardent, leurs yeux m'envoient des rayons invisibles, *clac*. Je cache ma figure contre Maman.

« Qu'est-ce qui te fait envie, Jack ? demande encore Noreen. Des saucisses, des tartines de pain grillé ?

— Ils nous regardent, je dis à Maman.

— Ils veulent nous faire bon accueil, c'est tout. »

J'aimerais bien qu'ils arrêtent.

Le docteur Clay est revenu, lui aussi, il se penche vers nous : « Tout ceci doit être un peu trop pour Jack, pour vous deux. Peut-être vous êtes-vous montrés trop ambitieux pour un premier jour. »

Quel premier jour ?

Maman souffle. « Nous voulions voir le jardin. »

Non, ça c'était Alice.

« Rien ne presse, répond le docteur.

— Mange un peu, me dit Maman. Bois ton jus de fruits au moins, tu te sentiras mieux. »

Je secoue la tête.

« Et si je préparais deux assiettes pour vous les monter dans votre chambre ? » dit Noreen.

Maman remet le masque sur son nez. « Allez, viens. »
Elle est fâchée, je crois.

Je m'accroche à la chaise. « Et le Pâques ?

— Quoi ? »

Je le montre.

Quand le docteur Clay chipe l'œuf, je me retiens de
crier. « Voilà pour toi. » Il le glisse dans la poche de mon
peignoir.

Les escaliers sont très plus durs à remonter alors
Maman me porte.

« Je vais vous aider, dit Noreen.

— Non, ça va ! » Maman crie presque.

Après, quand Noreen est partie, elle ferme bien notre
porte numéro 7. Quand on est juste nous deux, on peut
enlever nos masques vu qu'on a les mêmes microbes.
Maman essaie d'ouvrir la fenêtre, elle donne un coup
dedans mais ça veut pas bouger.

« Je peux avoir mon Doudou-Lait maintenant ?

— Tu ne veux pas de ton petit-déjeuner ?

— Après. »

Alors on se couche et je prends le gauche qui est
superbon.

Maman dit qu'il n'y a aucun problème pour les
assiettes : le bleu se met pas sur ce qu'on mange, elle me
fait même frotter la couleur pour voir. Et aussi les fourchettes et les couteaux : le métal fait tout drôle sans le
manche blanc mais on a pas vraiment mal. Il y a un sirop
à mettre sur les pancakes sauf que je veux pas mouiller
le mien. Je goûte un peu de chaque et tout est bon à part
la sauce sur les œufs brouillés. L'autre œuf, le Pâques, est
tout fondant à l'intérieur. Il est deux fois plus choco que
les chocolats qu'on recevait parfois comme Cadeaux du
Dimanche, j'ai jamais rien mangé d'aussi bon.

« Oh, on a oublié de dire merci au Petit Jésus, je rappelle à Maman.

— On va s'en occuper tout de suite, il ne nous en voudra pas. »

Après la prière je fais un énorme rototo.

Et après on se rendort.

* * *

Quand la porte dit *toc-toc*, Maman va ouvrir au docteur Clay ; elle remet son masque et à moi aussi. Le docteur fait moins peur maintenant. « Comment ça va, Jack ?

— Bien.

— Vas-y, tape »

Il lève sa main en plastique et agite les doigts mais je fais semblant d'avoir rien vu. Je veux pas approcher la mienne, si jamais il l'attrapait.

Lui et Maman parlent de pourquoi elle arrive pas à s'endormir : « tachycardie » et « syndrome post-traumatique ». « Essayez ces cachets, un seul au coucher, dit le docteur et il écrit quelque chose sur son bloc de papier. Par ailleurs, des anti-inflammatoires soulageront peut-être mieux vos rages de dents…

— Est-ce que je pourrais avoir mes propres médicaments au lieu de me les faire donner un à un par les infirmières comme à une malade ?

— Oh, ça ne devrait pas poser de problème, du moment que vous ne les laissez pas traîner dans votre chambre.

— Jack sait qu'il ne doit pas y toucher.

— En fait, je pensais à quelques-uns de nos patients qui ont un passé de toxicomanes. Bien, j'ai un pansement magique pour toi, mon grand.

— Jack, le docteur Clay te parle », dit Maman.

Le pansement est pour mon bras, il va m'endormir un bout de peau. En plus, le docteur a apporté des super lunettes de soleil à porter quand il y a trop de lumière derrière les fenêtres, les miennes sont rouges et celles de maman noires. « Comme les stars de rap », je dis à Maman. Elles deviennent plus sombres si on va dans l'extérieur du Dehors et plus claires si on reste dans l'intérieur. Le docteur Clay explique que même si j'ai de très bons yeux, ils ne sont pas habitués à voir superloin, alors il faut que je regarde par la fenêtre pour les étirer. Moi j'aurais jamais cru qu'ils avaient des muscles ; quand j'appuie avec mes doigts, je les sens pas.

« Et ce pansement, demande le docteur Clay, il a fait effet ? » Il le décolle et touche ma peau en dessous, je vois son doigt mais je le sens pas. Après, mauvaise nouvelle : il sort des aiguilles et il dit qu'il est désolé mais qu'il doit me faire six injections pour m'empêcher des maladies horribles ; le pansement, c'était pour que les piqûres fassent pas mal. Mais six, c'est vraiment trop ! Je cours me cacher dans la petite chambre des W-C.

« Elles sont mortelles, dit Maman et elle me traîne vers le docteur Clay.

— Oh, non !

— Je parle de ces maladies, pas des piqûres. »

C'est quand même non.

Le docteur Clay dit que je suis vraiment courageux, même pas vrai : mon peurage, je l'ai tout utilisé pendant le Plan B. Je m'arrête plus de crier. Maman me garde sur ses genoux pendant qu'il plante son aiguille encore et encore, ça fait mal vu qu'il m'a enlevé le pansement alors je pleure pour le ravoir et à la fin Maman me le remet.

« C'est fini pour aujourd'hui, promis. » Le docteur Clay range les piqûres dans une boîte sur le mur qui s'appelle « Seringues ». Il a une sucette pour moi dans sa poche, une orange, mais j'ai trop mangé. Il dit que je peux la garder pour une autre fois.

« … comme un nouveau-né à bien des égards bien qu'il soit remarquablement précoce en ce qui concerne la lecture, l'écriture et le calcul », le docteur explique à Maman. J'écoute très fort parce que c'est moi, le *il*. « Outre les problèmes immunitaires, il lui faudra probablement affronter des difficultés dans des domaines tels que, voyons, la socialisation, bien sûr, les modulations sensorielles (il s'agit de filtrer et de trier tous les stimuli qui l'assaillent), sans compter les problèmes de perception de l'espace… »

Maman demande : « C'est pour ça qu'il se cogne partout ?

— Exactement. Il s'est si bien habitué à son environnement confiné qu'il n'a pas eu besoin d'apprendre à évaluer les distances. »

Maman met la tête dans ses mains. « Je pensais qu'il était normal. Ou à peu près. »

Je suis pas normal ?

« Une autre manière d'envisager ce… »

Mais il s'arrête parce qu'on toque à la porte et c'est Noreen avec un autre plateau.

Je fais un rot, mon ventre est encore tout plein de petit-déjeuner.

« L'idéal, ce serait une rééducation psychologique par l'ergothérapie axée sur le jeu et le dessin, dit le docteur Clay, mais, à l'issue de notre réunion, ce matin, nous sommes convenus que, dans l'immédiat, la priorité est de l'aider à se sentir en sécurité. De vous y aider tous les deux, en fait. Il s'agit d'élargir très, très progressivement le cercle de confiance. » Ses mains se lèvent et elles s'écartent. « Ayant eu la chance d'être le psychiatre de garde aux admissions hier soir…

— La *chance* ? répète Maman.

— Le mot est mal choisi. » Il fait un drôle de sourire. « C'est moi qui vais travailler avec vous pour l'instant… »

Quel travail ? Je savais pas que les enfants devaient travailler.

« … en collaboration avec mes collègues psychiatres spécialistes de l'enfance et de l'adolescence, bien sûr, mais aussi notre neurologue et nos psychomotriciens ; nous allons faire appel à un nutritionniste, à un physio… »

On toque encore à la porte. Revoilà Noreen avec la police, c'est un monsieur mais pas celui aux cheveux jaunes d'hier soir.

Ça fait trois personnes dans la chambre maintenant, plus nous deux égale cinq ; elle est presque remplie avec des bras, des jambes et des poitrines de tous les côtés. Ils parlent tous jusqu'à tant que j'aie mal. « Arrêtez, faites à chacun son tour ! » je leur dis, mais sans le son. J'enfonce mes doigts dans mes oreilles.

« J'ai une surprise pour toi, tu veux savoir ce que c'est ? » demande Maman.

C'est à moi qu'elle le disait, j'avais pas compris. Noreen est partie et la police aussi. Je fais non de la tête.

« Je ne suis pas sûr qu'il soit judicieux…, commence le docteur Clay.

— Jack, c'est une excellente nouvelle ! » le coupe Maman. Elle montre des photos. Je vois qui c'est même sans m'approcher : Grand Méchant Nick. Avec la même figure que quand je l'avais espionné dans Monsieur Lit pendant la nuit, l'autre fois, sauf qu'il a un panneau autour du cou et qu'il est devant des numéros comme on avait marqué pour ma taille aux anniversaires : il arrive presque au six mais pas tout à fait. Il y a une photo où il regarde de côté et une où il me regarde.

« C'est arrivé cette nuit ; la police l'a attrapé et mis en prison, dit Maman. Il va rester derrière les barreaux ! »

Je me demande si le camion marron y est allé aussi.

« Ces photos déclenchent-elles certains des symptômes dont nous parlions tout à l'heure ? » lui demande le docteur Clay.

Elle roule des yeux. « Après l'avoir subi en chair et en os pendant sept ans, vous croyez que je vais m'effondrer devant son portrait ?

— Et à toi, Jack, quel effet ça te fait ? »

J'ai pas la réponse.

« Je vais te poser une question, dit le docteur Clay, mais ne te sens pas obligé d'y répondre. D'accord ? »

Je le regarde et après je regarde encore les photos. Grand Méchant Nick est bloqué au milieu des chiffres et il peut plus sortir.

« Est-ce que ce monsieur t'a déjà fait quelque chose qui ne te plaisait pas ? »

Je dis oui avec la tête.

« Peux-tu m'expliquer ce qui s'est passé ?

— Il avait coupé l'électricité et les légumes sont devenus gluants.

— Très bien. Il ne t'a jamais fait du mal ?

— Je ne veux pas… », dit Maman.

Le docteur Clay lève la main. « Personne ne met votre parole en doute, il lui répond. Mais pensez à toutes les nuits où vous dormiez. Je ne ferais pas correctement mon travail si je ne posais pas la question directement à Jack, qu'en pensez-vous ? »

Maman souffle très-très longtemps. « C'est bon, Jack, tu peux répondre. Grand Méchant Nick t'a-t-il déjà fait du mal ?

— Oui, je réponds, deux fois. »

Ils ouvrent tous les deux de grands yeux.

« Pendant la Grande Évasion, il m'a fait tomber dans le camion et aussi dans la rue, c'est la deuxième fois que j'ai eu plus mal.

— Bien », dit le docteur Clay. Il sourit, je vois pas pourquoi. « Je vais contacter le labo tout de suite pour voir s'ils ont besoin de nouveaux échantillons pour déterminer votre ADN.

— Notre ADN ? » Maman a repris sa voix furieuse. « Vous vous imaginez que j'ai reçu d'*autres visites nocturnes* ?

— Je pense à la logique administrative des tribunaux où chaque case doit être remplie. »

Maman se mange la bouche, on voit plus ses lèvres.

« Tous les jours, des monstres échappent à la justice grâce à des vices de forme, gronde la voix du docteur. Vous en êtes consciente ?

— Je comprends. »

Quand il est parti, j'arrache mon masque et je demande : « Il est fâché avec nous ? »

Maman secoue la tête. « Il est en colère contre Grand Méchant Nick. »

Le docteur Clay le connaît ? Je croyais qu'on était les seuls, Maman et moi.

Je vais regarder le plateau que Noreen a rapporté. J'ai pas faim mais quand je demande à Maman, elle répond qu'il est une heure passée : c'est trop tard même pour le déjeuner, qui doit être à midi quelque chose mais il y a toujours pas de place dans mon ventre !

« Détends-toi, me dit Maman. Tout est différent ici.

— Mais c'est quoi, la règle ?

— Il n'y a pas de règle. On peut déjeuner à dix heures du matin, à une ou à trois heures et même en pleine nuit.

— Je veux pas déjeuner en pleine nuit ! »

Maman souffle. « Adoptons une nouvelle règle : nous déjeunerons… entre midi et deux heures. Et si on n'a pas faim, on pourra sauter un repas.

— Comment on fait pour le sauter ?

— On ne mange rien. Zéro.

— D'accord. » Ça me dérange pas de manger zéro. « Mais qu'est-ce qu'elle va faire avec tout ça, Noreen ?

— Le jeter.

— C'est gâcher !

— Oui, mais il faut le mettre à la poubelle parce que c'est… sale, si tu veux. »

Je regarde la nourriture toute multicolore sur les assiettes bleues. « On dirait pas que c'est sale.

— En fait, ça ne l'est pas mais personne d'autre n'en voudrait puisqu'on nous l'a servi, explique Maman. Ne t'inquiète pas pour ça. »

Maman me le répète tout le temps, n'empêche que j'y arrive pas.

Je bâille si fort que j'ai failli tomber par terre. Mon bras me fait encore mal là où il était pas endormi. Je demande si on peut retourner au lit et Maman répond bien sûr mais qu'elle va lire le journal. Je comprends pas pourquoi elle veut lire au lieu de faire la sieste avec moi.

***

Quand je me réveille la lumière est pas à sa place.

« Ce n'est rien, dit Maman, et elle approche sa figure tout contre la mienne, tout va bien. »

Je mets mes superlunettes de soleil pour regarder la figure dorée du bon Dieu par notre fenêtre, sa lumière va jusqu'au tapis gris tout frisé.

Noreen entre avec des sacs.

« Vous pourriez frapper », crie presque Maman. Elle me remet mon masque et aussi le sien.

« Désolée, dit Noreen. Je l'avais fait, mais je veillerai à frapper plus fort la prochaine fois.

— Non, excusez-moi, je n'ai pas... j'étais en train de parler avec Jack. Peut-être que j'ai entendu mais je n'avais pas compris qu'il y avait quelqu'un à la porte.

— Ce n'est pas grave, répond Noreen.

— Il y a des bruits... dans les autres chambres, j'entends des choses et je ne sais pas si... d'où ça vient et tout.

— Cela doit vous paraître un peu étrange. »

Maman fait un drôle de rire.

« Et toi, jeune homme... » Les yeux de Noreen sont tout brillants. « Tu as envie de voir tes nouveaux habits ? »

Ce n'est pas nos habits, c'est des autres. Ils sont dans des sacs et s'ils nous vont pas ou qu'ils nous plaisent pas, Noreen ira tout de suite les rapporter au magasin pour en ramener encore d'autres. J'essaie tout et c'est le pyjama mon préféré : il est pelucheux avec des astronautes dessus. J'ai l'air déguisé en petit garçon de la télé ! Les chaussures se ferment avec un truc râpeux qui se colle et s'appelle Velcro. J'aime les mettre et après les rouvrir et les refermer – *scrrrratch-scrrratch*. Sauf que c'est dur de marcher avec, comme elles sont lourdes, elles me font presque des croche-pieds. Quand je les ai, je préfère rester sur le lit et agiter mes pieds en l'air : les chaussures se bagarrent et après elles font la paix.

Maman a mis un jean trop serré. « C'est comme ça que ça se porte de nos jours, dit Noreen, et, Dieu m'en est témoin, avec votre ligne, vous pouvez vous le permettre.

— Qui met ça ? je demande.

— Les jeunes. »

Maman sourit, je sais pas pourquoi. Elle enfile aussi un T-shirt riquiqui.

« Mais c'est pas tes vrais habits, je lui chuchote.

— Maintenant si. »

La porte fait *toc-toc*, c'est une autre infirmière (avec le même uniforme mais pas la même figure). Elle dit qu'on devrait remettre nos masques parce qu'on a une visite. J'ai jamais eu une visite, je sais pas comment ça marche.

Quelqu'un entre et court vers Maman, je saute sur mes pieds et je sors les poings mais Maman rit et pleure en même temps, ça doit être tristégai.

« Oh, Maman ! » C'est la mienne qui le dit : « Oh, Maman !

— Ma petite…

— Je suis de retour parmi vous.

— Oui, tu es bien là, répond la dame. Quand on m'a appelée, j'ai bien cru que c'était encore une farce…

— Je t'ai manqué ? » Maman se met à rire, un rire très bizarre.

La dame pleure aussi, c'est plein de coulures noires sous ses yeux, je me demande pourquoi ses larmes sortent noires. Sa bouche est toute rouge comme les femmes de la télé. Elle a des cheveux plutôt jaunes et courts mais pas tout courts et aussi des grosses boules dorées coincées sous les trous de ses oreilles. Elle serre toujours Maman dans ses bras enroulés, elle est trois fois plus dodue qu'elle. J'avais jamais vu Maman faire un câlin à quelqu'un d'autre.

« Laisse-moi un peu te voir sans ce truc ridicule ! »

Maman baisse son masque, elle arrête pas de sourire.

La dame me regarde. « Je n'arrive pas à y croire, tout ça est totalement incroyable !

— Jack, dit Maman, voici ta mamie. »

Alors j'en ai vraiment une !

« Bonjour, trésor ! » La dame tend les bras comme pour les agiter mais non.

Elle s'approche de moi. Je vais me cacher derrière le fauteuil.

« Il est très affectueux, explique Maman, c'est juste qu'il a l'habitude d'être seul avec moi.

— Bien sûr, bien sûr. » Madame Mamie s'approche encore un peu. « Oh, Jack ! Tu as été le petit garçon le plus courageux du monde, tu m'as rendu mon bébé ! »

Quel bébé ?

« Enlève ton masque une seconde », me dit Maman.

Je tire dessus et *tac* je le relâche.

« Il a ton menton, dit Madame Mamie.

— Tu trouves ?

— Oh, tu as toujours adoré les enfants, tu ne demandais qu'à en garder et ce n'est pas l'argent qui t'intéressait… »

Elles parlent longtemps, longtemps. Je regarde sous mon sparadrap pour voir si mon doigt peut encore tomber. Les taches rouges se sont changées en croûtes.

Je sens de l'air. Il y a une figure à la porte avec de la barbe partout sur les joues et le menton et sous le nez mais aucun cheveu sur la tête.

« J'ai dit à l'infirmière que nous ne voulions pas être dérangés, dit Maman.

— En fait, c'est Leo, explique Mamie.

— Salut ! » Il agite les doigts.

« Qui est Leo ? demande Maman sans sourire.

— Il était censé rester dans le couloir.

— *No problemo*, dit Leo et il est reparti.

— Où est papa ? demande Maman.

— Toujours à Canberra, mais il sera bientôt ici, répond Mamie. Tant de choses ont changé, ma chérie !

— À Canberra ?

— Oh, ma douce, je t'annonce sans doute trop de nouvelles d'un coup… »

En fait, le Leo poilu est pas mon vrai papy ; le vrai, il est retourné vivre en Australie parce qu'il croyait que Maman était morte, même qu'il avait fait son enterrement et que Mamie était très fâchée parce qu'elle a toujours continué à espérer.

Elle arrêtait pas de se dire que leur précieuse petite fille avait dû avoir ses raisons pour disparaître et qu'un beau jour elle reprendrait contact.

Maman ouvre des grands yeux. « Un beau jour ?

— Eh bien, n'est-ce pas une belle journée ? » Mamie agite la main vers la fenêtre.

« Mais quel genre de *raisons* aurais-je eu… ?

— Oh, qu'est-ce qu'on s'est creusé la cervelle ! Une assistante sociale nous a expliqué que parfois les jeunes de ton âge quittent tout du jour au lendemain. À cause de la drogue parfois, j'ai fouillé ta chambre de fond en comble…

— Avec les résultats que j'avais à la fac !

— Oui, d'excellents résultats, nous étions si fiers de toi.

— J'ai été kidnappée en pleine rue.

— Ça, je l'ai appris ces derniers jours. On a collé des affiches dans toute la ville, Paul a créé un site Internet. La police a interrogé tous les gens que tu connaissais à l'université, au lycée, pour essayer de découvrir qui d'autre tu aurais pu fréquenter sans que nous ne le sachions. Je te voyais partout, c'était une véritable torture, raconte Mamie. Quand je conduisais, je m'arrêtais à la hauteur de jeunes filles qui avaient ta silhouette et je les klaxonnais pour découvrir que c'étaient des inconnues. À ton anniversaire, je faisais toujours ton gâteau préféré au cas où tu reviendrais ; tu te rappelles mon gâteau à la banane et au chocolat ? »

Maman fait oui de la tête. Elle a des larmes plein la figure. « Je ne pouvais plus dormir sans somnifères. Ne pas savoir me rongeait, c'était vraiment injuste pour ton frère. Tu savais que Paul… non, bien sûr, comment le pourrais-tu ? Paul a une petite fille, elle a bientôt trois ans et elle est déjà propre. Et sa compagne : une vraie beauté ; elle est radiologue. »

Elles parlent encore beaucoup, mes oreilles sont fatiguées d'écouter. Après, Noreen entre avec des cachets pour nous et un verre de jus de fruits sauf que c'est pas de l'orange, c'est de la pomme ; j'ai jamais rien bu d'aussi bon.

Mamie va rentrer chez elle maintenant. Je me demande si elle dort dans le hamac. « Je vais… Leo pourrait peut-être entrer vous dire un petit bonjour ? » elle demande quand elle est arrivée à la porte.

D'abord, Maman dit rien, mais à la fin elle répond : « La prochaine fois, peut-être.

— Comme tu voudras. Les médecins disent que tu dois prendre les choses l'une après l'autre.

— Quelles choses ?

— Tout. » Mamie se tourne vers moi. « Bien, Jack. "Au revoir", tu connais ?

— Je connais tous les mots ! »

Ça la fait beaucoup-beaucoup rire.

Elle fait un bisou à sa main et le souffle vers moi. « Tu l'attrapes ? »

Je crois qu'elle veut que je joue à attraper le bisou, alors je fais semblant et elle est contente, sauf qu'elle se remet à pleurer.

« Pourquoi elle trouvait ça drôle que je sache tous les mots ? C'était pas une blague ! Je dis à Maman, quand Mamie est partie.

— Oh, ce n'est pas grave, c'est toujours bien de faire rire les gens. »

À 6 h 12, Noreen rapporte un autre plateau tout différent pour le dîner qu'on peut manger à cinq heures plus quelque chose, six plus quelque chose ou même après sept heures, dit Maman. Il y a un truc vert et croquant, ça s'appelle de la roquette mais ça pique ; j'aime bien les pommes de terre aux bords croustillants et les viandes avec plein de rayures. Le pain a des bouts qui me griffent la gorge, j'essaie de les enlever mais ça fait des trous alors Maman dit de le laisser. Il y a des fraises, Maman trouve qu'elles ont un goût de paradis, mais comment elle le sait si elle y est jamais allée ? On arrive pas à tout finir. Maman dit que de toute façon la plupart des gens se gavent de nourriture et qu'on n'a qu'à manger ce qui nous fait envie et laisser le reste.

Mon truc préféré dans le monde de Dehors, c'est la fenêtre. Ses images changent tout le temps. Un oiseau file à toute vitesse, je sais pas ce que c'était. Les ombres sont rallongées maintenant : quand la mienne fait coucou, sa main va jusqu'au mur vert de l'autre côté de notre chambre. Je regarde la figure dorée du bon Dieu de plus en plus orange qui descend tout doucement et les nuages de toutes les couleurs ; après il y a des traits sur le ciel et le noir arrive si petit à petit que quand je le vois, c'est déjà fini.

**

Maman et moi on arrête pas de se cogner pendant la nuit. La troisième fois que je me réveille, je veux Petite Jeep et Madame Commande mais elles sont pas là.

Il y a plus personne dans la Chambre, rien que des choses ; elles bougent plus du tout-du tout et la poussière tombe dessus parce que Maman et moi on est à la Clinique et Grand Méchant Nick en prison. Il doit rester enfermé pour toujours.

Je me rappelle que je porte le pyjama avec les astronautes. Quand je touche ma jambe sous le tissu, j'ai l'impression que c'est pas la mienne. Toutes nos affaires sont enfermées dans la Chambre, sauf mon T-shirt que Maman a jeté à la poubelle mais maintenant il y est plus, j'ai regardé avant d'aller au lit. Une dame de ménage a dû l'enlever, Maman m'a expliqué qu'elles nettoient tout. Je pense qu'elles sont invisibles, comme des petites fées. J'aimerais bien que la dame de ménage me rapporte mon vieux T-shirt mais ça rendrait Maman grincheuse.

On doit vivre dans le Dehors, on retournera jamais dans la Chambre ; Maman dit que c'est comme ça et que je devrais être content. Je vois pas pourquoi on peut pas au moins y retourner juste pour dormir. Je me demande si on doit rester dans la partie clinique du monde ou si on pourra aller dans les autres, comme la maison avec le hamac, sauf que le vrai Papy, il habite en Australie et c'est trop loin. « Maman ? »

Elle gémit. « Jack, au moment où j'arrivais enfin à m'endormir…

— Ça fait longtemps qu'on est ici ?

— Seulement vingt-quatre heures. Ça semble plus long, c'est tout.

— Mais combien de temps on doit encore rester ici maintenant ? Combien de jours et de nuits ?

— En fait, je n'en sais rien. »

Pourtant Maman, elle sait toujours tout. « Dis-moi !

— Chut.

— Mais combien de temps ?

— Encore un peu, elle répond. Maintenant tais-toi, n'oublie pas qu'il y a d'autres gens à côté, tu les déranges. »

Les gens, je ne les vois pas mais ils sont quand même là, c'est ceux de la salle à manger. Dans la Chambre, je dérangeais jamais personne, juste Maman des fois, quand Dent Malade lui faisait très mal. Maman dit que ces gens sont ici à Cumberland parce qu'ils sont un peu malades dans leur tête mais pas trop. Ils arrivent pas à dormir à force d'être très inquiets des fois, ou sinon ils peuvent plus manger ou ils se lavent trop les mains ; j'aurais pas cru ça possible de trop les laver. Il y en a qui se sont cogné la tête et se connaissaient plus eux-mêmes et d'autres qui sont tristes tout le temps ou se grattent les bras avec des couteaux même, je sais pas pourquoi. Les docteurs sont pas malades, ni les infirmières, ni Pilar et les fées de ménage : ils sont là pour aider les patients. Maman et moi non plus, on est juste venus ici pour se reposer et aussi on veut pas être embêtés par les papa-razzis (c'est les vautours avec leurs appareils photo et leurs micros), vu qu'on est devenus célèbres comme les stars de rap mais pas exprès. Maman dit qu'en gros on a seulement besoin d'un peu d'aide pour remettre les choses en ordre. Mais je sais pas lesquelles.

Je cherche sous l'oreiller pour voir si Dent Malade s'est changée en sous mais non. Je crois que la Petite Souris sait pas où c'est, la Clinique.

« Maman ?

— Quoi ?

— On peut plus sortir d'ici ?

— Si, elle aboie presque. Bien sûr que si. Pourquoi, tu ne te plais pas à la clinique ?

— Mais je veux dire, est-ce qu'on est *obligés* de rester ?

— Non, non, nous sommes libres comme l'air. »

* * *

Je croyais que tous les trucs bizarres étaient arrivés hier sauf qu'il y en a plein de nouveaux aujourd'hui.

Mes cacas sont durs à pousser parce que mon ventre est pas habitué à manger autant.

On n'a pas besoin de laver nos draps dans la douche parce que les fées de ménage s'occupent aussi de ça.

Maman écrit ses devoirs dans un carnet que le docteur Clay lui a donné. Moi je pensais que le travail à la maison c'était que pour les enfants qui vont à l'école, mais Maman dit que la Clinique est la vraie maison de personne, que tous les patients finissent par rentrer chez eux.

Je déteste mon masque, j'arrive pas à respirer à travers mais Maman dit bien sûr que si.

On va prendre notre petit-déjeuner dans la salle à manger qui est une chambre juste pour manger ; les gens du monde extérieur aiment bien changer de chambre à chaque fois. Je me rappelle les bonnes manières, c'est quand on a peur de fâcher les autres. Je dis : « S'il vous plaît, vous pourriez m'avoir d'autres pancakes ?

— Qu'il est chou ! » répond la dame au tablier.

Je suis pas un chou. Maman m'explique en chuchotant que la dame m'aime bien alors je dois la laisser m'appeler comme ça.

J'essaie le sirop d'érable, il est vraiment supersucré et j'en bois toute une petite bouteille avant que Maman m'arrête. Elle explique que c'est juste pour arroser les pancakes sauf que moi je trouve ça dégoûtant.

Des gens s'approchent tout le temps d'elle avec des carafes pleines de café et elle répond non. Je mange tant plein de bacon que je perds le compte et à la fin quand je dis : « Merci, Petit Jésus », les gens me regardent avec des grands yeux ; à mon avis, ils le connaissent pas dans le Dehors.

Maman me dit que quand les patients font des choses bizarres (comme le garçon tout long avec les trucs en métal dans la figure qui s'appelle Hugo et qui se met des fois à bourdonner ou Madame Garber qui se gratte tout le temps le cou), il faut pas rire sauf dans notre tête si on peut pas s'empêcher.

Je sais jamais quand des bruits vont me faire sursauter. Très souvent, je vois pas d'où ils viennent : il y en a des minuscules comme ceux des moustiques et d'autres qui me cognent la tête. Même si tout fait plein de bruit tout le temps, Maman arrête pas de me dire de pas crier pour pas déranger les autres. Sauf que souvent quand je parle, ils m'entendent pas.

« Où sont tes chaussures ? » elle demande.

On retourne dans la salle à manger et on les trouve sous la table ; j'en vois une avec un morceau de bacon dessus alors je le mange.

« Et les microbes ! » dit Maman.

Je porte mes chaussures par les bandes en Velcro. Maman veut que je les mette aux pieds.

« Mais elles me font mal !

— Elles ne sont pas à ta taille ?

269

— Elles sont trop lourdes.

— Je sais que tu n'es pas habitué aux chaussures mais tu ne peux pas te promener en chaussettes, tu pourrais marcher sur quelque chose de coupant.

— Je le ferai pas, promis. »

Elle attend que je les mette. On est dans un couloir mais pas en haut des escaliers, la Clinique est pleine d'endroits différents. Je crois pas qu'on était déjà venus par ici, on est perdus ?

Maman regarde par une nouvelle fenêtre. « On pourrait peut-être sortir voir les arbres et les fleurs aujourd'hui ?

— Non.

— Jack…

— Je voulais dire : non merci.

— De l'air frais ! »

Moi j'aime bien l'air de la chambre numéro 7, Noreen nous y raccompagne. Par notre fenêtre on voit des voitures qui rentrent et sortent du parking, des pigeons et aussi des fois le chat.

Plus tard, on va jouer avec le docteur Clay dans une autre nouvelle chambre où il y a un tapis avec des longs poils, pas du tout comme Monsieur Tapis et ses petits zigzags. Je me demande si on lui manque et s'il est toujours à l'arrière du camion qui est en prison.

Maman montre ses devoirs au docteur Clay et ils parlent longtemps de trucs pas très intéressants comme « dépersonnalisation » et « *jamais vu*[1] ». Après, j'aide le docteur Clay à déballer son coffre à jouets : c'est le plus génial du monde. Il parle dans un téléphone portable,

---

1. En français dans le texte. (*N.d.T.*)

mais un faux : « Je suis ravi d'avoir de tes nouvelles, Jack. Je suis à la clinique. Et toi ? »

Il y a une banane en plastique, je la prends : « Moi aussi.

— Quel hasard ! Tu te plais ici ?

— J'aime bien le bacon. »

Il rit, je savais pas que j'avais encore fait une blague. « Moi aussi, j'aime ça. Un peu trop. »

C'est possible de trop aimer quelque chose ?

Au fond du coffre, je trouve des toutes petites marionnettes : un chien avec des taches, un pirate et aussi une lune et un garçon qui tire la langue ; mon préféré, c'est le chien.

« Jack, le docteur te pose une question. »

Je cligne des yeux et je regarde Maman.

« Donc qu'est-ce que tu n'aimes pas trop ici ? demande le docteur Clay.

— Les gens qui regardent.

— Hum ? »

Il dit souvent ça à la place des mots.

« Et aussi les choses soudaines.

— Les choses certaines ? Lesquelles ?

— Non, les choses soudaines, je lui explique, celles qui arrivent à toute vitesse.

— Ah oui : "Le monde est plus soudain que nous ne l'imaginons[1]."

— Hein ?

---

1. « Le monde est plus rapide que dans nos rêves » *in* Louis Mac-Neice, *Neige*, Verdier, 1996, trad. Paul Le Jéloux. (*N.d.T.*)

— Excuse-moi, je citais un poème. » Le docteur Clay sourit à Maman. « Jack, peux-tu me décrire l'endroit où tu habitais avant de venir à la clinique ? »

Comme il est jamais allé dans la Chambre, je lui parle de toutes ses parties, de ce qu'on faisait chaque jour et tout ça ; Maman raconte tout ce que j'oublie. Il a la pâte à modeler gluante de toutes les couleurs que j'avais vue dans Madame Télé et il fait des boules et des vers de terre pendant qu'on parle. Je mets mon doigt dans un peu de jaune et ça m'en met sur l'ongle ; j'aime pas l'avoir jaune.

« Tu n'as jamais reçu de pâte à modeler comme Cadeau du Dimanche ?

— Ça sèche, répond Maman. Vous n'y avez jamais pensé ? Même si on la remet scrupuleusement dans le pot, au bout d'un moment, ça devient de la semelle.

— J'imagine, dit le docteur Clay.

— C'est pour cette raison que je demandais des crayons gras et des crayons de couleur au lieu de gros feutres, des couches en tissu et… tout ce qui durait : pour ne pas avoir à en réclamer à nouveau la semaine suivante. »

Il continue à faire oui de la tête.

« Nous fabriquions de la pâte avec de la farine mais elle était toujours blanche. » Maman a une voix fâchée. « Qu'est-ce que vous croyez ? Je lui aurais donné une couleur de pâte à modeler différente chaque jour si j'avais pu. »

Le docteur Clay appelle Maman par son autre nom. « Personne n'émet le moindre jugement sur vos choix et vos stratégies.

— Noreen dit que ça marche mieux si on met autant de sel que de farine, vous le saviez ? Pas moi, comment l'aurais-je su ? Je n'ai même jamais pensé à demander des colorants alimentaires. Si seulement j'avais eu l'idée… »

Elle arrête pas de dire au docteur Clay qu'elle va bien mais là, on dirait pas. Ils parlent de « distorsions cognitives » et pendant qu'ils font un exercice de relaxation respiratoire, je m'amuse avec les marionnettes. Après, c'est fini parce qu'il doit aller jouer avec Hugo.

« Il habitait aussi dans une cabane de jardin ? » je demande.

Le docteur Clay secoue la tête.

« Qu'est-ce qui lui est arrivé ?

— À chacun son histoire. »

Quand on retourne dans notre chambre, Maman et moi on se met au lit et je prends mon Doudou-Lait. Elle sent toujours l'odeur bizarre de l'après-shampoing comme la soie, une odeur trop douce.

* * *

Même après la sieste, je suis encore fatigué. Mon nez arrête pas de couler et aussi mes yeux, on dirait qu'ils fondent en dedans. Maman dit que j'ai attrapé mon premier rhume, voilà tout.

« Mais j'avais mon masque,

— Il n'empêche, les microbes circulent vite. Tu m'auras sans doute passé ton rhume d'ici à demain. »

Je pleure. « On a pas fini de jouer ! »

Maman me prend dans ses bras.

273

« Je veux pas aller au Ciel déjà.

— Mon ange… » Maman m'avait jamais appelé comme ça. « Ce n'est pas grave si on tombe malades, les docteurs nous soigneront.

— Tout de suite.

— Quoi ?

— Je veux que le docteur Clay me soigne tout de suite.

— Euh, en fait, il ne peut pas guérir un rhume. » Maman se mange les lèvres. « D'ici quelques jours, ce sera passé, promis. Hé, tu veux apprendre à te moucher ? »

J'y arrive en quatre essais et quand je souffle tout dans le mouchoir en papier, Maman applaudit.

Noreen nous monte le déjeuner, c'est de la soupe, des bouts de viande grillée et une sorte de riz mais pas du vrai, ça s'appelle du quinoa. Pour la fin, il y a une salade de fruits ; j'essaie de les deviner tous : pomme, orange… Ceux que je reconnais pas, c'est ananas, mangue, myrtilles et aussi kiwi et pastèque ; ça fait deux justes et cinq faux, donc moins trois points. Il y a pas de banane.

Comme j'ai envie de revoir les poissons, on descend dans la partie qui s'appelle Réception. Les poissons ont des rayures. « Ils sont malades ?

— Ils m'ont l'air plutôt vifs, dit Maman. Surtout le gros qui commande aux autres, là, dans les algues.

— Non, dans leur tête. C'est des poissons zinzin ? »

Elle rit. « Je ne crois pas.

— Ils se reposent juste un peu parce qu'ils sont célèbres ?

— Ceux-là sont nés ici, à vrai dire, dans cet aquarium », dit la dame Pilar.

Je sursaute, je l'avais pas vue sortir de derrière son bureau. « Pourquoi ? »

Elle me regarde longtemps sans s'arrêter de sourire. « Euh…

— Pourquoi ils sont ici ?

— Pour qu'on les regarde, je suppose. Ils sont beaux, non ?

— Allez, viens, Jack, dit Maman. Je suis sûre que la dame a du travail. »

Dans le Dehors, le temps est très différent. Maman arrête pas de dire : « Doucement, Jack. » Et : « Attends un peu. » Ou alors : « Allez, il faut finir. » Et aussi : « Dépêche-toi, Jack. » Elle répète beaucoup *Jack*, comme ça je sais qu'elle me parle à moi et pas aux autres gens. J'arrive presque jamais à deviner l'heure ; il y a des horloges mais elles ont des doigts pointus et je connais pas leur code secret ; on a pas Madame l'Heure avec ses chiffres alors je dois demander à Maman mais à la fin elle en a assez : « Tu sais quelle heure il est, l'heure de sortir. »

J'ai pas envie mais elle arrête pas de répéter : « Essayons, rien qu'une fois. Pourquoi pas tout de suite ? »

D'abord je dois remettre mes chaussures. En plus il faut qu'on ait des vestes et des chapeaux et un truc tout collant qu'on étale sur la figure (mais sous son masque) et sur les mains : le soleil pourrait nous brûler la peau parce qu'on vient de la Chambre. Le docteur Clay et Noreen nous accompagnent mais sans les superlunettes de soleil et tout ça.

La sortie, ce n'est pas une porte, on dirait un sas de vaisseau spatial. Maman ne retrouve plus le mot alors le docteur Clay dit : « Une porte à tambour.

— Ah oui, je connais. C'est dans Madame Télé. »
J'aime bien le moment où ça tourne mais après on est
dehors, la lumière tape sur mes lunettes qui deviennent
aveugles et le vent me donne des claques dans la figure ;
il faut que je rentre dans la Clinique.

« Ce n'est rien, répète tout le temps Maman.

— J'aime pas ça. » Le tambour est bloqué, il veut pas
tourner, il me laisse coincé dehors.

« Donne-moi la main.

— Mais le vent va nous déchirer !

— Ce n'est qu'une brise », dit Maman.

La lumière n'est pas comme à la fenêtre : elle arrive de
partout et elle rentre par les côtés de mes superlunettes ;
c'était pas pareil pendant notre Grande Évasion. Ça brille
trop, c'est horrible et ça souffle trop froid. « J'ai la peau
qui pique.

— Tu es très courageux, dit Noreen. Respire bien lentement, de grandes bouffées d'air, quel grand garçon ! »

Où ça, le grand garçon ? Et je vois pas de bouffées
d'air. Il y a des taches sur mes lunettes noires, mon cœur
fait *boum-boum-boum* et le vent souffle si fort que j'entends
plus rien.

Noreen fait un truc bizarre : elle m'enlève mon masque
et elle met un autre papier sur ma figure. Je le repousse
avec mes mains toutes collantes.

« Je ne suis pas sûr que ce soit une si bonne…, dit le
docteur Clay.

— Respire dans le sac », me commande Noreen.

J'obéis, c'est chaud alors j'aspire, j'aspire plein d'air
chaud.

Maman me prend par les épaules : « Retournons à
l'intérieur. »

Dans la chambre numéro 7, je prends mon Doudou-Lait sur le lit même si j'ai encore mes chaussures et les mains qui collent. Plus tard, Mamie arrive, je reconnais sa figure maintenant. Elle a rapporté des livres de sa maison à hamac, trois sans images pour Maman qui est tout excitée et cinq pour moi, avec des images ; Mamie savait même pas que cinq était mon préféré des chiffres. Elle me raconte que ces albums étaient à Maman et à mon oncle Paul quand ils étaient petits ; je crois pas qu'elle mente mais c'est dur de penser que Maman a été petite en vrai. « Tu veux venir t'asseoir sur les genoux de Mamie pour que je te lise une histoire ?

— Non merci. »

Il y a *La chenille qui fait des trous* et *L'Arbre généreux*, et *Go, dog, go !* et aussi *Le Lorax* et *Le Conte de Pierre Lapin* ; je regarde toutes les images.

« Tout, dans les moindres détails, dit Mamie à Maman très doucement, je peux tout entendre.

— J'en doute.

— Je suis prête. »

Maman continue à secouer la tête. « À quoi bon, Maman ? C'est du passé, j'en suis sortie.

— Mais ma chérie…

— À vrai dire, j'aime autant que tu ne penses pas à tout ça chaque fois que tu me regardes, d'accord ? »

Mamie s'est remise à pleurer. « Ma douce, elle dit, la seule pensée qui me vient en te regardant, c'est alléluia ! »

Quand elle est partie, Maman me lit l'histoire du lapin qui s'appelle comme saint Pierre sauf que c'est pas lui. Il porte des habits d'autrefois et il est poursuivi par un jardinier ; je sais pas pourquoi il s'embête à chiper des légumes. C'est pas bien de chiper mais si j'étais un voleur, je prendrais des bonnes choses : des voitures et des chocolats. C'est pas une histoire supergéniale mais c'est super d'avoir plein de nouveaux livres. Dans la Chambre j'en avais cinq et maintenant cinq, ça fait dix.

En fait, ceux d'avant, je les ai plus alors je pense que j'ai juste les cinq nouveaux. Ceux de la Chambre, peut-être qu'ils sont plus à personne.

Mamie reste pas longtemps vu qu'on a une autre visite : c'est Maître Morris, notre avocat. Je savais pas qu'on en avait un, comme dans la planète tribunal où les gens crient et le juge tape avec son marteau. On le rencontre dans une chambre (mais pas en haut) avec une table et une odeur de bonbon. Ses cheveux sont très-très bouclés. Pendant qu'il parle avec Maman je m'entraîne à me moucher.

« Ce journal qui a publié votre portrait de classe de CM2, par exemple, nous aurions tout intérêt à l'attaquer pour atteinte à la vie privée, il explique. »

Votre, ça veut dire à Maman, j'arrive bien à deviner maintenant.

« Vous parlez de poursuites judiciaires ? C'est la dernière de mes préoccupations », lui répond Maman. Je lui montre mon mouchoir tout gluant et elle lève le pouce.

Maître Morris fait oui-oui-oui de la tête. « Tout ce que j'en dis, c'est que vous devez penser à votre avenir, au vôtre et à celui de l'enfant. » C'est moi, l'enfant. « Bon, dans un premier temps, la clinique ne facturera pas ses soins et j'ai créé un fonds de solidarité pour vos fans mais il est de mon devoir de vous prévenir : tôt ou tard, vous allez avoir une quantité de frais invraisemblable.

La rééducation, les thérapies plus chères les unes que les autres, le logement, le coût de votre éducation à tous les deux… »

Maman se frotte les yeux.

« Je ne veux pas vous bousculer.

— Vous avez dit… mes fans ?

— Tout à fait, dit Maître Morris. Leurs dons affluent, il en arrive à peu près un sac postal par jour.

— Un sac de quoi ?

— De tout et n'importe quoi. J'ai pris deux ou trois choses au hasard… » Il prend un grand sac en plastique posé derrière sa chaise et il sort des paquets.

« Vous les avez ouvertes, dit Maman en regardant ce qu'il y a dans les enveloppes.

— Croyez-moi, quelqu'un devrait faire le tri pour vous. Nous avons trouvé des D-É-F-É-C-A-T-I-O-N-S et ce n'est que le début…

— Pourquoi on nous a envoyé du caca ? » je demande à Maman.

Maître Morris ouvre des grands yeux.

« L'alphabet n'a aucun secret pour lui, explique Maman.

— Ah, tu veux savoir pourquoi, Jack ? C'est qu'il y a beaucoup de cinglés là-dehors. »

Moi je croyais que les gens zinzin étaient ici, à la Clinique, pour qu'on les aide.

« Mais la plupart des dons proviennent de personnes bien intentionnées, dit Maître Morris. Il y a des chocolats, des jouets, ce genre de choses… »

Des chocolats !

« J'ai décidé de commencer par les fleurs, elles donnent la migraine à ma secrétaire. » Il sort plein de fleurs enfermées dans du plastique invisible, c'était ça, l'odeur sucrée.

« Ils sont où, les jouets ? je chuchote.

— Regarde, en voilà un, dit Maman qui le sort d'une enveloppe. C'est un petit train en bois. Ne me l'arrache pas des mains.

— Pardon. » Je lui fais faire *tchou-tchou* sur toute la table, descendre sur son pied et après sur le sol jusqu'au mur (il est bleu dans cette chambre). « Votre histoire suscite un vif intérêt dans les médias, continue Maître Morris, vous pourriez envisager d'écrire un livre d'ici quelques mois… »

La bouche de Maman a l'air fâchée. « Vous pensez que nous devrions vendre notre histoire avant que quelqu'un d'autre ne le fasse ?

— Je ne dirais pas cela. J'imagine que vous avez beaucoup de choses à nous enseigner. À commencer par la frugalité dans laquelle vous avez vécu, c'est tout à fait dans l'air du temps. »

Maman éclate de rire.

Maître Morris lève les deux mains. « Mais c'est à vous d'en décider, bien sûr. Chaque chose en son temps. »

Elle lit certaines des lettres : « *Incroyable petit Jack, profite de chaque instant car tu l'as bien mérité toi qui es littéralement revenu de l'enfer !*

— Qui a dit ça ? » je demande.

Elle retourne la page. « On ne la connaît pas.

— Alors pourquoi elle a écrit que j'étais incroyable ?

— Elle a simplement entendu parler de toi à la télé. »

Je regarde dans les enveloppes les plus gonflées pour voir s'il y a d'autres trains.

« Tiens, ils ont l'air bons, ceux-ci, dit Maman et elle me montre une boîte de chocolats.

— Encore des autres ! » Je rapporte une vraiment grosse boîte.

« Non, il y en a trop, ça nous rendrait malades. »

J'ai déjà le rhume alors je m'en fiche.

« Ceux-là, nous allons en faire don à quelqu'un, décide Maman.

— À qui ?

— Aux infirmières peut-être.

— Les jouets, je peux les faire réacheminer vers un hôpital pour enfants, dit Maître Morris.

— Excellente idée ! répond Maman ; Jack, choisis ceux que tu veux garder.

— Combien ?

— Autant que tu veux. » Elle lit une autre lettre : « *Dieu vous bénisse, vous et votre adorable fils, quelle âme sainte ! Je prie pour que vous découvriez toutes les belles choses que ce monde a à vous offrir, pour que tous vos rêves se réalisent et que votre chemin dans cette vie soit pavé d'or et de félicité.* » Elle la pose sur la table.

« Où vais-je trouver le temps de répondre à tous ces gens ? »

Maître Morris secoue la tête. « Cette ordu… appelons-le l'accusé, vous a déjà volé les sept plus belles années de votre vie. Personnellement, je n'en perdrais pas une seconde de plus.

— Les sept plus belles années de ma vie ? Mais qu'est-ce que vous en savez ? »

Il hausse les épaules. « Je voulais simplement dire… vous aviez dix-neuf ans, c'est ça ? »

Il y a un truc supergénial, une voiture avec des roues qui font *whizzzzz*, et un sifflet en forme de cochon, je souffle dedans.

« Wouaouh ! Ça en fait, du bruit, dit Maître Morris.

— Ça nous casse les oreilles. »

J'essaie encore une fois.

« Jack… »

Je repose le sifflet. Je trouve un crocodile en velours aussi grand que ma jambe, un hochet avec une clochette dedans, une figure de clown qui fait *Ah, ah, ah, ah !* quand j'appuie sur son nez.

« Pas ça non plus, ça me donne la chair de poule », dit Maman.

Je chuchote au revoir au clown et je le range dans son enveloppe. Il y a une sorte de stylo accroché à un carré où je peux dessiner sauf que c'est en plastique tout dur, pas en papier ; et aussi, dans une boîte, des petits singes qui s'accrochent par leurs bras et leurs queues tout bouclés pour faire des chaînes de singes. Je trouve un camion de pompiers et un nounours avec une casquette qui s'enlève même pas quand je tire fort. Sur l'étiquette on voit une figure de bébé avec une ligne par-dessus et « 0-3 » : peut-être que ça tue les bébés en trois secondes ?

« Voyons, Jack, dit Maman, tu n'as pas besoin de tout ça.

— Alors combien ?

— Je ne sais pas…

— Je vais vous demander de signer ici, là et là », lui explique Maître Morris.

Je me mordille le doigt sous mon masque. Maman me dit plus jamais d'arrêter.

« Combien ? »

Elle lève les yeux des papiers où elle écrit. « Choisis, euh, prends-en cinq. »

Je compte : la voiture, plus les singes, plus le carré à dessiner, plus le train en bois, plus le sifflet, plus le crocodile ; ça fait six, pas cinq, mais Maman et Maître Morris sont toujours en train de parler, parler… Je trouve une grande enveloppe vide et je les cache tous les six dedans.

« Bien, dit Maman qui jette tous les autres paquets dans le gros sac.

— Attends ! Je pourrais écrire sur le sac, et si je mettais "Cadeaux de la part de Jack pour les enfants malades" ?

— Maître Morris s'en chargera.

— Mais… »

Maman souffle. « Avec tout ce qu'on a à faire, si on ne laisse pas les autres s'en occuper, ma tête va exploser. »

Pourquoi sa tête va exploser si j'écris sur le sac ?

Je reprends mon train et je le mets sous mon T-shirt : c'est mon bébé, quand il sort de mon ventre, je lui fais des bisous partout.

« D'ici au mois de janvier, peut-être ; le procès ne s'ouvrira pas avant octobre, au plus tôt », explique Maître Morris.

Je me rappelle le procès des tartes, quand Pierre le Lézard est obligé d'écrire avec son doigt. Alice renverse le banc des jurés et après elle remet le Lézard la tête en bas sans faire exprès, ah ah !

« Mais combien de temps restera-t-il en prison ? » demande Maman.

Elle parle de lui, de Grand Méchant Nick.

« Eh bien, le procureur m'a dit qu'elle espère entre vingt-cinq ans et la perpétuité, et pour les crimes fédéraux, il n'y a pas de liberté conditionnelle, répond Maître

Morris. Comme chefs d'accusation, nous avons l'enlèvement, la séquestration, les viols répétés, les coups et blessures… » Il compte sur ses doigts, pas dans sa tête !

Maman fait oui-oui. « Et pour le bébé ?

— Jack ?

— Le premier. Ça ne compte pas pour un meurtre, en quelque sorte ? »

Je l'ai jamais entendue, cette histoire.

Maître Morris tord sa bouche. « Pas s'il était mort-né.

— Elle », corrige Maman.

Je sais pas qui c'est, *elle*.

« *Elle*, excusez-moi, dit Maître Morris. Dans le meilleur des cas, nous pourrions plaider la négligence criminelle voire la non-assistance à personne en danger… »

Ils essaient de chasser Alice du Tribunal parce qu'elle fait plus d'un kilomètre de haut. Il y a un poème difficile à comprendre :

S'il advient qu'elle ou moi nous soyons par hasard
Très compromis par ce procès,
Vous les libérerez, pense-t-il, sans retard,
Tout comme on nous a libérés[1].

Noreen est là sauf que je l'avais pas vue arriver ; elle demande si on veut dîner seuls ou dans la salle à manger.

J'emmène tous mes jouets dans la grosse enveloppe. Maman sait pas qu'il y en a six et pas cinq. Certains patients nous font coucou quand on arrive et je leur réponds ; par exemple, je fais un signe de la main à la

1. Lewis Carroll, *Les Aventures d'Alice au pays des merveilles*, Gallimard, 1994, trad. Jacques Papy. (*N.d.T.*)

fille qui a zéro cheveu et plein de tatouages sur le cou. Les gens, ça me dérange pas trop tant qu'ils me touchent pas.

La dame au tablier a entendu dire que j'étais sorti, mais je lui ai jamais raconté. « Tu as dû trouver ça fantastique.

— Non, je réponds. Euh, pardon : non merci. »

J'apprends beaucoup d'autres bonnes manières. Si un truc est dégoûtant (comme le riz sauvage qui est aussi dur à croquer que du pas cuit), on dit que c'est intéressant. Quand je me mouche, je plie le mouchoir pour laisser personne voir le gluant qui est top secret. Si je veux que Maman m'écoute moi et pas les autres, je dis « Pardon », sauf que parfois je répète « Pardon » pendant si longtemps que quand elle répond, j'ai oublié ce que je voulais dire.

Maintenant qu'on est en pyjama avec nos masques enlevés pour prendre Doudou-Lait sur le lit, je me rappelle et je demande : « C'est qui, le premier bébé ? »

Maman me regarde.

« Tu as dit à Maître Morris que c'était *elle* et ça faisait un meurtre. »

Elle secoue la tête. « Je voulais dire qu'elle a été victime d'un meurtre, en quelque sorte. » Sa figure est tournée de l'autre côté.

« C'est moi qui l'avais tuée ?

— Non ! Tu n'y es pour rien, c'était un an avant ta naissance, répond Maman. Je t'ai toujours raconté que la première fois où tu es né, sur Monsieur Lit, tu étais une fille. Tu te rappelles ?

— Oui.

— Eh bien, je parlais d'elle. »

Je comprends encore moins.

« Je crois qu'elle essayait d'être toi. Mais le cordon… » Maman met sa figure dans ses mains.

« Le cordon du store ? » Je le regarde, c'est tout noir entre les bandes.

« Non, non, tu te rappelles le cordon qui part du nombril ?

— Tu l'avais découpé avec les ciseaux et après j'étais libre. »

Maman fait oui de la tête. « Mais pour l'autre bébé, la fille, il s'est emmêlé pendant qu'elle sortait de mon ventre et elle n'arrivait plus à respirer.

— J'aime pas cette histoire. »

Elle appuie sur ses sourcils.

« Laisse-moi finir.

— J'aime pas…

— Il était là, dans la Chambre, il regardait. » Maman crie presque. « Il ignorait tout de l'accouchement, il ne s'était même pas donné la peine de chercher sur Google ! Je sentais le crâne du bébé, tout glissant, je poussais, je poussais et je hurlais : "Au secours, je n'y arrive pas, aide-moi…" mais lui, il est juste resté planté là. »

J'attends. « Elle est restée dans ton ventre, la bébé fille ? »

Maman ne dit rien pendant une minute. « Elle est sortie toute bleue. »

Bleue ?

« Elle n'a jamais ouvert les yeux.

— Tu aurais dû demander des médicaments comme Cadeau du Dimanche pour la soigner. »

Maman secoue la tête. « Le cordon était tout enroulé autour de son cou.

— Elle était encore attachée à ton ventre ?

— Jusqu'à ce qu'il coupe le cordon.

— Et après, elle était libre ? »

Il y a plein de larmes sur la couverture. Maman fait oui-oui et pleure mais sans le son.

« Elle est finie, l'histoire ?

— Presque. » Ses yeux sont fermés mais ça coule encore sur ses joues. « Il l'a emportée pour l'enterrer sous un buisson, dans le jardin. Enfin, son corps. »

Oui, tout bleu.

« Elle, elle est retournée directement au Ciel.

— Elle a été recyclée ? »

Maman sourit presque. « J'aime bien cette idée.

— Pourquoi ?

— Peut-être que c'était vraiment toi et qu'un an plus tard, tu as réessayé de venir au monde sous la forme d'un garçon.

— C'était moi pour de vrai cette fois. Je suis pas reparti.

— Jamais de la vie ! » Les larmes recommencent à couler, elle les essuie. « Je ne l'ai pas laissé entrer dans la Chambre, ce jour-là.

— Pourquoi ?

— Quand j'ai entendu Madame Porte faire son *bip-bip*, j'ai hurlé : "Sors d'ici !" »

Je parie que ça l'a mis très en colère.

« J'étais prête, cette fois-ci, je voulais qu'on reste entre nous.

— J'étais de quelle couleur ?

— Rose vif.

— J'ai ouvert les yeux ?

— Tu es né les yeux ouverts. »

287

Je pousse le plus énorme bâillement du monde. « On peut dormir maintenant ?

— Bien sûr », répond Maman.

* * *

Pendant la nuit, *boum* je tombe par terre. Mon nez coule beaucoup mais je sais pas me moucher dans le noir.

« Ce lit est trop petit pour nous deux, dit Maman quand c'est le matin. Tu serais mieux dans l'autre.

— Non.

— Et si nous prenions le matelas pour le mettre juste là, à côté de mon lit ? Nous pourrions même nous tenir la main ? »

Je secoue la tête.

« Aide-moi à trouver une solution, Jack.

— On n'a qu'à rester tous les deux dans le même en serrant les coudes. »

Maman se mouche fort : je crois que mon rhume a sauté dans son nez, sauf que je l'ai toujours.

On fait un marché : je rentre dans la douche avec elle mais je penche ma tête dehors. Le pansement est tombé de mon doigt, je le retrouve plus. Quand Maman me coiffe, les nœuds font mal. On a une brosse à cheveux, deux brosses à dents et tous nos habits neufs plus le petit train en bois et les autres jouets ; comme Maman a toujours pas compté, elle sait pas que j'en ai pris six à la place de cinq. Je sais pas où les choses se rangent, il y en a qui vont sur la commode, d'autres sur la table à côté du lit et d'autres dans l'armoire. Je suis tout le temps obligé de demander à Maman où elle les a mis.

Elle lit un de ses livres sans images mais je lui rapporte ceux qui en ont. *La chenille qui fait des trous* est une sacré gaspilleuse, elle grignote juste des tunnels dans les fraises, les salamis et tout mais elle finit même pas ! Je peux mettre mon doigt en vrai dans les trous, je croyais que quelqu'un avait creusé le livre mais Maman dit que c'est fait exprès pour amuser les enfants. J'aime mieux *Go, dog, go*, surtout quand ils se battent avec des raquettes de tennis.

Noreen toque à la porte avec des supersurprises : la première, c'est des chaussures toutes ramollos qui s'étirent, comme des chaussettes mais en cuir ; la deuxième, c'est une montre rien qu'avec des chiffres que j'arrive à lire comme Madame l'Heure. « Il est neuf heures cinquante-sept », je dis. Elle est trop petite pour Maman, c'est juste pour moi, Noreen m'apprend à attacher le bracelet à mon poignet.

« Des cadeaux tous les jours, il ne faut pas trop le gâter, dit Maman qui remonte encore son masque pour se moucher.

— Le docteur Clay dit que tout est bon pour l'aider à mieux maîtriser ce qui se passe », répond Noreen. Quand elle sourit, ses yeux se plissent. « Vous aimeriez bien rentrer chez vous, pas vrai ?

— Chez nous ? » Maman la regarde avec des grands yeux.

« Pardon, je ne voulais pas…

— Ce n'était pas *chez nous* mais une cellule insonorisée.

— Excusez-moi, je me suis mal exprimée », dit Noreen.

Elle se dépêche de partir. Maman ne parle plus, elle écrit dans son carnet.

Si la Chambre, c'était pas chez nous, ça veut dire qu'on a pas de maison ?

Ce matin, je donne une tape dans la main du docteur Clay, il est tout content.

« Ça paraît un peu ridicule de porter ces masques alors que nous avons déjà un gros rhume, non ? dit Maman.

— Eh bien, répond le docteur, il y a d'autres microbes, plus dangereux.

— De toute façon on est obligés de les enlever pour se moucher… »

Il hausse les épaules. « Au bout du compte, c'est à vous de voir.

— Finis les masques, Jack, me dit Maman.

— *Youpi !* »

On les met à la poubelle.

Les crayons du docteur Clay habitent dans une boîte spéciale avec un 120 dessus pour dire combien de couleurs différentes il y a dedans. Ils ont des noms incroyables écrits en petit sur le côté, comme Mandarine Atomique, Fuzzy Wuzzy et Chenille Arpenteuse, et aussi Bleu Spatial (je savais pas que l'espace avait une couleur), Montagnes Pourpres et Razzmatazz, Jaune Pas-Miel, Bleu Outre-Ciel. Certains sont écrits exprès avec des fautes pour de rire, comme Mauveilleux (pas très drôle, je trouve). Le docteur Clay dit que je peux tous les utiliser mais je choisis les cinq qui colorient comme ceux de la Chambre : un bleu et un vert et un orange et un rouge et un marron. Il me demande si je peux dessiner la Chambre sauf que je suis déjà en train de faire un vaisseau spatial avec le marron. Il y a même un crayon blanc, ça ferait invisible, non ?

« Et si le papier était noir, dit le docteur Clay, ou rouge ? » Il me trouve une page noire pour essayer et il a raison : je vois le blanc dessus. « Qu'est-ce que c'est, ce carré tout autour du vaisseau ?

— Des murs », je lui explique. On me voit en bébé fille, je fais au revoir ; il y a aussi le Petit Jésus et saint Jean-Baptiste, tout nus, parce que la figure dorée du bon Dieu fait briller le soleil.

« C'est ta maman, là ?

— Oui, elle est en bas, elle fait la sieste. »

La vraie Maman rit un peu et se mouche. Moi aussi vu que ça m'a rappelé mon nez qui coule.

« Et celui que tu appelles Grand Méchant Nick, où est-il ?

— Bon, il a qu'à rester au coin dans sa cage. » Je le dessine et aussi des supergros barreaux qu'il essaie de mordre. Il y en a dix, c'est le chiffre le plus fort : même un ange pourrait pas les brûler avec sa lampe à souder, et de toute façon Maman dit qu'un ange allumerait pas sa lampe à souder pour un méchant. Je montre au docteur Clay comment je compte jusqu'à 1 000 029 et même plus haut si je voulais.

« Je connais un petit garçon qui recompte tout le temps les mêmes choses quand il se sent nerveux, il n'arrive plus à s'arrêter.

— Quelles choses ? je demande.

— Les lignes sur le trottoir, les boutons, par exemple. »

Je pense qu'il ferait mieux de compter ses dents : on les a toujours, sauf si elles tombent.

« Vous n'arrêtez pas de parler de l'angoisse liée à la séparation, dit Maman au docteur Clay, mais Jack et moi n'allons pas être séparés.

— En tout cas vous n'êtes plus seuls l'un avec l'autre. »

Elle se mordille les lèvres. Ils parlent de « réinsertion sociale » et d'« autoculpabilisation ».

« Vous l'avez sorti très tôt de cette réclusion, c'est ce qu'il y avait de mieux à faire, explique le docteur Clay. À cinq ans, ils sont encore très plastiques. »

Mais je suis pas en plastique, je suis un vrai petit garçon !

« Sans doute assez jeune pour oublier, continue le docteur, une chance pour lui. »

J'ai encore envie de jouer avec la marionnette-garçon qui tire la langue mais maintenant le docteur Clay doit aller jouer avec Madame Garber. Il dit que je peux garder la marionnette jusqu'à demain mais qu'elle lui appartient toujours.

« Pourquoi ?

— Ma foi, il faut bien que les choses appartiennent à quelqu'un. »

Comme mes six nouveaux jouets et mes cinq nouveaux livres ; Dent Malade aussi, je crois, parce que Maman la voulait plus.

« Sauf celles qui sont à tout le monde, explique le docteur Clay, comme les fleuves et les montagnes.

— Et la rue ?

— Exact, nous avons tous le droit de marcher dans la rue.

— J'ai couru dessus.

— Quand tu t'es sauvé, oui.

— Parce que nous, on lui appartenait pas.

— Tout à fait. » Le docteur Clay sourit. « Tu sais à qui tu appartiens, Jack ?

— Oui.

— À toi-même. »

Sauf qu'il a tout faux : j'appartiens à Maman.

À la Clinique, on trouve tout le temps de nouveaux endroits, comme une chambre avec une géantesque télé.

Je fais des bonds parce que j'espère qu'il y aura Dora ou Bob l'Éponge (je les ai pas revus de très-très longtemps) mais c'est juste du golf ; trois personnes à qui je connais pas les noms sont en train de regarder.

Dans le couloir, je me rappelle et je demande : « Pourquoi j'ai de la chance ?

— Hein ?

— Le docteur Clay a dit que j'étais en plastique et que j'allais oublier.

— Ah, dit Maman. Il pense que bientôt tu ne te rappelleras plus la Chambre.

— Mais si. » Je la regarde avec des grands yeux. « Je devrais l'oublier ?

— Je n'en sais rien. »

Elle arrête pas de dire ça en ce moment. Elle est déjà partie, elle est près de l'escalier et je suis obligé de courir pour la rattraper.

Après le déjeuner, Maman dit qu'il faut tenter une deuxième sortie. « Si c'est pour rester tout le temps à l'intérieur, ce n'était pas la peine d'organiser notre Grande Évasion. » Elle a l'air grincheuse, elle fait déjà ses lacets.

Quand j'ai mon chapeau et mes lunettes de soleil et mes chaussures plus le truc qui colle sur la figure, je suis fatigué.

Noreen nous attend près du réservoir à poissons.

Maman me laisse tourner cinq fois dans la porte. À la fin, elle la pousse et on est dehors.

Il y a trop de lumière : je crois que je vais crier. Après, mes lunettes deviennent plus sombres et j'y vois rien. L'air sent bizarre dans mon nez enrhumé et mon cou est tout crispé.

« Fais comme si tu regardais tout ça à la télé, me dit Noreen à l'oreille.

— Hein ?

— Essaie, juste pour voir. » Elle prend une voix spéciale : « "Voici un garçon prénommé Jack qui se promène avec sa maman et leur amie Noreen." »

Je regarde les images.

« Qu'est-ce qu'il a sur son nez ? demande Noreen.

— Des superlunettes de soleil rouges.

— Exactement. "Regardez, ils traversent un parking par un bel après-midi d'avril." »

Il y a quatre voitures : une rouge, une verte, une noire et une marron doré. « Terre de Sienne brûlée », c'est le nom du crayon. Derrière leurs fenêtres, ça ressemble à des petites maisons avec des sièges. La rouge a un nounours accroché à son miroir. Je caresse le museau de la voiture, il est tout lisse et froid comme un glaçon.

« Attention, dit Maman, tu pourrais déclencher l'alarme. »

Je savais pas, je remets mes mains sous mes coudes.

« Allons sur l'herbe. » Elle me tire un peu.

J'aplatis des tiges vertes et pointues sous mes chaussures. Je me baisse pour les toucher : ça coupe même pas. Mon bout de doigt que Raja voulait manger a presque repoussé. Je regarde encore l'herbe, je vois une brindille, une feuille marron et aussi un truc jaune.

L'air gronde : je regarde en haut, le ciel est si grand qu'il me renverse presque par terre. « Maman, encore un avion !

— Et ce trait blanc, c'est une traînée de condensation, dit Maman qui la montre du doigt. Ça m'est revenu à l'instant. »

Je marche sur une fleur sans faire exprès, il y en a des centaines (pas juste un bouquet comme les dingos nous envoient dans des lettres) qui poussent tout droit par terre comme mes cheveux sur ma tête. « Des jonquilles, dit Maman en les montrant du doigt : des magnolias, des tulipes, du lilas. Et celles-ci, ce sont des fleurs de pommier ! » Elle sent tout, elle approche mon nez d'une fleur mais c'est trop sucré ça me donne le tournis. Maman choisit un lilas et me le donne.

De près, les arbres sont des gigagéants ; ils ont une peau mais en plus râpeux quand on les caresse. Je trouve un truc presque triangulaire à la taille de mon nez, Noreen dit que c'est une pierre.

« Elle a plusieurs millions d'années », dit Maman.

Comment elle le sait ? Quand je retourne le caillou pour voir, il y a pas d'étiquette.

« Hé, regarde ! » Maman se met à genoux.

C'est un truc qui rampe. Une fourmi. « Non ! » je crie, et je pose mes mains autour pour faire une armure.

« Qu'y a-t-il ? demande Noreen.

— S'il te plaît, s'il te plaît, s'il te plaît, je dis à Maman, pas celle-là.

— Ne t'inquiète donc pas, répond Maman, je ne vais pas l'écraser.

— Promets-le.

— C'est promis. »

Quand j'enlève mes mains, la fourmi est partie et je pleure.

Sauf qu'après Noreen en trouve une autre et encore une autre : elles sont deux à porter un truc dix fois plus gros que leur taille.

Une autre chose tombe du ciel en tourbillon et atterrit devant moi, je fais un bond en arrière.

« Hé ! Une samare d'érable, dit Maman.

— Pourquoi ?

— C'est la graine de cet érable dans un petit… comme une paire d'ailes qui l'aident à aller très loin. »

Elle est si fine que j'arrive à voir à travers ses petites lignes sèches, c'est marron plus épais au milieu. Il y a un tout petit trou. Maman la lance en l'air et elle redescend en tourbillon.

Je lui en montre une qui a un problème. « Il n'y en a qu'une seule, elle a perdu son autre aile. »

Quand je la lance elle vole très bien, je la mets dans ma poche.

Mais le truc le plus génial, c'est quand on entend vrombir l'air tout fort et que je vois un hélicoptère dans le ciel : il est beaucoup plus gros que l'avion…

« Allez, on te ramène à l'intérieur », dit Noreen.

Maman me prend la main et tire fort.

« Attendez… », je dis, mais j'arrive plus à respirer, j'ai le nez qui coule et elles m'emmènent par les deux mains.

Quand on saute dans la porte à tambour, j'ai la tête tout embrouillée. En fait, l'hélicoptère était plein de paparazzis qui voulaient nous voler en photo, Maman et moi.

***

Après la sieste, mon rhume n'est encore pas guéri. Je joue avec mes trésors, ma pierre, ma samare blessée et mon lilas qui s'est ramolli. Mamie toque à la porte avec des nouvelles visites mais elle reste dehors pour qu'il y ait pas trop de gens. Il y a deux personnes qui s'appellent Oncle Paul (il a des cheveux qui lui dégoulinent jusqu'aux oreilles) et Deana qui est ma tante avec des lunettes en rectangles et un million de tresses noires, on dirait des serpents. « Nous avons une petite fille, son prénom c'est Bronwyn ; elle sera toute folle à l'idée de te rencontrer, me dit Deana. Elle ne se doutait même pas qu'elle avait un cousin, enfin, aucun de nous ne savait que tu existais jusqu'à avant-hier, quand ta grand-mère a appelé pour nous annoncer la nouvelle.

— On aurait sauté dans notre voiture mais les docteurs ont dit… » Paul s'arrête de parler, il met son poing dans son œil.

« Ça va aller, mon chéri », dit Deana en lui frottant la jambe.

Il se racle la gorge très fort. « Ça m'a fichu un coup, j'arrive pas à m'en remettre. »

Je vois rien qui l'a frappé, moi.

Maman lui passe le bras autour de l'épaule. « Pendant toutes ces années, il se demandait si sa petite sœur était morte, elle m'explique.

— Bronwyn ? je demande (sans le son, mais elle entend quand même).

— Non, moi. Paul est mon frère, tu te rappelles ?

— Oui, je sais.

— Je ne savais pas quoi… » Sa voix se coupe encore, il se mouche. Ça fait beaucoup plus de bruit que moi, un bruit d'éléphant.

« Mais où est Bronwyn ? demande Maman.

— Eh bien, dit Deana, nous pensions… » Elle regarde Paul.

« Vous pourrez la rencontrer une prochaine fois, Jack et toi, il répond. Elle va au club des Grenouilles.

— Qu'est-ce que c'est ? je demande.

— Un endroit où les parents mettent leurs enfants quand ils sont occupés, explique Maman.

— Pourquoi ils sont occupés, les enfants… ?

— Non, quand les parents sont occupés.

— En fait, Bronwyn adore le club, raconte Deana.

— Elle apprend la langue des signes et le hip-hop », dit Paul.

Il veut faire des photos pour les envoyer par e-mail à Papy d'Australie qui va prendre l'avion demain. « Ne t'inquiète pas, il l'acceptera dès qu'il l'aura rencontré », dit Paul à Maman ; je sais pas qui c'est, tous ces *il*. En plus, je sais pas comment aller dans les photos mais Maman dit qu'on a qu'à regarder l'appareil comme si c'était un ami et sourire.

Après, Paul me montre le petit écran et il me demande laquelle je trouve mieux (la première, la deuxième ou la troisième ?), sauf qu'elles sont pareilles.

Mes oreilles sont fatiguées à force d'entendre tous ces mots.

Ils sont partis ; moi je croyais qu'on se retrouverait juste nous deux mais Mamie entre. Elle serre Maman longtemps dans ses bras et elle me souffle encore un bisou de pas très loin pour que je sente la caresse. « Comment va mon petit-fils préféré ?

— C'est de toi qu'elle parle, m'explique Maman. Qu'est-ce que tu dois dire quand on te demande comment tu vas ? »

Encore des bonnes manières. « Merci. »

Elles se mettent à rire toutes les deux : encore une blague que j'ai pas faite exprès. « D'abord "Très bien" et puis "Merci", corrige Mamie.

— Très bien et merci.

— Sauf si tu ne vas pas bien, évidemment ; dans ce cas, on peut répondre : "Pas en superforme aujourd'hui." » Elle se retourne vers Maman. « Eh, au fait, Sharon, Michael Keelor et Joyce je-ne-sais-plus-comment… ils m'ont tous téléphoné. »

Maman fait oui de la tête.

« Ils meurent d'impatience de fêter ton retour.

— Je… Les docteurs pensent que je ne suis pas encore prête, dit Maman.

— Oui, bien sûr. »

Le monsieur Leo est à la porte.

« Il peut entrer une minute ? demande Mamie.

— Ça m'est égal », répond Maman.

Comme c'est mon grand-beau-père, Mamie dit que je pourrais peut-être l'appeler Beau-Papy ; j'aurais pas cru qu'elle savait faire des salades de mots. Il sent une odeur de fumée bizarre, ses dents sont de travers et ses sourcils partent dans tous les sens.

« Pourquoi il a tous ses cheveux sur la figure et pas sur la tête ? »

Ça le fait rire même si je l'ai chuchoté à Maman.

— On s'est rencontrés à un week-end "Massages indiens pour le cuir chevelu", raconte Mamie. Je l'ai choisi en me disant qu'il offrait la surface de travail la plus lisse. » Ils rient tous les deux mais pas Maman.

« Je peux avoir mon Doudou-Lait ? je demande.

— Dans une minute, dit Maman, quand ils seront partis.

— Qu'est-ce qu'il veut ? demande Mamie.

— Rien.

— Je peux appeler l'infirmière. »

Maman secoue la tête, « Il demandait à téter. »

Mamie ouvre des grands yeux. « Tu ne veux pas dire que tu lui donnes toujours…

— Il n'y avait aucune raison d'arrêter.

— Oui, enfermés dans cette chambre, je suppose que tout était… mais tout de même, à cinq ans…

— Tu ne peux même pas imaginer quel enfer c'était. »

La bouche de Mamie est toute tordue vers le bas. « Ce n'est pas faute de t'avoir posé des questions.

— Maman… »

Beau-Papy se lève. « Nous devrions les laisser se reposer.

— Je suppose que oui, dit Mamie. Bon, au revoir, à demain… »

Maman me relit *L'Arbre généreux* et *Le Lorax* mais pas fort parce qu'elle a mal à la gorge et aussi à la tête. Je prends plein de Doudou-Lait à la place du dîner et Maman s'endort au milieu. J'aime bien regarder sa figure quand elle le sait même pas.

Je trouve un journal plié, c'est les visiteurs qui ont dû le rapporter. Sur le devant, il y a la photo d'un pont cassé en deux, je me demande si c'est en vrai, Sur la page d'après, c'est une photo de moi et Maman avec la police le jour où Maman me portait juste avant qu'on entre au poste. Ça dit NOUVEL ESPOIR POUR L'ENFANT-BONSAÏ. Il me faut du temps pour comprendre tous les mots.

« Pour le personnel de la très sélecte clinique Cumberland, Jack est un «vrai petit miracle» ; ils se sont déjà pris d'une immense affection pour ce héros haut comme trois pommes qui a découvert un monde tout neuf dans la nuit de samedi dernier. Ce fascinant Petit Prince aux cheveux longs est le produit de viols en série : ceux perpétrés sur sa jeune et belle maman par l'Ogre qui la retenait dans sa cabane de jardin. Spectaculaire, la capture de ce dernier, acculé par les policiers de l'État, a eu lieu dimanche à deux heures du matin. Jack trouve tout "très bien" et adore les œufs de Pâques mais il monte et descend encore les escaliers à quatre pattes comme un singe. Les cinq années de son existence, il les a passées cloîtré dans un donjon moisissant dont les murs étaient calfeutrés à l'aide de panneaux en liège ; les experts ne peuvent pas encore se prononcer sur le genre ou le degré de retard qui affectera son développement à long terme... »

Maman est réveillée, elle me prend le journal des mains. « Et si on lisait ton *Pierre Lapin* ?

— Mais c'est moi, l'enfant-bonsaï !

— Bon quoi ? » Elle regarde encore une fois le journal, après elle repousse ses cheveux en arrière en gémissant.

« C'est quoi, un bonsaï ?

— Un petit arbre miniature. Les gens les gardent à l'intérieur, dans des pots et les taillent tous les jours pour qu'ils restent minuscules. »

Je repense à Madame Plante. On lui avait jamais rien découpé, on l'a laissée grandir tant qu'elle voulait, n'empêche qu'elle est morte. « Je suis pas un arbre, je suis un garçon.

— C'est juste une façon de parler. » Elle écrase le journal et le jette à la poubelle.

« Ils disent que j'habitais dans un donjon, mais c'est pour les fantômes.

— Les gens des journaux comprennent beaucoup de choses de travers. »

Les gens des journaux, ça me fait penser à ceux d'*Alice* qui sont des cartes à jouer. « Ils ont écrit que tu es belle. »

Maman rit.

C'est vrai qu'elle est belle. Même si j'ai vu plein de figures en vrai, c'est la sienne la plus toute belle de toutes.

Je dois encore me moucher, la peau de mon nez devient rouge, ça fait mal. Maman prend ses a-mal-gésiques mais elle a toujours mal à la tête. Moi je croyais qu'elle aurait plus jamais mal dans le Dehors. Je lui caresse les cheveux dans le noir. Il ne fait pas vraiment nuit dans la chambre numéro 7, la figure en argent du bon Dieu brille par la fenêtre et Maman avait raison : elle est pas ronde du tout, elle a deux cornes.

* * *

Pendant la nuit il y a des microbes vampires qui flottent dans l'air avec des masques pour cacher leurs figures et un cercueil vide qui se transforme en W-C géants qui engloutissent tout.

« Chut, chut, ce n'est qu'un cauchemar », dit Maman.

Après, Ajeet est très fâché et il met le caca de Raja dans un paquet pour nous l'envoyer en courrier parce que j'ai gardé six jouets ; quelqu'un me casse les os et enfonce des épingles dedans.

Je me réveille en pleurant alors Maman me laisse prendre mon Doudou-Lait très longtemps ; c'est le droit mais il est assez crémeux.

« J'ai choisi six jouets, pas cinq, je lui dis.

— Quoi ?

— Les joujoux envoyés pas les fans dingos, j'en ai gardé six.

— Ce n'est pas grave.

— Si, j'ai pris le sixième, je l'ai pas envoyé aux enfants malades.

— Ils étaient pour toi, c'étaient tes cadeaux.

— Alors pourquoi je devais en choisir que cinq ?

— Tu peux en avoir autant que tu veux. Rendors-toi. »

J'y arrive pas. « Quelqu'un a fermé mon nez.

— C'est simplement qu'il est de plus en plus bouché, ça veut dire que tu seras bientôt guéri.

— Mais je ne peux pas guérir si je peux plus respirer.

— Voilà pourquoi Dieu t'a donné une bouche. C'est le Plan B », explique Maman.

* * *

Quand la lumière commence à revenir, on compte nos amis du monde de Dehors : Noreen, le docteur Clay et le docteur Kendrick et Pilar, plus la dame au tablier (je sais pas son nom) et aussi Ajeet et Naisha.

« Qui est-ce ? demande Maman.

— Le monsieur et le bébé avec le chien, ceux qui avaient appelé la police, je lui raconte.

« — Ah oui.

— Sauf qu'à mon avis Raja est un ennemi vu qu'il m'avait croqué le doigt. Oh, il y a aussi Madame l'Agent Oh et Monsieur la Police (je sais pas comment il s'appelle) plus le capitaine. Ça fait dix et un ennemi.

— Mamie, Paul et Deana, dit Maman.

— Ma cousine Bronwyn sauf que je l'ai pas encore vue. Et Leo qui est mon beau-papy.

— Il a presque soixante-dix ans et il a une tête de drogué, dit Maman. Elle devait être sous le choc, après sa séparation.

— Quel choc ? »

Au lieu de répondre, elle demande : « Combien on en a ?

— Quinze et un ennemi.

— Le chien a eu peur, tu sais, c'était une bonne raison. »

Les insectes nous piquent sans raison. Bonne nuit, fais de beaux rêves, sans puces ni punaises : Maman pense plus jamais à le dire. « Bon, d'accord, seize, je réponds. Plus Madame Garber et la fille aux tatouages et Hugo, sauf qu'on leur parle presque jamais, ça compte quand même ?

— Oh, bien sûr.

— Alors on en est à dix-neuf. » Il faut que j'aille prendre un autre mouchoir, ils sont plus doux que le papier-toilette mais parfois ils se déchirent quand ils sont mouillégluants. Après, comme je suis déjà levé, on fait la course à celui qui s'habille le plus vite et je gagne sauf que j'oublie mes chaussures.

Je peux descendre l'escalier vraiment vite sur les fesses maintenant : *boum-boum-boum-boum-boum*. Ça fait claquer mes dents. Je trouve pas que je ressemble à un singe comme les gens du journal ont dit ; mais je suis pas sûr vu que ceux de la planète sauvage ont pas d'escaliers.

Au petit-déjeuner, je mange quatre tranches de pain perdu. « Je grandis ? »

Maman me regarde de haut en bas : « À chaque instant. »

Quand on va voir le docteur Clay, Maman me demande de raconter mes cauchemars.

Il pense que mon cerveau fait son ménage de printemps.

Je le regarde sans comprendre.

« Maintenant que tu es en sécurité, il rassemble toutes les pensées effrayantes dont tu n'as plus besoin et il s'en débarrasse, d'où tes cauchemars. » Il fait le geste de les jeter à la poubelle.

Même si je lui dis pas (à cause des bonnes manières), il a tout faux : c'est l'inverse. Dans la Chambre j'étais à l'abri, c'est le Dehors qui fait peur.

Le docteur Clay explique à Maman pourquoi elle a envie de donner des claques à Mamie.

« On a pas le droit de taper les autres », je dis.

Elle me regarde en clignant des yeux. « Je ne veux pas vraiment le faire. Enfin, pas tout le temps.

— Vous arrivait-il d'avoir envie de la gifler avant votre enlèvement ? demande le docteur Clay.

— Oh, bien sûr. » Elle le regarde et après elle rit mais sans ouvrir la bouche.

« Super, j'ai retrouvé ma vie d'avant. »

Dans la clinique, on trouve une nouvelle chambre avec deux trucs… je sais, c'est des ordinateurs. « Parfait, je vais envoyer des e-mails à un ou deux amis, dit Maman.

— Lesquels des dix-neuf ?

— Oh, de vieux amis en fait, tu ne les connais pas encore. »

Elle s'assoit et fait *tap-tap* sur le côté qui a des lettres ; moi je regarde. Elle lève les yeux vers l'écran et fronce les sourcils. « J'ai oublié mon mot de passe.

— C'est quoi, un… ?

— Que je suis… » Elle met la main sur sa bouche. Elle souffle par le nez, un soupir tout râpeux. « Tant pis. Hé, Jack, on va te trouver un truc amusant, tu veux ?

— Où ? »

Elle bouge un peu la souris et tout à coup il y a une image de Dora. Je m'approche pour voir, Maman me montre où cliquer avec la petite flèche, comme ça je peux jouer tout seul. Je recolle tous les morceaux de la soucoupe magique ; après, Dora et Babouche applaudissent et chantent une chanson pour dire merci. Encore mieux que Madame Télé !

Avec l'autre ordinateur, Maman regarde plein de figures, elle dit que c'est Facebook, une nouvelle invention : elle tape les noms et on les voit sourire. « Ils sont vraiment-vraiment vieux, tes amis ? je demande.

— Vingt-six ans, pour la plupart, comme moi.

— Alors c'est pas vieux.

— Ça veut simplement dire que je les connais depuis longtemps. Ils ont tellement changé… » Elle approche ses yeux des images, elle marmonne des trucs comme « Corée du Sud » ou « Déjà divorcé, pas croyable ».

Il y a un autre site Internet qu'elle trouve avec des vidéos de chansons et d'autres trucs : elle me montre deux chats qui dansent avec des chaussons de ballet, trop drôle ! Après elle va sur d'autres sites rien qu'avec des mots comme « détention » et « trafic d'êtres humains » ; elle me dit de la laisser lire un peu alors j'essaie encore mon jeu Dora et cette fois je gagne une Étoile Déformeuse.

Il y a un gens debout à la porte, je sursaute. C'est Hugo, il sourit pas. « J'ai mon rendez-vous Skype à deux heures.

— Hein ? dit Maman.

— J'ai mon rendez-vous Skype à deux heures.

— Désolée, je n'ai pas la moindre idée de ce que…

— J'appelle ma mère tous les jours à deux heures, elle m'attend déjà depuis deux minutes ; c'est inscrit sur le planning, juste là, sur la porte. »

Quand on revient dans notre chambre, sur le lit on trouve une petite machine avec un mot de Paul. Maman dit que c'est le genre d'appareil qu'elle écoutait quand Grand Méchant Nick l'avait volée dans la rue ; sauf que le nouveau a des images qu'on peut bouger avec les doigts et pas juste mille chansons mais des millions. Elle se met les petits trucs ronds dans les oreilles, elle agite la tête en écoutant une musique que j'entends pas et elle chante avec une petite voix qu'on peut être des millions de gens différents du jour au lendemain.

« Je veux essayer !

— Ça s'appelle "Bitter Sweet Symphony" ; quand j'avais treize ans, je l'écoutais tout le temps. » Elle met un petit rond dans mon oreille.

« Trop fort ! » Je l'arrache.

« Doucement, Jack, c'est mon cadeau, un cadeau de Paul. »

Je savais pas que c'était rien qu'à elle. Dans la Chambre tout était à nous deux.

« Attends, il y a les Beatles, une vieille chanson qui remonte à cinquante ans ; elle pourrait te plaire, ça s'appelle "All You Need Is Love". »

J'y comprends rien. « Les gens ont aussi besoin de manger et tout, non ?

— Si, mais tout ça ne sert à rien si on n'a pas aussi quelqu'un à aimer », dit Maman. Elle parle trop fort, elle change tout le temps les titres des chansons avec son doigt. « Tiens, ça me rappelle cette expérience sur des bébés singes : un scientifique les a enlevés à leurs mères et a enfermé chacun d'eux seul dans une cage… et tu sais quoi ? Ils ne se sont pas développés normalement.

— Pourquoi ils ont pas grandi ?

— Si, ils ont bien grandi, mais ils sont devenus bizarres parce qu'ils avaient manqué de câlins.

— Bizarres comment ? »

Maman fait clic pour éteindre sa machine. « Bon, excuse-moi, Jack. Je ne sais pas ce qui m'a pris, je n'aurais pas dû te parler de ça.

— Mais bizarres comment ? »

Maman se mordille la lèvre. « Malades dans leur tête.

— Comme les dingos ? »

Elle fait oui de la tête. « Ils se mordaient eux-mêmes, des trucs comme ça. »

Hugo se coupe les bras mais je crois pas qu'il se mord. « Pourquoi ? »

Maman souffle. « Tu vois, si leurs mères avaient été là, elles les auraient câlinés, ces bébés singes, mais ils devaient téter des tuyaux pour avoir leur lait et… en fait, ils avaient autant besoin d'amour que de lait.

— Elle est pas bien, cette histoire.

308

— Désolée. Je te demande pardon. Je n'aurais pas dû te raconter ça.

— Si, tu aurais dû, je dis.

— Mais…

— S'il y en a, je veux les connaître. »

Maman me serre fort. « Jack, elle dit. Je suis un peu bizarre cette semaine, hein ? »

Comment je le saurais ? Tout est bizarre.

« Je fais tout de travers. Je sais que tu as besoin de ta maman mais je dois aussi réapprendre à être moi et c'est… »

Mais je croyais qu'elle et Maman c'était la même.

J'ai envie de retourner dehors mais elle est trop fatiguée.

***

« On est quel jour, ce matin ?

— Jeudi, répond Maman.

— Et dimanche, c'est quand ?

— Vendredi, samedi, dimanche…

— Encore trois, comme dans la Chambre ?

— Oui, une semaine dure sept jours, c'est partout pareil.

— Qu'est-ce qu'on va demander comme Cadeau du Dimanche ? »

Maman fait non avec la tête.

L'après-midi, on monte dans la camionnette qui s'appelle *Clinique Cumberland*, on passe entre les grandes grilles et on roule pour de vrai dans le reste du monde. J'ai pas envie, mais on doit aller montrer les dents de Maman au dentiste vu qu'elles lui font encore mal. « Il y aura des gens qui seront pas nos amis, là-bas ?

— Rien que le dentiste et son assistant, dit Maman. Ils ont fait en sorte qu'aucun autre patient ne soit là, c'est un rendez-vous rien que pour nous. »

On a nos chapeaux et nos superlunettes mais pas la crème écran total parce que les mauvais rayons se cognent à la vitre. J'ai le droit de garder mes chaussures élastiques aux pieds. Dans la camionnette, il y a un chauffeur à casquette, je crois qu'on lui a coupé le son. J'ai un siège rehausseur (par-dessus l'autre) pour me remonter et que la ceinture m'écrase pas la gorge si on freine d'un coup. J'aime pas comment elle me serre, la ceinture. Je regarde par la fenêtre et je me mouche : c'est encore plus vert aujourd'hui.

Il y a tout plein de messieurs-dames sur les trottoirs, j'en avais jamais vu autant ; je me demande s'ils existent tous en vrai ou juste certains. « Je vois des dames avec des cheveux longs comme nous, je dis à Maman, mais pas les hommes.

— Oh, certains les portent longs, des rock stars, par exemple. Ce n'est pas une règle, juste une convention.

— C'est quoi une… ?

— Une habitude idiote que tout le monde a. Tu veux te faire couper les cheveux ? demande Maman.

— Non.

— Ça ne fait pas mal. Je les portais courts autrefois… quand j'avais dix-neuf ans. »

Je secoue la tête. « Je veux pas perdre ma forceur.

— Ta quoi ?

— Mes muscles, comme Samson dans l'histoire. »

Ça la fait rire.

« Regarde, Maman, un homme qui se met le feu !

« — Non, il allume juste sa cigarette, explique Maman. Je fumais aussi, autrefois. »

J'ouvre des grands yeux. « Pourquoi ?

— Je ne me rappelle plus.

— Regarde, regarde !

— Ne crie pas. »

Je lui montre plein de petits qui marchent dans la rue. « Des enfants attachés ensemble.

— Non, je ne crois pas qu'ils soient attachés. » Maman met sa figure tout contre la vitre. « Mais non, ils tiennent simplement la ficelle pour ne pas se perdre. Et tu vois, les plus jeunes se déplacent en chariot, par six. Ils doivent aller à la garderie, comme Bronwyn.

— Je veux la voir ! S'il te plaît tu peux nous amener, à l'endroit où il y a tous les enfants et ma cousine Bronwyn ? » je demande au chauffeur.

Il m'entend pas.

« Le dentiste nous attend », dit Maman.

Les petits ont disparu, je regarde par toutes les fenêtres.

La dentiste s'appelle le docteur Lopez et quand elle remonte un peu son masque, son rouge à lèvres est violet. Elle va d'abord m'examiner parce que j'ai des dents, moi aussi. Je me couche sur un grand fauteuil qui bouge. Je regarde en haut, j'ouvre la bouche toute-toute grande et le docteur me demande de compter ce que je vois au plafond. Il y a trois chats, un chien, deux perroquets et…

Je recrache le truc en métal.

« C'est juste un petit miroir, Jack, tu vois ? Je compte tes dents.

— Vingt, je lui dis.

— Exact. » Le docteur Lopez sourit. « C'est la première fois que j'ai un patient de cinq ans capable de compter ses dents. » Elle remet le miroir dans ma bouche. « Hum, des dents bien espacées, voilà qui me plaît.

— Pourquoi ?

— Ça… laisse beaucoup de place pour manœuvrer. »

Maman doit rester longtemps sur le fauteuil pour que la roulette enlève les saletés de ses dents. J'ai pas envie de rester dans la salle d'attente mais Yang l'assistant me dit : « Viens voir nos superjouets. » Il me montre un requin sur un bâton qui fait *clac-clac-clac* et aussi un tabouret en forme d'une dent, pas une humaine, une dent géante toute blanche et sans carie. Je regarde un livre sur les Transformers et un autre sans jaquette sur des tortues de mer mutantes qui disent non à la drogue. Après j'entends un drôle de bruit.

Yang se met devant la porte. « Je crois que ta Maman préférerais… »

Je passe sous son bras et je vois le docteur Lopez qui met un truc dans la bouche de Maman, ça crisse. « Laisse-la !

— Ce n'est rien », dit Maman mais comme si sa bouche était cassée. Qu'est-ce qu'elle lui a fait, la dentiste ?

« S'il se sent plus en sécurité ici, il n'y a pas de problème », dit le docteur Lopez.

Yang met la dent-tabouret dans un coin et je regarde : c'est horrible mais je préfère. À un moment, Maman s'agite sur le fauteuil en gémissant et je me lève mais le docteur Lopez lui demande : « Encore un peu d'anesthésiant ? » Elle lui fait une piqûre et après Maman se tient tranquille. Ça dure des centaines d'heures. Il faut que je me mouche mais la peau de mon nez s'enlève alors j'appuie juste le mouchoir dessus.

Quand on retourne au parking, Maman et moi, toute la lumière me tape sur la tête. Le chauffeur est encore là, il lit un journal ; il sort pour nous ouvrir les portes. « 'erci », dit Maman. Je me demande si elle parlera plus jamais comme avant. Moi j'aimerais mieux avoir mal aux dents au lieu de parler mal.

* * *

Dent Malade est toujours sous notre oreiller, je lui fais un bisou. J'aurais dû la ramener, peut-être que le docteur Lopez aurait pu la soigner, elle aussi.

On mange le dîner sur un plateau, ça s'appelle bœuf Stroganoff avec des bouts de viande et d'autres trucs qui ressemblent (sauf que c'est des champignons) étalés sur du riz bien gonflé. Maman peut pas encore manger les morceaux, elle aspire juste le riz avec des *slurp* mais elle parle presque bien maintenant. Noreen toque à la porte et dit qu'elle a une surprise pour nous : le papa de Maman est arrivé d'Australie.

Maman pousse un cri et saute sur ses pieds.

Moi je demande : « Je peux emmener mon Stroganoff ?

— Et si je descendais Jack d'ici quelques minutes, quand il aura terminé son repas ? » demande Noreen.

Maman répond même pas, elle part en courant.

« Il avait tout préparé pour notre enterrement, j'explique à Noreen, sauf qu'on était pas dans le cercueil.

— Tu m'en vois ravie. »

Je fais la chasse aux petits grains de riz.

« Ça a dû être la semaine la plus fatigante de ta vie », dit Noreen en s'asseyant à côté de moi.

Je la regarde avec des yeux étonnés. « Pourquoi ?

— Eh bien, tu trouves tout bizarre, comme si tu débarquais d'une autre planète pour une petite visite, non ? »

Je secoue la tête. « C'est pas juste une petite visite, Maman dit qu'on doit rester pour toujours, jusqu'à notre mort.

— Euh, je voulais simplement dire… Tu te sens comme un petit nouveau. »

Quand j'ai tout fini, Noreen trouve la chambre où Maman est assise main dans la main avec un monsieur à casquette. Il se lève d'un coup et parle à Maman : « J'avais bien dit à ta mère que je ne voulais pas… »

Maman lui coupe la parole : « Papa, je te présente Jack. »

Il secoue la tête.

Mais si, c'est moi, Jack. Il en attendait un autre ?

Il regarde la table, il a la figure toute suante. « Ne le prends pas mal.

— Comment ça : "Ne le prends pas mal" ? » Maman est presque en train de crier.

« Je ne peux pas rester dans la même pièce que lui. Ça me fait froid dans le dos.

— Il n'y a pas de *ça*. Jack est un enfant. Il a cinq ans ! hurle Maman.

— Je m'exprime mal, je… C'est le décalage horaire. Je t'appellerai plus tard, de l'hôtel, d'accord ? » Le monsieur Papy est passé devant moi sans me regarder, il est presque arrivé à la porte.

J'entends un gros bruit, c'est Maman qui a tapé un grand coup sur la table.

« Non, pas d'accord ! »

— Très bien, très bien.

— Assieds-toi, papa. »

Il ne bouge pas.

« Il est tout pour moi. »

Qui, son papa ? Non, je crois que c'est moi, le *il*.

« Bien sûr, quoi de plus naturel. » Le monsieur Papy s'essuie la peau sous les yeux. « Mais je ne peux pas m'empêcher de penser à ce monstre et à ce qu'il…

— Ah, donc tu préférerais me savoir morte et enterrée ? »

Il secoue encore la tête.

« Alors il va falloir vivre avec, dit Maman. J'en suis revenue…

— C'est un miracle,

— J'en suis revenue avec Jack. Ça fait deux miracles. »

Il pose la main sur la poignée de la porte. « Pour l'instant, je n'y arrive pas…

— C'est ta dernière chance, répond Maman. Assieds-toi. »

Personne fait rien.

Après le monsieur Papy revient s'asseoir à la table. Comme Maman me montre la chaise à côté de lui, je monte dessus même si j'ai pas envie. Je regarde mes chaussures, elles sont toutes plissées sur les bords.

Il enlève sa casquette et il me regarde. « Ravi de faire ta connaissance, Jack. »

Vu que je sais pas quelles bonnes manières choisir, je dis : « De rien. »

Plus tard, quand on est au lit, Maman et moi, en train de prendre mon Doudou-Lait dans le noir, je demande : « Pourquoi il voulait pas me voir ? Il s'était encore trompé, comme pour le cercueil ?

— À peu près. » Maman souffle. « Il pense… Il pensait qu'il aurait mieux valu pour moi que tu ne sois pas là.

— J'aurais dû être ailleurs ?

— Non, que tu ne sois jamais né. Imagine ! »

J'essaie, sauf que j'y arrive pas. « Mais toi, tu serais plus ma Maman.

— Eh bien, non. Donc c'est vraiment une idée stupide.

— Et lui, c'est mon vrai papy ?

— J'en ai bien peur.

— Pourquoi tu as peur… ?

— Je veux dire oui, c'est bien lui.

— Ton papa de quand tu étais petite dans le hamac ?

— Depuis que j'ai été adoptée à six semaines. Ils sont venus me chercher à l'hôpital pour me ramener chez eux.

— Pourquoi elle t'avait laissée à l'hôpital, la Maman qui t'avait eue dans son ventre ? Elle s'était trompée, elle aussi ?

— Je crois qu'elle était fatiguée, explique Maman. Elle était très jeune. » Elle s'assoit pour se moucher fort. « Papa va bientôt se ressaisir.

— Comment il peut se reprendre lui-même ? »

Maman a un drôle de rire. « Je voulais dire qu'il se comportera mieux. En vrai grand-père. »

Comme Beau-Papy (sauf que celui-là c'est pas un vrai).

Je m'endors tout vite mais je me réveille en pleurant.

« Ce n'est rien, ce n'est rien, dit Maman et elle m'embrasse sur la tête.

— Pourquoi ils font pas des câlins aux petits singes ?

— Qui ?

— Les scientifiques, pourquoi ils leur font pas des câlins ?

— Ah. » Au bout d'une seconde, elle répond : « Peut-être qu'ils le font. Peut-être que les bébés singes apprennent à aimer les câlins humains.

— Non, tu avais dit qu'ils deviennent bizarres et qu'ils se mordent. »

Maman se tait.

« Pourquoi les scientifiques ne ramènent pas les mamans singes ? Pourquoi ils demandent pas pardon aux petits singes ?

— Je ne sais pas ce qui m'a pris de te raconter cette vieille histoire ; tout ça est arrivé il y a très longtemps, avant ma naissance. »

Je tousse mais j'ai rien pour me moucher.

« N'y pense plus, tu veux ? Ils sont guéris maintenant.

— Moi je crois pas. »

Maman me serre si fort que j'ai mal au cou.

« Aïe ! »

Elle s'écarte un peu. « Jack, il y a tant de choses dans ce monde.

— Des millions ?

— Des millions et des millions. Si tu essaies de tout garder dans ta tête, elle va exploser.

— Mais les bébés singes ? »

J'entends qu'elle respire bizarre. « Oui, certaines de ces choses sont mauvaises.

— Comme les singes.

— Et même pires que ça, dit Maman.

— Pires comment ? » J'essaie d'imaginer.

« Pas ce soir.

317

« — Peut-être quand j'aurai six ans ?

— Peut-être. »

Elle me fait plein de câlins.

J'écoute Maman respirer, je compte les petit soupirs jusqu'à dix et après dix pour moi. « Maman ?

— Oui.

— Tu y penses, aux choses pires ?

— Parfois. Quand je n'ai pas le choix.

— Moi aussi.

— Mais après je les sors de ma tête et je m'endors. »

Je compte encore nos souffles. J'essaie de me mordre, à l'épaule : ça fait mal. Pour oublier les singes, je pense à tous les enfants du monde qui sont pas que de la télé : ils existent en vrai, ils mangent, ils donnent, ils font pipi et caca comme moi. Si j'avais un truc pointu et si je les piquais, ils saigneraient, si je les chatouillais, ils rigoleraient. J'aimerais bien les voir mais ça me donne le tournis de savoir qu'ils sont vraiment beaucoup alors que moi, je suis tout seul.

* * *

« Bon, tu as bien compris ? » demande Maman, assise au bord du lit.

Je suis couché dans notre lit de la chambre numéro 7, mais sans elle. « Moi, je reste ici pour ma sieste et toi tu vas dans la télé.

— En réalité, je serai en bas dans le bureau du docteur Clay en train de parler aux gens de la télé. Ce ne sera que mon image dans la caméra et ensuite, ce soir, je passerai à la télévision.

— Pourquoi tu veux parler aux vautours ?

— Je n'en ai aucune envie, je peux te le dire. Il faut simplement que je réponde à leurs questions une bonne fois pour toutes et ils arrêteront de les poser. Je serai de retour en un rien de temps, d'accord ? Quand tu te réveilleras, sans doute.

— D'accord.

— Et demain, on fera une sortie extraordinaire. Tu te rappelles où Paul, Deana et Bronwyn vont nous emmener ?

— Au musée d'Histoire naturelle pour voir les dinosaures.

— C'est ça. » Elle se lève.

« Une chanson. »

Maman se rassoit et chante « Swing Low, Sweet Chariot » mais trop vite ; en plus, elle est encore enrouée à cause de notre rhume. Elle prend mon poignet pour regarder ma montre à numéros.

« Encore une.

— Ils vont attendre…

— Je veux venir avec toi. » Je m'assois sur le lit et je m'accroche à Maman.

« Non, je ne veux pas qu'ils te voient. » Elle me recouche sur l'oreiller. « Dors maintenant.

— J'ai pas sommeil tout seul.

— Tu seras épuisé si tu ne fais pas de sieste. Lâche-moi, s'il te plaît. » Maman détache mes mains. Je les rattache encore plus serrées pour pas qu'elle les enlève. « Jack !

— Reste. »

J'enroule aussi mes jambes autour d'elle.

« Arrête ça. Je suis déjà en retard. » Ses mains appuient sur mes épaules mais je la serre encore plus fort. « Tu n'es pas un bébé. J'ai dit arrête… »

Maman pousse si fort que je lâche d'un coup et elle m'envoie cogner ma tête à la petite table, *boum*.

Elle met la main sur sa bouche.

Je hurle.

« Oh, elle dit, oh, Jack, oh, Jack, je suis vraiment…

— Tout va bien ? » Le docteur Clay montre sa tête à la porte. « L'équipe est prête, ils vous attendent. »

Je crie plus fort que jamais, je tiens ma tête fracassée.

« Je ne crois pas que ça va marcher, répond Maman ; elle caresse ma figure toute mouillée.

— Vous pouvez toujours annuler, dit le docteur Clay en s'approchant.

— Non, ça doit financer les études universitaires de Jack. »

Il tord sa bouche. « Nous nous sommes déjà demandé si c'était une raison suffisante…

— Je veux pas aller à l'université ! je dis. Je veux aller à la télé avec toi. »

Maman souffle très fort. « Changement de programme. Tu peux descendre, mais juste pour regarder et à condition que tu ne dises pas un mot, d'accord ?

— D'accord.

— Pas un mot. »

Le docteur Clay parle à Maman : « Vous croyez vraiment que c'est une bonne idée ? »

Mais je mets mes chaussures élastiques rapido même si j'ai encore le tournis.

Son bureau est tout changé avec plein de gens et de lumières et de machines. Maman m'installe sur une chaise dans le coin, elle m'embrasse sur mon bobo à la tête et chuchote quelque chose que j'entends pas. Elle va s'asseoir sur une plus grosse chaise et un monsieur accroche un petit micro noir à sa veste. Une dame s'approche avec une boîte de couleurs, elle commence à peindre la figure de Maman.

Je reconnais Maître Morris, notre avocat, il lit des pages. Il dit à quelqu'un : « Il faudra que nous puissions visionner non seulement les rushes mais aussi le montage final. » Quand il me voit, il ouvre des grands yeux et après il agite les doigts. « S'il vous plaît ? » Il parle plus fort. « Excusez-moi. L'enfant est ici mais il ne doit pas apparaître à l'écran : ni arrêts sur image, ni photos pour votre usage personnel, rien ; c'est clair ? »

Après tout le monde me regarde, je ferme les yeux.

Quand je les rouvre, une autre personne serre la main de Maman. Wouah, c'est la dame aux cheveux gonflés de la planète canapé rouge ! Sauf qu'il y a pas le canapé. J'avais jamais vu quelqu'un de la télé en vrai, j'aurais préféré Dora. « En intro, on vous entendra en voix off commenter les images de la cabane de jardin, lui explique un monsieur, ensuite fondu enchaîné et gros plan sur la victime, et pour finir, vous deux en plan fixe. » La dame aux cheveux gonflés me fait un gigagrand sourire. Tout le monde parle et bouge dans tous les sens, je referme les yeux et j'appuie fort sur mes oreilles (comme le docteur Clay avait dit d'essayer quand ça commence à faire trop de bruit). Quelqu'un compte : « Cinq, quatre, trois, deux, un… » Il va y avoir une fusée ?

La femme aux cheveux gonflés prend une voix spéciale et elle rapproche ses mains pour prier. « Laissez-moi d'abord vous exprimer ma gratitude et celle de tous nos téléspectateurs, pour avoir accepté de nous parler à peine six jours après votre libération. Pour avoir refusé de vous laisser imposer le silence plus longtemps. »

Maman fait un petit sourire.

« Pourriez-vous commencer par nous dire ce qui vous a le plus manqué pendant ces sept longues années de captivité ? À part votre famille, bien sûr.

— Les soins d'un dentiste, si vous voulez le savoir. » La voix de Maman est tout aiguë et rapide. « Quelle ironie, moi qui détestais même les détartrages.

— Vous avez retrouvé un monde nouveau. Plongé dans une crise économique et écologique d'envergure mondiale, avec un nouveau président…

— Nous avons vu son investiture à la télé, dit Maman.

— Très bien ! Mais tant de choses ont dû changer. » Maman hausse les épaules. « Rien ne me semble si radicalement différent. Il est vrai que je ne suis pas encore vraiment sortie, sauf pour aller chez le dentiste. »

La dame sourit comme pour une blague.

« Non, en fait, si tout me paraît différent, c'est parce que je ne suis plus la même.

— Plus forte au lieu d'être brisée ? »

Je frotte ma tête fracassée à cause de la table.

Maman fait une grimace. « Avant… j'étais tellement ordinaire. Je n'étais même pas, euh, végétarienne, je n'ai même pas eu une période gothique.

— Mais aujourd'hui vous êtes une jeune femme extraordinaire avec une histoire hors du commun à raconter, et nous sommes honorés que nous, que ce soit à nous… »

La dame regarde plus Maman mais un des gens avec les machines. « On la refait. » Elle se retourne vers Maman et reprend sa voix spéciale. « Et nous sommes honorés que vous ayez choisi cette émission pour la raconter. À présent, sans forcément parler de syndrome de Stockholm, de nombreux téléspectateurs sont curieux de savoir si, enfin ils se demandent avec inquiétude si vous vous êtes retrouvée d'une manière ou d'une autre… sous l'emprise émotionnelle de votre ravisseur. »

Maman secoue la tête. « Je le haïssais. »

La dame de la télé fait oui de la tête.

« Je hurlais, je lui donnais des coups de pied. Un jour, je l'ai assommé avec le couvercle du réservoir des toilettes. Je ne me lavais plus et pendant très longtemps j'ai refusé de parler.

— Était-ce avant ou après l'épisode tragique de votre premier accouchement ? »

Maman met la main sur sa bouche.

Maître Morris parle à sa place, il tourne des pages à toute vitesse. « Clause… Ma cliente ne souhaite pas aborder ce sujet.

— Oh, nous n'entrerons pas dans les détails, dit la dame aux cheveux gonflés, mais il nous semble crucial d'établir la chronologie des événements…

— Non, ce qui est crucial c'est de s'en tenir aux termes du contrat », répond Maître Morris.

Les mains de Maman tremblent très fort, elle les met sous ses jambes. Elle ne regarde pas de mon côté, est-ce qu'elle a oublié que je suis là ? Je lui parle dans ma tête sauf qu'elle entend pas.

« Croyez-moi, dit la dame à Maman, nous essayons simplement de vous aider à raconter votre histoire au monde. » Elle regarde le papier sur ses genoux. « Reprenons. Vous vous êtes retrouvée enceinte pour la deuxième fois, dans l'enfer où deux années de votre précieuse jeunesse s'étaient déjà écoulées. Y a-t-il eu des jours où vous aviez le sentiment d'être, euh, forcée de porter le fruit de votre union avec… »

Maman ne la laisse pas finir. « En réalité, je me suis sentie sauvée.

— *Sauvée !* C'est magnifique. »

Maman tord sa bouche. « Je ne parle pas au nom de toutes les femmes. En fait, je me suis fait avorter quand j'avais dix-huit ans et c'est une décision que je n'ai jamais regrettée. »

La dame aux cheveux gonflés reste la bouche un peu ouverte. Après elle regarde le papier sur ses genoux et encore Maman. « Il y a cinq ans, par une froide journée de mars, vous avez donné naissance, seule, et dans des conditions dignes du Moyen Âge, à un bébé en bonne santé. Est-ce l'expérience la plus pénible que vous ayez jamais vécue ? »

Maman se gratte la tête. « C'est la meilleure chose qui me soit arrivée.

— Oui, cela aussi, bien sûr. Toutes les mères disent…

— Mais pour moi, vous voyez, Jack était tout. Je me suis sentie revivre, je comptais pour quelqu'un. Après sa naissance, je suis devenue polie.

— Polie ? Ah, vous voulez dire avec…

— Il s'agissait avant tout d'assurer la sécurité de Jack.

— N'était-ce pas une véritable torture d'être polie, comme vous dites ? »

Maman secoue la tête. « J'étais en pilotage automatique, vous voyez, je jouais le rôle de l'épouse soumise. »

La dame aux cheveux gonflés fait oui-oui-oui avec la tête. « Ensuite, vous êtes parvenue à l'élever entièrement seule, sans livres ni conseils de professionnels de l'enfance, sans même l'aide d'une famille ; cela a dû être terriblement difficile. »

Maman hausse les épaules. « Je pense que les bébés ont surtout besoin d'avoir leur mère auprès d'eux. Non, ma plus grande crainte était que Jack tombe malade… lui ou moi, parce qu'il avait besoin que j'aille bien. Donc j'appliquais simplement des principes d'hygiène élémentaire que j'avais appris à l'école : se laver les mains, bien cuire les aliments… »

La dame agite encore la tête. « Vous l'avez allaité. En fait, cela choquera peut-être certains de nos téléspectateurs mais j'ai cru comprendre que vous le faisiez toujours, c'est exact ? »

Maman rit.

La dame ouvre des grands yeux.

« Dans toute cette histoire, c'est le seul détail choquant ? »

La dame regarde encore son papier. « Dans cette chambre, vous-même et votre bébé étiez condamnés à un isolement cellulaire… »

Maman secoue la tête. « Nous ne sommes restés seuls à aucun moment, ni lui ni moi.

— Euh, certes. Mais, comme le dit un proverbe africain, il faut tout un village pour élever un enfant…

— Oui, si vous avez un village. Mais sinon, eh bien, il suffit peut-être d'être deux.

— Deux ? Vous voulez dire vous et votre… »

La figure de Maman est toute dure. « Je parle de Jack et moi !

— Ah.

— Nous y sommes arrivés ensemble.

— C'est touchant. Puis-je vous demander… je sais que vous lui avez appris à prier Jésus. Votre foi a-t-elle joué un rôle important pendant votre captivité ?

— Elle… Elle faisait partie de ce que je devais lui transmettre.

— Par ailleurs, j'ai cru comprendre que la télévision vous aidait à faire passer les longues journées d'ennui un peu plus vite ?

— Je ne me suis jamais ennuyée avec Jack, dit Maman. Ni lui avec moi, je crois.

— Merveilleux. Vous avez pris une décision que certains experts qualifieraient d'étrange : vous avez enseigné à Jack que le monde mesurait environ trois mètres sur trois et que tout le reste − tout ce qu'il voyait à la télé ou entendait raconter dans ses quelques livres − était purement imaginaire. Avez-vous éprouvé des remords à le tromper ? »

Maman a l'air fâchée. « Qu'est-ce que j'étais censée lui dire ? "Hé, il y a plein de choses géniales là-dehors mais tu ne peux pas en profiter" ? »

La dame rentre les lèvres. « Quant à votre sauvetage dramatique, je suis sûre que nos téléspectateurs en connaissent tous les détails…

— Notre évasion », corrige Maman. Elle me regarde et elle me sourit !

Je suis surpris. Je lui souris aussi mais elle me regarde plus maintenant.

« Votre évasion, c'est exact, et l'arrestation du… euh, de votre ravisseur présumé. Avec les années, avez-vous eu l'impression que cet homme s'était attaché à son fils d'une manière ou d'une autre, même très rudimentaire, voire perverse ? »

Les yeux de Maman sont devenus tout fins. « Jack est mon fils, à moi seule.

— C'est si vrai, au sens fort du terme, dit la dame. Je me demandais simplement si, à votre avis, le lien génétique, biologique…

— Il n'était question d'aucun lien, répond Maman entre ses dents.

— Et regarder Jack ne vous a jamais rappelé des souvenirs pénibles liés à sa conception ? »

Les yeux de Maman se resserrent encore plus. « Il ne me rappelle rien d'autre que lui-même.

— Hum, dit la dame de la télé. Aujourd'hui, quand vous repensez à votre ravisseur, êtes-vous animée par la haine ? » Elle attend. « Quand vous l'aurez revu sur le banc des accusés, pensez-vous pouvoir lui pardonner un jour ? »

La bouche de Maman se tord. « Disons que ce n'est pas une priorité. J'essaie de penser à lui aussi rarement que possible.

— Êtes-vous consciente d'être devenue un véritable phare pour nos concitoyens ?

— Un… comment dites-vous ?

— Vous portez le flambeau de l'espoir, explique la dame en souriant. Dès que nous avons annoncé que vous nous accordiez cette interview, nos téléspectateurs se sont mis à appeler, à envoyer des e-mails et des SMS pour nous dire que vous êtes un ange, la bonté incarnée… »

Maman fait une grimace. « Je me suis efforcée de survivre, voilà tout, et j'ai plutôt bien réussi à élever Jack. Là-dessus, je m'en suis bien sortie.

— Vous êtes très modeste. »

— Non, à vrai dire je suis très énervée. »

La dame aux cheveux gonflés cligne des yeux deux fois.

« Tous ces hommages… je ne suis pas une sainte ! » La voix de Maman redevient forte. « J'aimerais que les gens arrêtent de nous traiter comme si nous étions les seuls à avoir vécu des moments terribles. J'ai découvert de ces choses sur Internet, vous n'avez pas idée.

— D'autres cas pareils au vôtre ?

— Oui, mais pas uniquement… Enfin, bien sûr le jour où je me suis réveillée dans cette cabane de jardin, je me suis dit que personne n'avait jamais rien subi d'aussi atroce. Mais le fait est que l'esclavage ne date pas d'hier. Quant à la captivité… vous saviez qu'aux États-Unis nous avons plus de vingt-cinq mille prisonniers placés en isolement cellulaire ? Depuis plus de vingt ans, pour certains ? » Maman a le doigt pointé sur la dame aux cheveux gonflés. « Sans parler des enfants… Dans les orphelinats de certains pays, les bébés sont parqués à cinq par berceau avec une tétine scotchée dans la bouche ; d'autres sont violés tous les soirs par leur propre père ou jetés en prison, que sais-je encore ? Certains fabriquent des tapis jusqu'à ce qu'ils deviennent aveugles… »

On entend plus personne pendant une minute. À la fin, la dame dit : « Votre expérience vous a rendue, euh, extrêmement sensible au sort des enfants qui souffrent partout dans le monde.

— Il n'y a pas que les enfants, répond Maman. Les gens sont enfermés de toutes sortes de façons. »

La dame se racle la gorge et regarde le papier sur ses genoux. « Vous dites avoir "plutôt bien réussi à élever Jack", même si, bien entendu, son éducation est loin d'être terminée. À présent, vous avez beaucoup d'aide, celle de membres de votre famille aussi bien que de nombreux professionnels dévoués.

— En fait, c'est plus dur qu'avant. » Maman regarde par terre. « Quand notre univers se limitait à quelques mètres carrés, il était plus facile à maîtriser. Beaucoup de choses effraient Jack pour l'instant. Mais je ne supporte pas la façon dont les médias font de lui un monstre, un singe savant ou un enfant sauvage, ce mot…

— Eh bien, ce n'est pas un enfant comme les autres. » Maman hausse les épaules. « Il a seulement passé les cinq premières années de sa vie dans un endroit très particulier, voilà.

— Vous ne pensez pas qu'il a été marqué, abîmé, par cette épreuve ?

— Ce n'était pas une épreuve pour Jack, mais l'ordre normal des choses. Abîmé, peut-être, mais tout le monde subit des traumatismes.

— En tout cas, il semble progresser à pas de géant vers la guérison. Vous venez de dire que Jack "était plus facile à maîtriser" quand vous viviez en captivité…

— Non, je parlais de notre *univers* !

— Vous devez, et c'est compréhensible, ressentir un besoin presque pathologique de protéger votre fils du monde extérieur.

— Oui, ça s'appelle jouer son rôle de mère, gronde presque Maman.

— Vivre bien à l'abri derrière une porte vous manque-t-il parfois ? »

Maman se tourne vers Maître Morris. « Elle a le droit de me poser des questions aussi stupides ? »

La dame aux cheveux gonflés tend la main : quelqu'un lui donne une bouteille et elle en boit un peu.

Le docteur Clay lève la main. « Si vous permettez… je pense que nous voyons tous que ma patiente est à bout, plus qu'à bout.

— Si vous avez besoin d'une pause, nous pourrons reprendre l'enregistrement un peu plus tard », dit la dame à Maman.

Mais Maman secoue la tête. « Finissons-en.

— Très bien, répond la dame avec un autre grand sourire si faux qu'on dirait un robot. J'aimerais revenir sur un point, si vous le voulez bien. Quand Jack est né… certains de nos téléspectateurs se sont demandé si l'idée vous a traversé l'esprit, rien qu'un instant…

— Quoi, si j'ai été tentée de lui mettre un oreiller sur la tête ? »

C'est de moi qu'elle parle ? Mais les oreillers, ça se met en dessous.

La dame agite la main. « Grands dieux, non ! Mais avez-vous jamais songé à demander à votre ravisseur d'emmener Jack ?

— De l'emmener ?

— D'aller le déposer à l'entrée d'un hôpital, par exemple, pour qu'il soit adopté. Comme cela vous est arrivé, une adoption heureuse, je crois. »

Je vois Maman avaler sa salive. « Pourquoi aurais-je fait ça ?

— Eh bien, pour qu'il soit libre.

— Et loin de moi ?

— Cela aurait représenté un sacrifice, bien sûr – le sacrifice ultime – mais Jack aurait pu avoir une enfance normale et heureuse au sein d'une famille aimante.

— Il m'avait moi. » Maman le dit un mot après l'autre. « Il a grandi auprès de moi, que vous jugiez cela normal ou pas.

— Mais vous saviez de quoi il manquait, répond la dame. Il avait besoin d'un monde plus vaste chaque jour et le seul que vous pouviez lui offrir devenait sans cesse plus petit. Quelle torture pour vous que le souvenir de toutes les choses que Jack ne songeait même pas à réclamer ! Les copains, l'école, courir dans l'herbe, aller nager, faire des tours de manège…

— Qu'est-ce que vous avez tous avec les manèges ? demande Maman d'une voix rauque. Je détestais les foires quand j'étais petite. »

La dame fait un petit rire.

Maman a des larmes sur la figure, elle lève les mains pour les attraper. Je saute de ma chaise et je cours vers elle mais quelque chose tombe, *badaboum*. Je rejoins Maman, et je m'enroule autour d'elle ; Maître Morris crie : « L'enfant ne doit pas apparaître à l'écran… ! »

* * *

Le matin quand je me réveille, Maman est Ailleurs.

Je savais pas qu'elle aurait des jours comme ça dans le Dehors. Quand je secoue son bras, elle pousse juste un petit grognement et met sa tête sous l'oreiller. J'ai très soif, je m'approche pour essayer de prendre mon Doudou-Lait mais elle veut pas se retourner. Je reste pelotonné contre elle pendant des centaines d'heures.

Je sais pas quoi faire. Dans la Chambre, si Maman était Ailleurs, je pouvais me lever tout seul, préparer le petit-déjeuner et regarder Madame Télé.

Je renifle : il y a rien dans mon nez, je crois que j'ai perdu mon rhume.

Je vais tirer sur le cordon pour faire s'ouvrir un peu le store. Il fait jour et la lumière rebondit sur la fenêtre d'une voiture. Un corbeau passe, il me fait peur. Je crois pas que la lumière plaît beaucoup à Maman alors je referme avec le cordon. Mon ventre grogne fort.

Après je me rappelle la sonnette près du lit. J'appuie dessus, rien. Sauf qu'au bout d'une minute, la porte dit *toc-toc*.

Je l'ouvre juste un peu : c'est Noreen.

« Salut, mon chou, comment ça va aujourd'hui ?

— J'ai faim. Maman est Ailleurs, je chuchote.

— Eh bien, allons la chercher, tu veux ? Elle n'a pas dû partir bien loin.

— Non, elle est ici mais pas tout entière. »

La figure de Noreen est perdue.

« Regarde ! » Je lui montre le lit. « C'est un jour où Maman se lève pas. »

Noreen l'appelle par son autre nom et lui demande si ça va.

Je chuchote : « Faut pas lui parler ! »

Mais elle demande encore plus fort : « Je peux vous apporter quelque chose ?

— Laissez-moi dormir. » J'avais jamais entendu Maman répondre quand elle est Ailleurs, on dirait une voix de monstre.

Noreen s'approche de la commode et prend des habits pour moi. C'est dur de s'habiller dans le presque noir : comme je mets les deux pieds dans une jambe de pantalon pendant une seconde, je dois m'appuyer sur elle. Toucher les gens exprès, ça m'embête pas trop sauf si c'est eux qui me touchent et que ça fait comme des décharges électriques. « Les chaussures ! » chuchote Noreen. Je les trouve, j'enfonce mes pieds dedans et je ferme les Velcro (c'est pas les chaussons élastiques que j'aime bien). « Bien, mon garçon ! » Noreen est près de la porte, elle agite la main pour que je la suive. Je resserre ma queue-de-cheval qui s'enlevait. Je trouve Dent Malade, ma pierre et ma samare d'érable pour les emmener dans ma poche.

« Ta maman doit être épuisée après cette interview, dit Noreen dans le couloir. Ton oncle est déjà à la réception depuis une demi-heure, il attendait que vous soyez réveillés. »

La sortie ! Mais non, on peut pas y aller si Maman est Ailleurs.

Je vois le docteur Clay dans l'escalier, il parle à Noreen. Je me tiens fort à la rambarde avec mes deux mains, je pose un pied, l'autre, je glisse mes mains vers le bas et… je suis toujours debout : il y a juste une seconde où j'allais presque tomber mais après je suis sur l'autre pied. « Noreen !

— Un instant.

— Non, regarde, je descends l'escalier ! »

Elle me fait un grand sourire. « Eh, voyez-vous ça !

— Vas-y, tape ! dit le docteur Clay.

Je me lâche d'une main pour taper dans sa sienne.

« Alors, tu as toujours envie de les voir, ces dinosaures ?

— Sans Maman ? »

Le docteur Clay hoche la tête. « Mais ton oncle et ta tante resteront tout le temps avec toi, tu seras parfaitement en sécurité. Ou est-ce que tu préfères remettre ça à un autre jour ? »

Oui, sauf qu'un autre jour, les dinosaures seront peut-être partis. « Aujourd'hui, s'il te plaît.

— Brave petit gars, dit Noreen. Comme ça, ta maman pourra faire un bon somme et tu lui raconteras les dinosaures à ton retour.

— Salut, p'tit gars ! » C'est Paul-mon-Oncle, je savais pas qu'il avait le droit d'entrer dans la salle à manger. Je crois que *p'tit gars*, ça veut dire *mon chou* mais entre garçons.

Je prends mon petit-déjeuner avec Paul sur la chaise d'à côté, ça fait bizarre. Il parle dans son petit téléphone, il dit qu'il a Deana au bout du fil (le fil et Deana, ils sont invisibles). Aujourd'hui, j'ai du jus de fruits sans morceaux : superbon ! Noreen dit qu'on l'a commandé exprès pour moi.

« Tu es prêt pour ta première sortie ? demande Paul.

— Ça fait déjà six jours que je suis dans le Dehors, je lui explique. J'ai été dans l'air extérieur trois fois : j'ai vu des fourmis, des hélicoptères et aussi des dentistes.

— Wouah ! »

Quand j'ai fini mon muffin, je mets ma veste plus mon chapeau plus mon écran total et mes superlunettes de soleil. Noreen me donne un sac en plastique marron pour si j'arrive pas à respirer. « De toute façon, dit Paul quand on ressort de la porte à tambour, c'est sans doute aussi bien que ta maman ne vienne pas avec nous aujourd'hui : depuis que cette émission est passée à la télé, hier soir, tout le monde connaît son visage.

— Tout le monde de la planète ?

— Quasiment », répond Paul.

Sur le parking, il tend la main comme si je devais la tenir. Après il la laisse retomber.

Un truc s'écrase sur ma figure, je crie.

« Ce n'est qu'une goutte de pluie », dit Paul.

Je regarde le ciel : il est gris. « Il va nous tomber sur la tête ?

— Non, tout va bien, Jack. »

J'ai envie de retourner dans la chambre numéro 7 avec Maman même si elle est Ailleurs.

« Et voilà… »

C'est une camionnette verte, Deana est assise sur le siège qui a le volant. Elle me fait coucou en agitant les doigts par la fenêtre. Je vois une figure plus petite au milieu. La porte ne s'ouvre pas vers l'avant, elle glisse sur le côte et je monte.

« Enfin, dit Deana. Bronwyn, ma chérie, tu veux bien dire bonjour à ton cousin Jack ? »

Je vois une petite fille qui a presque ma taille et plein de tresses comme Deana mais avec des perles brillantes au bout et un éléphant en peluche et des céréales dans un pot en forme de grenouille. « Bonjour, Jack ! » Elle a une voix tout aiguë.

Il y a un rehausseur pour moi à côté de Bronwyn. Paul me montre comment on attache la ceinture. À la troisième fois, je le fais tout seul : Deana applaudit et Bronwyn aussi. Après, Paul fait glisser la porte de la camionnette pour la fermer avec un grand *clac*. Je sursaute. Je veux ma Maman, je crois que je vais me mettre à pleurer mais non.

Bronwyn répète : « Bonjour, Jack ! Bonjour, Jack ! » Elle parle pas encore bien, elle dit : « Dada chante » et « Joli chienchien » et « Mama, 'core des bretzels, *steplé* » à la place de *s'il te plaît*. Dada, c'est Paul et Mama, c'est Deana mais juste pour Bronwyn ; pareil pour Maman, personne l'appelle Maman sauf moi.

J'essaie d'être peurageux mais en plus courageux et un peu moins peureux parce que là ce n'est pas aussi grave que d'être mort pour de semblant dans Monsieur Tapis. À chaque fois qu'une voiture arrive sur nous je lui dis dans ma tête : *Reste de ton côté sinon Madame l'Agent Oh te mettra en prison avec le camion marron de Grand Méchant Nick*. Les images de la fenêtre sont comme dans Madame Télé mais en floues ; je vois des voitures garées, une bétonnière, une moto et une remorque avec trois, quatre, cinq voitures dessus, mon chiffre préféré. Dans une cour, un enfant pousse une brouette avec un autre enfant, c'est drôle. Il y a un chien qui traverse une route avec un humain au bout d'une corde, je crois qu'il est vraiment attaché, pas comme les petits de la garderie qui se tenaient juste ensemble. Je regarde les feux rouges qui deviennent verts, une dame qui sautille sur des béquilles et aussi un énorme oiseau sur une poubelle, Deana dit que c'est juste une mouette, qu'elles mangent tout et n'importe quoi.

« Elles sont omnivores, je lui explique.

— Dis donc ! Tu connais des mots savants. »

On tourne du côté où il y a des arbres. Je dis : « C'est encore la Clinique ?

— Non, non, on doit juste faire un petit saut au centre commercial pour acheter un cadeau : Bronwyn est invitée à un anniversaire cet après-midi. »

Le centre commercial, ça veut dire des magasins comme où Grand Méchant Nick nous achète nos provisions (sauf qu'il y va plus).

C'est Paul qui y va tout seul mais il dit qu'il sait pas quoi choisir alors Deana va y aller à sa place, sauf qu'après Bronwyn se met à répéter : « Moi aussi, moi aussi ! » Alors Deana emmènera Bronwyn dans la petite charrette rouge et Paul et moi on attendra dans la camionnette.

Je regarde la charrette rouge. « Je peux essayer ?

— Plus tard, au musée, répond Deana.

— Écoute, de toute façon il faut que j'aille aux toilettes de toute urgence, dit Paul, ça ira peut-être plus vite si on y va tous ensemble.

— Je ne sais pas si…

— Ça ne devrait pas trop être la folie un jour de semaine. »

Deana me regarde sans sourire. « Jack, tu aimerais faire un tour au centre commercial dans la petite charrette ? Ça ne prendra que quelques minutes.

— Oh oui ! »

Je monte derrière et je surveille que Bronwyn ne tombe pas parce que je suis son grand cousin, « comme saint Jean-Baptiste », je lui explique sauf qu'elle écoute pas. Quand on arrive près des portes, *pop !* elles s'ouvrent toutes seules. Je tombe presque du petit chariot mais Paul m'explique qu'en fait n'aie pas peur, c'est juste de minuscules ordinateurs qui s'envoient des messages.

Tout est superéclairé et gigagrand, je ne savais pas que dedans ça pouvait être aussi grand que le Dehors : il y a même des arbres. J'entends de la musique sauf que je vois pas les joueurs avec leurs instruments. Le truc le plus incroyable, c'est un sac Dora, je descends de la charrette pour toucher sa figure, elle sourit et elle danse pour moi. « Dora, je lui chuchote.

— Ah oui, dit Paul, Bronwyn aussi l'adorait mais maintenant elle est fan d'Hannah Montana.

— Hannah Montana, chante Bronwyn, Hannah Montana. »

Le sac Dora a des bretelles, il est comme Sac-à-dos mais avec Dora dessus à la place de la figure de Sac-à-dos. Il a une poignée aussi, mais quand j'essaie de le soulever, je crois que je l'ai cassé sauf qu'après il roule ; c'est un sac à dos-et-roulettes en même temps, magique.

« Il te plaît ? » C'est Deana qui me parle. « Tu aimerais y ranger tes affaires ?

— Si nous prenions plutôt un modèle qui ne soit pas rose ? lui dit Paul. Et celui-ci, Jack, sympa, non ? » Il prend un sac de Spiderman.

Je serre Dora très fort. Je crois qu'elle me chuchote : « Hola, Jack ! »

Deana essaie de prendre le sac Dora mais je la laisse pas. « N'aie pas peur, c'est juste pour aller payer la dame, je te le rendrai dans deux secondes… »

Ça dure pas deux secondes, ça en fait trente-sept.

« Ah, voilà les toilettes ! » dit Paul, et il part en courant.

La dame emballe le sac dans du papier alors je vois plus Dora ; elle met tout dans un grand carton que Deana prend par les ficelles pour me le donner. Je ressors Dora, je mets mes bras dans ses bretelles et je la porte, je porte Dora sur moi pour de vrai !

« Qu'est-ce qu'on dit ? » demande Deana.

Mais j'ai rien dit, moi !

« Bronwyn : joli sac, répond Bronwyn qui en agite un avec des paillettes et des cœurs accrochés à des ficelles.

— Oui, ma chérie, mais tu as déjà beaucoup de jolis sacs à la maison. » Elle prend celui qui brille, Bronwyn se met à hurler et un des cœurs tombe par terre.

« Est-ce qu'un jour on pourrait faire plus de six mètres dans un centre commercial sans avoir droit à une colère ? demande Paul qui est revenu.

— Si tu avais été là, tu aurais pu détourner son attention, lui dit Deana.

— Bronwyn : joli saaaaac ! »

Deana la remet dans sa charrette. « Allons-y. »

Je ramasse le cœur et je le mets dans ma poche avec les autres trésors ; je marche à côté du petit chariot.

Après, je change d'avis, je range tous mes trésors dans mon sac Dora, sur le devant avec un zip. Comme mes chaussures font mal, je les enlève.

« Jack ! » C'est Paul qui m'appelle.

« Arrête de crier son prénom comme ça, tu as oublié ou quoi ? lui dit Deana.

— Ah oui. »

Je vois une gigantesque pomme en bois. « Elle me plaît.

— C'est fou, hein ? répond Paul. Et si on prenait ce tambour pour Shirelle ? »

Deana roule les yeux. « Risques de commotion cérébrale. Laisse tomber.

— Je peux avoir la pomme, merci ? je demande.

— Je ne pense pas qu'elle entrerait dans ton sac », dit Paul en souriant.

Après je trouve un truc bleu et argent qui ressemble à une fusée : « Je veux ça, merci.

— C'est une cafetière, répond Deana qui la remet sur l'étagère. Nous t'avons déjà acheté un sac, ça suffira pour aujourd'hui, d'accord ? Il faut encore trouver un cadeau pour l'amie de Bronwyn et on pourra y aller.

— Excusez-moi, cela n'appartiendrait pas à votre fille aînée ? » C'est une vieille dame qui nous tend mes chaussures.

Deana ouvre des grands yeux.

« Jack, qu'est-ce que c'est que cette histoire ? demande Paul en montrant mes chaussettes.

— Merci beaucoup », dit Deana qui prend les souliers à la dame et se met à genoux. Elle pousse mon pied pour qu'il entre dans la droite et après pareil pour la gauche. Elle parle à Paul entre ses dents : « Tu n'arrêtes pas de répéter son prénom ! »

Qu'est-ce qui va pas avec mon prénom ?

« Oui, pardon, dit Paul.

— Pourquoi elle a dit "votre fille aînée" ? je demande.

— Eh bien, à cause de tes cheveux longs et de ton sac Dora », explique Deana.

La vieille dame a disparu. « C'était une méchante ?

— Non, non.

— Mais si elle comprenait que tu es le fameux Jack, dit Paul, elle pourrait te prendre en photo avec son portable, par exemple, et ta maman nous tuerait. »

Ma poitrine fait *boum-boum-boum*. « Pourquoi Maman nous… ?

— Non, excuse-moi, je voulais dire…

— Il voulait juste dire qu'elle serait très en colère », explique Deana.

Je pense à Maman, couchée dans le noir, Ailleurs. « J'aime pas quand elle est fâchée.

— Non, bien sûr.

— On peut me rapporter à la Clinique maintenant, s'il vous plaît ?

— Tout à l'heure.

— Tout de suite.

— Tu ne veux pas voir le musée ? On y va dans une petite minute. Une peluche Webkinz, dit Deana à Paul, ça plaît toujours. Je crois qu'il y a un magasin de jouets juste après les restaurants… »

Moi, pendant ce temps, je tire mon sac à roulettes et mes chaussures sont scratchées trop serrées. Comme Bronwyn a faim, on mange du pop-corn, le truc le plus croustillant que j'ai jamais goûté, sauf qu'il me reste collé dans la gorge et ça me fait tousser. Paul ramène des cafés *latte* pour lui et Deana. Quand des bouts de pop-corn tombent de mon paquet, Deana dit de les laisser parce qu'on en a plein et qu'on sait pas ce qui a pu traîner par terre. J'ai tout sali, Maman sera pas contente. Deana me donne une lingette humide pour débarbouiller mes doigts, je la mets dans mon sac Dora. Il y a trop de lumière ici, en plus je crois qu'on est perdus ; je voudrais tellement être dans la chambre numéro 7.

J'ai envie de faire pipi, Paul m'emmène dans une salle de bains avec des drôles de petits éviers à bord tombant accrochés au mur. Il me les montre. « Vas-y.

— Où c'est, les W-C ?

— Ici, ce sont des W-C spéciaux pour nous, les hommes. »

Je secoue la tête et je ressors.

Deana dit que je peux y aller avec Bronwyn et elle ; elle me laisse choisir la petite cabine que je veux. « Super, Jack, sans une éclaboussure. »

Pourquoi j'éclabousserais, d'abord ?

Quand elle baisse la culotte de Bronwyn, ça ressemble pas à Petit Zizi ni au vagin de Maman : c'est un petit bourrelet de peau avec un pli au milieu et pas de fourrure. Je pose mon doigt dessus et j'appuie : c'est tout mou !

Deana me donne une tape sur la main.

J'arrive plus à m'arrêter de crier.

« Calme-toi, Jack. Je t'ai… Tu es blessé ? »

Il y a tout plein de sang qui coule de mon poignet.

« Je suis désolée, dit Deana. Vraiment désolée, ça doit être ma bague. » Elle la regarde, avec ses petites pépites d'or. « Mais tu sais, il ne faut pas toucher les parties génitales des autres, ce n'est pas bien, compris ? »

C'est quoi, les parties génitales ?

« Fini, Bronwyn ? Maman va t'essuyer. »

Elle frotte Bronwyn là où j'avais mis mon doigt sauf qu'elle se donne pas une tape, après.

Quand je me lave les mains, ça fait encore plus mal au sang. Deana fouille et refouille dans son sac pour trouver un sparadrap. Elle plie une serviette en papier marron et me dit de l'appuyer sur la coupure.

« Ça boume ? demande Paul derrière la porte.

— Mauvaise question ! répond Deana. Partons maintenant.

— Et le cadeau pour Shirelle ?

— On emballera un jouet de Bronwyn qui a l'air neuf.

— Pas un à moi ! » crie Bronwyn.

Elles se disputent. J'ai envie d'être au lit avec Maman, toute douce dans le noir, sans musique invisible, sans grosses personnes à la figure toute rouge qui passent et sans filles qui rient avec les bras enroulés ensemble et des bouts de peau qui apparaissent sous leurs habits. J'appuie sur ma blessure pour que le sang coule plus, je ferme les yeux en marchant et je me cogne à un pot ; en fait, c'est une plante mais pas comme Madame Plante quand elle était vivante, une en plastique.

Après je vois un quelqu'un qui me sourit, c'est Dylan !
Je cours vers lui et je le serre superfort dans mes bras.

« Un livre, dit Deana, parfait, donne-moi deux
secondes.

— C'est Dylan le Maçon, mon ami de la Chambre,
j'explique à Paul. "Dylan est le plus costaud des maçons !
À grands coups de pelle, il construit des maisons. Regardez comme il a le bras long…"

— Super, p'tit gars. Maintenant remets-le à sa place,
tu veux ? »

Je caresse le devant de *Dylan* qui est devenu tout
lisse et brillant ; comment il a fait pour venir au centre
commercial ?

« Attention, ne mets pas de sang dessus. » Paul pose
un mouchoir sur ma main, mon papier marron a dû
tomber. « Et si tu en choisissais un autre, un livre que tu
n'as jamais lu ?

— Mama, Mama ! » Bronwyn essaie de détacher un
bijou de la page en carton sur le devant d'un livre.

« Va payer », dit Deana en mettant un livre dans la
main de Paul et elle court vite vers Bronwyn.

J'ouvre mon sac Dora, je mets Dylan dedans et je tire
bien sur le zip.

Quand Deana et Bronwyn reviennent, on va à la
fontaine écouter l'eau qui éclabousse (mais sans se faire
éclabousser). Bronwyn répète : « Des sous, des sous ! »
alors Deana lui donne une pièce et Bronwyn la lance
dans le bassin.

« Tu en veux une ? » C'est à moi qu'elle parle.

Ça doit être une poubelle spéciale pour celles qui sont
vraiment trop sales. Je prends la pièce, je la lance dedans
et je sors ma lingette pour m'essuyer les doigts.

« Tu as fait un vœu ? »

J'avais jamais vu une poubelle magique. « Quel vœu ?

— Demande ce que tu aimerais le plus au monde », répond Deana.

Ce que je voudrais le plus, c'est être dans la Chambre, sauf qu'elle est pas dans le monde, je crois.

Il y a un monsieur qui parle à Paul, il a le doigt pointé sur ma Dora.

Paul s'approche, ouvre la poche du sac et sort *Dylan*. « Eh, p'tit gars !

— Je suis désolée, dit Deana.

— Il en a un exemplaire à la maison, vous voyez, explique Paul, il croyait que c'était le sien. » Il tend *Dylan* au monsieur.

Je cours le reprendre. « "C'est Dylan, le plus costaud des maçons, je dis. À grands coups de pelle, il construit des maisons."

— Il ne comprend pas, dit Paul.

— "Regardez comme il a le bras long…"

— Jack, mon chou, ce livre appartient au magasin. » Deana tire dessus.

Je le tiens encore plus fort, je le cache sous ma chemise et je dis au monsieur : « Je viens d'un autre monde. Grand Méchant Nick nous avait enfermés, Maman et moi, et maintenant il est en prison avec son camion mais l'ange fera pas exploser la porte pour le libérer parce que c'est un méchant ! On est célèbres et si tu nous prends en photo on va te tuer. »

Le monsieur cligne des yeux.

« Euh, il coûte combien, ce livre ? demande Paul.

— Il faut que je scanne le code-barres… », répond le monsieur.

Paul tend la main, je me roule en boule par terre avec *Dylan* tout contre mon ventre.

« Et si j'allais vous en chercher un autre exemplaire à scanner ? » propose Paul et il retourne dans le magasin en courant.

Deana cherche partout autour d'elle en criant : « Bronwyn ? Chérie ? » Elle se précipite vers la fontaine et regarde tout autour. « Bronwyn ? »

En fait, Bronwyn est derrière une fenêtre où il y a des robes, elle tire la langue à la vitre.

« Bronwyn ? » hurle Deana.

Je tire la langue aussi et Bronwyn rit de l'autre côté.

* * *

Dans la camionnette verte, je m'endors presque mais pas vraiment.

Noreen dit que mon sac Dora est magnifique, le cœur qui brille aussi et *Dylan le Maçon* a l'air d'être un superlivre. « Et les dinosaures, comment c'était ?

— On n'a pas eu le temps d'y aller.

— Oh, dommage. » Noreen va chercher un sparadrap pour mon poignet mais sans image dessus. « Ta maman a fait la sieste toute la journée, elle sera très contente de te revoir. » Elle toque et elle ouvre la porte numéro 7.

J'enlève mes chaussures mais pas mes habits et je me mets enfin dans le lit avec Maman. Elle est chaudédouce, je me serre contre elle mais pas trop fort. L'oreiller sent mauvais.

« Je reviens à l'heure du dîner », chuchote Noreen et elle referme la porte.

L'odeur, c'est du vomi, je me rappelle de notre Grande Évasion. « Réveille-toi, je dis à Maman, tu as été malade sur l'oreiller. »

Mais Maman se rallume pas, elle grogne même pas ni elle se tourne de l'autre côté, elle bouge pas quand je tire sur elle. Elle a jamais été aussi Ailleurs.

« Maman, Maman, Maman. »

Elle s'est changée en zombie, je crois.

« Noreen ? » je crie en courant vers la porte. Je sais que je dois pas déranger les autres gens mais… « Noreen ! » Elle est au bout du couloir, elle se retourne. « Maman a fait un vomi.

— T'inquiète, on va nettoyer ça en deux secondes. Je vais chercher le chariot…

— Non, viens tout de suite !

— Bon, d'accord. »

Quand elle allume la lumière et voit Maman, elle prend le téléphone et elle dit : « Code bleu, chambre 7, code bleu… »

Je sais pas ce que ça… Après je vois les médicaments de Maman sur la table, les flacons sont presque vides. Jamais plus que deux, c'est la règle, alors pourquoi ils sont presque vides ? Où sont passés les cachets ? Noreen lui appuie sur le côté du cou en répétant son autre nom et « Vous m'entendez ? Vous m'entendez ? »

Mais je crois que Maman entend rien, je crois qu'elle voit rien. Je crie : « Mauvaise idée, mauvaise idée, mauvaise idée !… »

Des tas de gens arrivent en courant, il y en a un qui m'emmène dans le couloir. Je hurle « Maman » de toutes mes forces mais c'est pas assez fort pour la réveiller.

LE DEHORS

Je suis dans la maison du hamac. Je le cherche par la fenêtre mais Mamie dit qu'il serait dans le jardin de derrière, pas devant, et de toute façon il est pas encore accroché vu qu'on est seulement le 10 avril. Il y a des buissons et des fleurs et aussi le trottoir, la rue et les autres jardins de devant avec leurs maisons ; je compte onze bouts de maisons (c'est où des voisins habitent, comme dans la chanson : « Y en a chez la voisine, mais ce n'est pas pour nous »). Je touche Dent Malade avec ma langue : elle est juste là, en plein milieu de ma bouche. La voiture blanche reste dehors sans bouger, je suis monté dedans pour venir de la Clinique sauf qu'il y avait même pas de rehausseur ; le docteur Clay voulait que je reste pour « prolongement du traitement » et « isolement thérapeutique » mais Mamie a crié qu'il avait pas le droit de me retenir comme un prisonnier alors que j'ai une famille. Ma famille, c'est Mamie, Beau-Papy, Bronwyn, Oncle Paul, Deana et Papy sauf qu'il a des frissons quand il me regarde. Maman aussi, c'est ma famille. Je coince Dent Malade au fond de ma joue. « Elle est morte ?

— Non, je n'arrête pas de te le répéter. Pas du tout. » Mamie pose la tête sur le bois qui fait le tour de la vitre.

Des fois quand les gens disent *pas du tout*, en fait ça a l'air moins vrai. « Tu joues juste à croire qu'elle est pas morte ? je demande. Parce que si elle est pas vivante, je veux pas l'être non plus. »

Elle s'est remise à pleurer, ça lui coule partout sur la figure. « Qu'est-ce… Qu'est-ce que tu veux que je te dise ? Je n'en sais pas plus, mon chéri. Ils m'ont promis qu'ils appelleraient dès qu'ils auraient du nouveau.

— C'est quoi, du nouveau ?

— Comment elle va, en ce moment même.

— Comment elle va ?

— Euh, pas très bien à cause de tous les mauvais médicaments qu'elle a pris, comme je te l'ai expliqué, mais ils lui ont sans doute fait un lavage d'estomac à l'heure qu'il est, ils ont dû tout pomper ou presque.

— Mais pourquoi elle… ?

— Parce qu'elle ne va pas bien. Dans sa tête. Ils s'occupent d'elle, ne t'inquiète pas.

— Pourquoi ?

— Eh bien, parce que ça n'y change rien. »

La figure du bon Dieu est toute rouge et coincée sur une cheminée. Il commence à faire sombre. Dent Malade me rentre dans la gencive ; elle fait mal, la, vilaine.

« Tu n'as pas touché à tes lasagnes, dit Mamie, tu veux un verre de jus de fruits ou autre chose ? »

Je secoue la tête.

« Tu es fatigué ? Tu dois être épuisé, Jack. Moi en tout cas, je n'en peux plus. Viens voir la chambre d'amis, elle est en bas.

— Quels amis ?

— Non, ça veut dire qu'on ne s'en sert pas.

— Pourquoi vous avez une chambre qui vous sert pas ? »

Mamie hausse les épaules. « On ne sait jamais quand on en aura besoin. » Elle attend pendant que je descends l'escalier sur les fesses parce qu'il y a pas de rampe où se tenir. Je tire mon sac Dora derrière moi : *boum-da-boum*. On traverse la chambre qui s'appelle « pièce à vivre » (je me demande pourquoi vu que Mamie et Beau-Papy vivent dans toutes les chambres, sauf celle des amis).

On entend un horrible bruit, *dring-dring*. Je me couvre les oreilles. « Je ferais mieux d'aller décrocher », dit Mamie.

Elle revient au bout d'une minute et m'emmène dans une chambre. « Tu es prêt ?

— Pour quoi ?

— Pour aller au lit, mon chéri.

— Pas ici. »

Elle pose sa main sur sa bouche et ses doigts appuient sur les côtés tout plissés. « Je sais que ta maman te manque, il faut que tu dormes seul pour une fois. Tout ira bien, on est juste là-haut, Beau-Papy et moi. Tu n'as pas peur des monstres, n'est-ce pas ? »

Ça dépend lesquels, s'ils existent pour de vrai ou non et s'ils sont là où je suis.

« Hum. L'ancienne chambre de ta maman est à côté de la nôtre, dit Mamie, mais on en a fait une salle de sport, je ne suis pas sûre qu'il y a la place pour un matelas gonflable… »

Cette fois, je remonte l'escalier sur mes pieds en me tenant aux murs et Mamie porte mon sac Dora. Il y a des matelas bleus tout mous, des haltères et une machine à abdos comme j'avais vu dans Madame Télé. « Son lit était ici, au même endroit que son berceau de bébé, raconte Mamie en montrant un vélo (sauf qu'il est collé par terre). Les murs étaient couverts de posters des groupes qu'elle aimait bien, tu vois le genre ; il y avait un éventail géant et un carillon attrape-rêve…

— Pourquoi il lui chipait ses rêves ?

— Comment ?

— L'éventail.

— Ah non, c'était un carillon décoratif. Je regrette tant de tout avoir déposé à la boutique Goodwill, c'est le psychologue de mon groupe de soutien qui m'avait conseillé d'en faire don à une association… »

Je bâille très fort, Dent Malade allait tomber de ma bouche mais je la rattrape dans ma main.

« Qu'est-ce que c'est ? demande Mamie. Une perle ? Ne mets jamais d'aussi petits objets dans ta bouche, ta maman ne t'a pas… ? »

Elle essaie d'ouvrir mes doigts pour la prendre. Je donne un grand coup dans son ventre.

Elle me regarde avec des yeux étonnés.

Je remets Dent Malade sous ma langue et je serre les dents.

« J'ai une idée : et si j'installais un matelas gonflable à côté de notre lit, juste pour ce soir, en attendant que tu te sentes chez toi ? »

Je tire mon sac Dora. La porte d'à côté, c'est là où Mamie et Beau-Papy dorment. Le matelas gonflable ressemble à un gros sac ; comme la pompe n'arrête pas de ressortir du trou, Mamie crie à Beau-Papy de venir l'aider. À la fin, quand le matelas est tout plein d'air, on dirait un ballon, mais en rectangle, et elle met des draps dessus. Qui c'est, ceux qui ont pompé l'estomac de Maman ? Par où ils font passer le tuyau ? Elle va pas éclater ?

« Jack, je t'ai demandé où est ta brosse à dents. »

Je la retrouve dans mon sac Dora où il y a tous mes trucs. Mamie me dit de mettre ma tenue de nuit, ça veut dire mon pyjama. Elle montre le matelas gonflable : « Hop, au lit ! » Les gens disent toujours *hop* pour faire croire que c'est drôle d'obéir. Mamie se penche avec la bouche en avant pour un bisou mais je cache ma tête sous la couette. « Pardon, elle dit, tu veux que je te lise une histoire ?

— Non.

— Trop fatigué pour une histoire ? Bon, d'accord. Bonne nuit. »

La chambre devient toute noire. « Et les punaises ?

— Tes draps sont parfaitement propres. »

Je la vois pas mais je reconnais sa voix. « Non, *les punaises* !

— Jack, je tombe de sommeil…

— Les punaises ni pas les puces.

— Ah, dit Mamie. Bonne nuit, fais de beaux rêves… Oui, je le disais à ta mère, quand elle était…

— Raconte-le en entier.

— Bonne nuit, fais de beaux rêves, sans puces ni punaises. »

Il y a de la lumière qui rentre, c'est la porte qui s'ouvre. « Où tu vas ? »

Je vois la forme de Mamie toute noire dans le trou. « Pas loin, à l'étage en dessous. »

Je fais une roulade pour descendre du matelas, il se renverse un peu. « Moi aussi.

— Non, je vais regarder mes émissions, ce n'est pas pour les enfants.

— Tu avais dit toi et Beau-Papy dans le lit et moi à côté sur le matelas gonflable.

353

— Oui, tout à l'heure, nous ne sommes pas encore fatigués.

— Tu avais dit que tu étais fatiguée.

— J'en ai assez de… » Mamie crie presque. «Je n'ai pas envie de dormir, j'ai juste besoin de rester un peu devant la télé sans penser à rien.

— Tu peux penser à rien ici.

— Essaie juste de te coucher et de fermer les yeux.

— J'y arrive pas, pas tout seul.

— Oh, dit Mamie, mon pauvre petit. »

Pourquoi je suis pauvre ?

Elle est à côté du matelas gonflable, elle se penche et elle me touche la figure.

Je m'écarte.

«Je te fermais les yeux, c'est tout.

— Toi dans le lit. Moi sur le matelas. »

Je l'entends souffler. «D'accord. Je vais m'allonger, mais rien qu'une minute… »

Je vois sa forme sur la couette. *Plop*, quelque chose tombe, c'est sa chaussure.

«Tu veux que je te chante une berceuse ? elle chuchote.

— Hein ?

— Une chanson. »

C'est Maman qui fait ça, sauf qu'elle avait arrêté à la Clinique. En plus, elle m'a cogné la tête sur la table de la chambre numéro 7. Et aussi elle a avalé les mauvais médicaments : je crois qu'elle en avait assez de jouer et qu'elle était pressée d'aller au Ciel, alors elle a pas attendu. Pourquoi elle m'a pas attendu, moi ?

«Tu pleures ? »

Je réponds pas.

«Oh, mon chéri. Bon, ça fait du bien quand ça sort. »

J'ai envie de mon Doudou-Lait, vraiment très envie, je peux pas dormir si j'en prends pas. Je tète Dent Malade, c'est Maman, un bout de Maman au moins, ses cellules toutes marron, pourries et dures. Dent Malade, celle qui avait mal ou faisait mal, mais c'est fini maintenant. Pourquoi ça fait du bien quand ça sort ? Maman disait qu'on serait libres mais je me sens pas libre.

Mamie chante tout doucement, je connais la chanson sauf que je la reconnais pas bien. « "Les roues du bus font…"

— Non merci », je dis, et elle s'arrête.

* * *

Moi et Maman dans la mer, je suis emmêlé dans ses cheveux, tout coincé dans les nœuds et je me noie…

C'était juste un cauchemar. Voilà ce que dirait Maman si elle était ici, sauf qu'elle y est pas.

Je reste couché et je compte cinq doigts, plus cinq à l'autre main, cinq à un pied et cinq à l'autre ; je les bouge un par un. J'essaie de parler dans ma tête : *Maman ? Maman ? Maman ?* Mais je l'entends pas répondre.

Quand il commence à faire plus clair, je tire la couette sur ma figure pour lui ravoir de l'ombre. Ça doit ressembler à ça, être Ailleurs.

Des gens marchent en chuchotant à côté de moi. « Jack ? » C'est Mamie près de mon oreille, je me recroqueville dans mon coin. « Comment ça va ? »

Je me rappelle les bonnes manières : « Pas en superforme aujourd'hui, merci », je marmonne vu que Dent Malade s'est collée sur ma langue.

Quand Mamie est partie, je m'assois pour compter mes choses dans mon sac Dora : habits, chaussures, samare d'érable, train, ardoise, hochet, cœur brillant, crocodile, pierre, singes, voitures, plus six livres (le sixième, c'est *Dylan le Maçon* du magasin).

Après des heures et des heures, on entend le *dring-dring* qui sort du téléphone. Mamie monte me voir. « C'était le docteur Clay, l'état de ta maman est stable. Bonne nouvelle, non ? »

Mais les étables, c'est pas pour les animaux ?

« Et il y a des pancakes aux myrtilles au petit-déjeuner. »

Je reste couché sans bouger du tout, comme un squelette. La couette sent la poussière.

Ding-dong, ding-dong : Mamie redescend.

Il y a des voix en bas. Je me remets à compter mes doigts des pieds, ceux des mains et mes dents à partir de zéro. Je trouve le bon nombre à chaque fois mais je suis pas sûr.

Mamie remonte tout essoufflée pour dire que mon papy est venu nous dire au revoir.

« À moi ?

— À nous tous, il repart pour l'Australie. Allez, lève-toi, Jack, ça ne t'avancera à rien de te complaire dans ton malheur. »

Je sais pas ce que c'est, *complaire*. « Il veut pas que je suis né.

— Qu'est-ce qu'il ne veut pas ?

— Il a dit que si j'existais pas, Maman serait pas obligée d'être Maman. »

Comme Mamie répond pas, je crois qu'elle est redescendue. Je sors ma figure de sous la couette pour voir.

Elle est toujours là avec les bras croisés bien serrés autour de sa taille. « Ne t'occupe pas de ce que raconte ce trouduc.

— Qu'est-ce que c'est… ?

— Allez, descends manger un pancake.

— Je peux pas.

— Non mais regarde-toi », dit Mamie.

Comment je pourrais me regarder ?

« Tu respires, tu marches, tu parles et tu dors sans ta maman, non ? Alors je parie que tu peux aussi manger sans elle. »

Je garde Dent Malade dans ma joue pour me protéger. Je mets longtemps à descendre l'escalier.

Dans la cuisine, Papy, le vrai, a du violet sur la bouche. Son pancake est au milieu d'une flaque de sirop avec d'autres trucs violets : c'est les myrtilles.

Les assiettes sont blanches (normal) mais les verres ont des formes bizarres avec des coins. Il y a un grand saladier de saucisses. J'avais pas senti que j'avais faim. Je mange une saucisse et encore deux.

Mamie dit qu'elle a pas le jus sans pulpe mais qu'il faut boire sinon je vais m'étouffer avec mes saucisses. Je sens le pulpeux qui me chatouille la gorge avec ses germes. Le frigo est énorme, tout plein de boîtes et de bouteilles. Il y a tellement de petits placards à provisions que Mamie doit monter des marches pour regarder dans tous leurs tiroirs.

Quand elle dit que c'est l'heure de la douche, je fais semblant de pas avoir entendu.

« C'est quoi, *éstable* ? je demande à Papy.

— Stable ? » Une larme sort de son œil, il l'essuie. « C'est n'aller ni mieux ni plus mal, je dirais. » Il pose son couteau et sa fourchette ensemble sur son assiette.

Ni mieux ni plus mal que quoi ?

Dent Malade a pris un goût de fruit aigre. Je remonte dormir dans la chambre.

**

« Tu ne vas pas encore rester scotché devant le petit écran toute la journée, mon chou, dit Mamie.

— Hein ? »

Elle éteint la télé. « Je viens d'avoir le docteur Clay au téléphone, il me disait que tu as besoin d'être stimulé et j'ai dû lui raconter que nous jouions aux dames. »

Je cligne des yeux et je me les frotte. Pourquoi elle lui a fait un mensonge ? « Et Maman, elle… ?

— Son état est toujours stable, à ce qu'il dit. Et si on jouait aux dames pour de vrai ?

— Tes pions sont pour les géants et en plus ils glissent. »

Elle soupire. « Combien de fois faut-il que je te le répète ? Ils ont la taille normale, comme le jeu d'échecs et le paquet de cartes. Le petit modèle magnétique que vous aviez, ta maman et toi, c'était un jeu de voyage. »

Mais on partait jamais en voyage !

« Allons au parc. »

Je secoue la tête. Maman avait dit que quand on serait libres on irait là-bas nous deux.

« Mais tu es déjà allé dehors, et pas qu'une fois.

— C'était à la Clinique.

— L'air est partout le même, non ? Allez, viens. Ta maman m'a raconté que tu aimais grimper.

— Oui, sur Madame Table, sur nos chaises et sur Monsieur Lit ; j'y suis monté des milliers de fois.

— Pas sur ma table, jeune homme. »

Je parlais de la Chambre.

Mamie me fait ma queue-de-cheval très serrée et la rentre dans ma veste mais je la ressors. Elle parle pas de la crème gluante ni de mon chapeau ; peut-être que le soleil brûle pas la peau dans ce côté du monde ? « Mets tes lunettes de soleil. Oh, et tes vraies chaussures, ces chaussons ne maintiennent pas bien les pieds. »

Mes pieds sont écrasés en marchant même après que j'ai un peu ouvert les Velcro. On ne risque rien tant qu'on reste sur le trottoir mais si on marche dans la rue sans faire exprès, on est morts. Maman n'est pas morte, Mamie dit qu'elle ne me mentirait pas. Sauf qu'elle a menti au docteur Clay pour le jeu de dames. Comme le trottoir s'arrête tout le temps, on est obligés de traverser la rue ; ce n'est pas grave si on se donne la main. Moi je n'aime pas toucher les autres, mais Mamie dit : « Tu n'as pas le choix. » L'air me souffle en plein dans les yeux et le soleil trop éblouissant rentre par les côtés de mes lunettes. Je vois un truc rose (c'est un élastique pour les cheveux) et un haut de bouteille, une roue (pas d'une vraie voiture, d'une petite) et un sachet de caca-huètes sauf qu'elles y sont plus et une boîte de jus de fruits où j'entends qu'il en reste et aussi un caca jaune. Mamie pense qu'il est pas à un humain mais à un chien dégoûtant, elle tire sur ma veste : « Ne reste pas là ! » Les déchets devraient pas traîner par terre, sauf les feuilles que l'arbre peut pas s'empêcher de laisser tomber. « En France, ils laissent leurs chiens faire leurs saletés partout, mais je pourrai y aller un jour.

— Pour voir leurs crottes ?

— Non, non, dit Mamie, pour voir la tour Eiffel. Plus tard, quand tu sauras très bien monter les escaliers.

— La France c'est le Dehors ? »

Elle me regarde l'air bizarre.

« C'est dans le monde ?

— Oui, comme tout le reste. Et nous aussi ! »

Je ne peux pas entrer dans l'aire de jeux : il y a des enfants qui sont pas mes amis.

Mamie roule les yeux. « Tu n'as qu'à jouer en même temps qu'eux, c'est ce qu'ils font tous. »

Je regarde à travers les losanges en fil de fer. C'est comme la clôture secrète dans les murs et Monsieur Par-Terre qui empêchait Maman de creuser, mais on est sortis quand même, je l'ai sauvée (sauf qu'après elle voulait plus être vivante). Il y a une grande fille suspendue la tête en bas sur une balançoire. Deux garçons sur le truc qui monte et qui descend, je me rappelle pas le nom : ils le cognent par terre et ils rient et ils tombent exprès, je crois. Je compte mes dents jusqu'à vingt et encore une fois. Le grillage fait des rayures blanches sur mes doigts. Je regarde une dame mettre un bébé sur le truc à grimper pour qu'il rampe dans le tunnel ; elle lui fait des grimaces par les trous qui sont sur les côtés et elle le cherche pour de semblant. Je regarde la grande fille mais elle se balance, c'est tout : des fois ses cheveux touchent presque la boue et des fois elle se remet à l'endroit. Les garçons jouent à s'attraper et font *pan-pan* avec leurs mains comme des pistolets ; il y en a un qui tombe et se met à pleurer. Il part en courant et rentre dans une maison, Mamie dit qu'il doit habiter là, comment elle le sait ? Après, elle parle tout fort : « Bonjour ! » L'autre garçon nous regarde, je vais me cacher dans un buisson qui me pique à la tête.

Au bout d'un moment, elle trouve que le temps est plus frais qu'il en a l'air et peut-être qu'on devrait rentrer déjeuner.

On marche des centaines d'heures, mes jambes vont se casser.

« Peut-être que tu t'amuseras mieux la prochaine fois.

— C'était intéressant.

— C'est ce que ta maman t'a conseillé de répondre quand quelque chose ne te plaît pas ? » Elle sourit un peu. « C'est moi qui le lui ai appris.

— Elle est toujours pas en train de mourir ?

— Mais non ! » Elle crie presque. « Leo aurait appelé s'il y avait du nouveau. »

Leo, c'est Beau-Papy ; ça embrouille la tête, tous ces noms. Moi, j'en veux pas d'autre que le mien : Jack.

Quand on est à sa maison, Mamie me montre la France sur le globe qui est comme une statue du monde et tourne tout le temps. Notre ville tout entière, ça fait pas plus qu'un point et même la Clinique est dedans. Pareil pour la Chambre, sauf que Mamie dit de plus y penser et que je dois l'oublier maintenant.

Au déjeuner, je mange plein de tartines de beurre avec du pain français (mais pas au caca, je crois). Mon nez est rouge et tout chaud, et aussi mes joues et le haut de ma poitrine, mes bras, le dos de mes mains et mes chevilles au-dessus de mes chaussettes.

Beau-Papy dit à Mamie de ne pas se mettre dans tous ses états.

Elle arrête pas de répéter : « Il n'y avait pas tant de soleil que ça », en s'essuyant les yeux.

Je demande : « Ma peau va tomber ? »

— Juste des petits bouts, répond Beau-Papy.

— Ne lui fais pas peur, dit Mamie. Tu n'as rien de grave, Jack, ne t'inquiète pas. Remets encore de cette crème après-soleil… »

C'est dur de s'en mettre derrière moi mais j'aime pas sentir les doigts des autres alors je me débrouille.

Mamie dit qu'elle devrait rappeler la Clinique mais qu'elle s'en sent pas encore le courage.

Comme je m'ai fait brûler, j'ai le droit de me coucher sur le canapé pour regarder les dessins animés ; Beau-Papy est dans le fauteuil inclinable en train de lire son *World Traveler Magazine*.

***

Pendant la nuit, Dent Malade me sort de la bouche et rebondit dans la rue, *tac-tac-tac*. Elle fait trois mètres de haut et elle est toute moisie avec des petits bouts cassants qui se détachent quand elle se cogne contre les murs. Après, je flotte dans un bateau tout fermé par des clous et « les p'tits vers entrent par ici, les p'tits vers ressortent par là ».

Une voix siffle dans le noir, je sais pas à qui elle est sauf qu'après je reconnais Mamie : « Jack. Tout va bien.

— Non.

— Rendors-toi. »

Je crois pas que j'y arrive.

Au petit-déjeuner, Mamie prend un cachet. Je demande si c'est ses vitamines. Beau-Papy se met à rire. « Tu peux parler, toi », elle lui dit et puis elle m'explique : « On a tous besoin d'un petit quelque chose. »

Cette maison est dure à apprendre. Les chambres où j'ai toujours le droit d'aller, c'est la cuisine et le salon, et aussi la salle de gym et la chambre d'amis et le sous-sol ; il y a aussi devant la chambre, ça s'appelle le palier (comme les avions qui volent en paliers mais sans les avions). Je peux entrer dans la chambre sauf si la porte est fermée alors je dois toquer et attendre. Pareil pour la salle de bains : si ça s'ouvre pas, ça veut dire qu'il y a quelqu'un des deux autres et je dois attendre. La baignoire, l'évier et les W-C sont d'un vert qui s'appelle avocat, à part le siège qui est en bois (je peux m'asseoir dessus). Je dois le remonter et le rabaisser par politesse pour les dames (les dames, c'est Mamie). Les W-C ont un couvercle sur le réservoir comme celui que Maman avait tapé sur Grand Méchant Nick. Le savon est une boule toute dure que je dois frotte-frotter pour qu'il mousse. Les gens de Dehors sont pas comme nous, ils ont un million de trucs avec plein de sortes différentes pour chacun : il y a des tas de barres chocolatées, de machines et des chaussures. Ils ont une chose pour chaque activité, la brosse à ongles, la brosse à dents, le balai-brosse, la brosse à récurer les W-C, la brosse à vêtements, celle du jardin et la brosse à cheveux. Quand je fais tomber une poudre qui s'appelle talc par terre, je la balaye mais Mamie arrive et dit que c'est la brosse à W-C et elle est fâchée parce que j'ai mis des microbes partout.

C'est aussi la maison de Beau-Papy sauf que c'est pas lui qui décide les règles. Il reste surtout dans sa tanière (ça veut dire sa chambre à lui tout seul).

« On n'a pas envie d'être tout le temps en compagnie les uns des autres, il m'explique. C'est lassant.

— Pourquoi ?

— Crois-en mon expérience, il répond, j'ai été marié deux fois. »

La chambre de devant, j'ai pas le droit d'y aller sans le dire à Mamie mais je le ferais pas de toute façon. Je reste assis dans l'escalier et je tète Dent Malade très fort.

« Pourquoi tu ne vas pas t'amuser avec tes jouets ? » demande Mamie qui pousse un peu pour passer.

Il y en a des tas, je sais pas lequel prendre. J'ai mes joujoux de nos fans dingos, ceux que j'en avais pris six et pas cinq comme croyait Maman. Les craies de toutes les couleurs que Deana a rapportées le jour où je l'ai pas vue, mais elles me barbouillent trop les mains. J'ai un rouleau de papier géant et quarante-huit marqueurs dans un long tube en plastique invisible. Plus une boîte de cubes avec des animaux dessus (Bronwyn en a plus besoin, je sais pas pourquoi) qui s'empilent pour faire une tour plus grande que ma tête.

Je préfère regarder mes chaussures, celles qui sont élastiques. Si j'agite mes doigts des pieds, je les vois presque sous le cuir. *Maman !* Je le crie très fort dans ma tête. Je crois pas qu'elle y est. Elle va ni mieux ni plus mal. Ou alors tout le monde ment.

Je vois un minuscule truc marron sous le tapis, là où ça touche le bois de l'escalier. Je gratte pour le sortir, c'est du métal. Une pièce ! Avec la figure d'un monsieur et des mots : IN GOD WE TRUST LIBERTY 2004. Quand je la retourne, il y a un monsieur, peut-être le même, mais il fait coucou à une petite maison et dit UNITED STATES OF AMERICA E PLURIBUS UNUM ONE CENT.

Mamie est en haut de l'escalier en train de me regarder.

Je sursaute. Je fais glisser Dent Malade de l'autre côté de ma gencive. « Il y a des mots en espagnol, je lui dis.

— Vraiment ? » Elle fronce les sourcils.

Je lui montre.

« C'est du latin. E PLURIBUS UNUM. Hum, je crois que ça veut dire "Nous sommes unis" ou quelque chose comme ça. Tu en veux d'autres ?

— De quoi ?

— Voyons ce que j'ai dans mon porte-monnaie… »

Elle revient avec un truc rond et plat et quand on l'aplatit, ça s'ouvre d'un coup comme une bouche avec pleins de sous différents dedans. Dedans, il y a une pièce argentée où le monsieur a une queue-de-cheval comme moi et qui dit CINQ CENTS mais Mamie explique que tout le monde l'appelle *nickel* en Amérique ; la petite en argent s'appelle *dime* et vaut dix *cents*.

« Pourquoi la cinq est si plus grosse que la dix alors qu'elle vaut moins ?

— C'est comme ça, voilà. »

Même la un cent est plus grosse que la dix ; c'est peut-être « comme ça » mais moi je trouve ça idiot.

Sur la plus grosse argentée, on voit un autre monsieur qui est pas content et derrière, ça dit NEW HAMPSHIRE 1788 LIVE FREE OR DIE. Mamie explique que le New Hampshire est un autre bout de l'Amérique, pas ici.

« *Live free*, ça veut dire que ça coûte rien ?

— Oh, non, non. Ça veut dire… que personne ne vous commande. »

Il y en a une autre pareille sur le devant mais quand je la tourne, je vois des images d'un bateau avec un minuscule bonhomme dedans et un verre et encore de l'espagnol : GUAM E PLURIBUS UNUM 2009 et *Guahan I Tano' Man Chamorro*. Mamie plisse les yeux pour lire et va chercher ses lunettes.

« C'est encore un autre bout de l'Amérique ?

— Guam ? Non, je crois que c'est encore ailleurs. »

Ou alors c'est comme ça que les gens de Dehors écrivent Chambre.

Le téléphone se met à hurler dans l'entrée, je me sauve en haut de l'escalier.

Mamie me rejoint, elle est encore en train de pleurer. « Elle a passé le cap critique. »

J'ouvre des grands yeux.

« Ta maman.

— Quelle cape ?

— Elle est en bonne voie, elle va sans doute s'en tirer. »

Je ferme les yeux.

* * *

Mamie me secoue pour me réveiller : elle dit que ça fait déjà trois heures et que j'arriverai pas à dormir cette nuit.

Comme c'est dur de parler avec Dent Malade, je la mets dans ma poche. J'ai encore du savon dans mes ongles. Il me faut un truc pointu pour le sortir, comme Madame Commande.

« Ta maman te manque ? »

Je secoue la tête. « Pas elle, Madame Commande.

— Madame… Comment ?

— *Comman-de !*

— La télécommande ? Pour changer de chaîne ?

— Non, la mienne, celle qui commandait à Petite Jeep, *Vroum-zoum* − sauf qu'après elle s'est cassée dans Petit Dressing.

366

— Ah, dit Mamie, je suis sûre qu'on peut les récupérer. »

Je fais non de la tête. « Elles sont dans la Chambre.

— On va faire une petite liste.

— Pour l'envoyer par les W-C ? »

Mamie a l'air de rien comprendre. « Non, je vais appeler la police.

— Parce que c'est urgent ? »

Elle secoue la tête. « On va leur demander de venir déposer tes jouets ici dès qu'ils n'en auront plus besoin. »

Je la regarde avec des grands yeux. « La police a le droit d'entrer dans la Chambre ?

— Ils y sont sans doute en ce moment même, elle répond, en train de rassembler les indices.

— C'est quoi, des indices ?

— Des preuves à montrer au juge. Des photos, des empreintes digitales… »

Pendant que j'écris la liste, je pense au C noir de Petite Piste et au trou sous Madame Table, toutes les traces qu'on a laissées, moi et Maman. Le juge va regarder mon dessin de la pieuvre bleue.

Mamie trouve que ça serait bien dommage de pas profiter de cette belle journée de printemps, alors si je mets une longue chemise, mes bonnes chaussures et aussi un chapeau, des lunettes et plein d'écran total, je pourrai sortir dans le jardin.

Elle met de la crème solaire dans ses mains. « Dis-moi vas-y ou stop quand tu voudras. Comme une télécommande. »

C'est assez rigolo, ce jeu.

Elle commence à étaler la crème sur mes dos des mains.

« Stop ! » Au bout d'une minute, je dis : « Vas-y » et elle recommence. « Vas-y. » Elle s'arrête. « Tu veux dire encore ?

— Oui. »

Elle m'en met sur la figure. J'aime pas quand c'est près de mes yeux, mais elle fait attention.

« Vas-y.

— Eh bien, c'est fini, Jack. Tu es prêt ? »

Mamie ouvre les deux portes (celle en verre et celle en filet) et elle sort la première ; après elle me fait signe de venir où la lumière brille en zigzags. On est sur la terrasse qui est tout en bois comme le pont d'un bateau. Il y a des trucs pelucheux dessus, en petits paquets. Mamie m'explique que c'est une sorte de pollen qui vient d'un arbre.

— Lequel ? » Là-haut, j'en vois plein tous différents.

« Je suis incapable de te le dire, j'en ai peur. »

Dans la Chambre, on connaissait chaque nom des choses mais le Dehors en a tant plus que les gens savent même pas comment elles s'appellent.

Mamie tortille ses fesses pour s'asseoir dans un des fauteuils en bois. Il y a des petits brins de bois qui se cassent quand je mets les pieds dessus, des feuilles jaunes minuscules et aussi des marron, en bouillie ; Mamie dit qu'elle avait demandé à Leo de s'en occuper au mois de novembre.

« Il a un travail, Beau-Papy ?

— Non, nous avons pris une retraite anticipée mais évidemment, depuis que nos actions ne valent plus rien…

— Je comprends pas. »

Elle pose sa tête sur le dessus du fauteuil, ses yeux sont fermés. « Rien. Ne t'inquiète pas pour ça.

— Il va mourir bientôt ? »

Mamie rouvre tout à coup les yeux sur moi.

« Ou est-ce ça sera toi en première ?

— Je te signale que je n'ai que cinquante-neuf ans, jeune homme ! »

Maman a seulement vingt-six ans. Elle est en bonne voie, ça veut dire qu'elle va revenir bientôt ?

« Personne ne va mourir, dit Mamie, arrête de te tracasser.

— Maman dit que tout le monde meurt un jour. »

Elle serre sa bouche dans sa main : ça fait des lignes tout autour comme un soleil. « Tu viens à peine de nous rencontrer, nous autres, ne sois pas si pressé de nous dire au revoir ! »

Je regarde du côté plus vert du jardin. « Où il est, le hamac ?

— Il doit bien y avoir moyen de le dégoter au sous-sol puisque tu en as tellement envie. » Elle se lève avec un grognement.

« Je viens avec toi.

— Ne bouge pas, profite du soleil, je reviens dans une seconde. »

Mais j'ai pas bougé, je suis juste debout.

Quand elle est partie, c'est tout silencieux sauf des bruits aigus dans les arbres, je crois que c'est des oiseaux mais je vois rien. Le vent fait *swish-swish* dans les feuilles. J'entends un enfant crier, peut-être dans un autre jardin derrière la grande haie ou alors il est invisible. La figure dorée du bon Dieu se cache derrière un nuage. J'ai plus froid. Le Dehors arrête pas de changer sa lumière, sa chaudeur et ses bruits : je sais jamais comment ça va être la minute après. Le nuage a l'air un peu bleu-gris : est-ce qu'il va faire pleuvoir ? Si la pluie commence à me tomber dessus, je courrai dans la maison avant qu'elle me noie la peau.

J'entends un *bzzzzzz* et quand je regarde dans les fleurs, je vois un truc incroyable : une abeille vivante, vraiment énorme, avec du jaune et du noir ; elle danse juste au milieu de la fleur. « Bonjour ! » Je tends mon doigt pour la caresser et…

Aïïïïe !!! Ma main va exploser, j'avais jamais eu tant mal de ma vie. « Maman ! » je hurle et je l'appelle aussi dans ma tête mais elle est pas dans le jardin ou dans ma tête ou nulle part, je suis tout seul et ça fait mal, si mal, si mal, si…

« Qu'est-ce que tu t'es fait ? » Mamie arrive en courant sur la terrasse.

« C'est pas moi, c'est l'abeille ! »

Quand elle étale la pommade spéciale, ça fait un peu moins mal mais encore beaucoup.

Je suis obligé de l'aider avec l'autre main. Le hamac se suspend à des crochets entre deux arbres au fond du jardin : un assez petit qui fait juste ma taille fois deux (en plus, il est bossu) et l'autre, il est un million de fois plus grand que moi avec ses feuilles argentées. Les cordes sont un peu aplaties d'être restées dans le sous-sol, on doit tirer dessus comme ça les trous sont pas trop gros. Et il y en a deux qui sont cassées, ça fait des trous en plus où il faut pas s'asseoir. « C'est sans doute des mites », dit Mamie.

Je savais pas que les mites pouvaient devenir géantes et casser des cordes.

« Je t'avoue qu'on ne l'avait pas accroché depuis des années. » Elle dit qu'elle aime mieux pas s'y risquer et que de toute façon elle préfère un siège où on s'appuie le dos.

Quand je m'allonge, je remplis le hamac à moi seul. J'agite mes pieds dans mes chaussures, je les enfonce dans les trous et aussi mes mains, mais pas ma droite qui a encore très mal à cause de l'abeille. Je pense à petite Maman et petit Paul qui se balançaient dans ce hamac, c'est bizarre. Et maintenant, où ils sont ? Le grand Paul est avec Deana et Bronwyn, peut-être ; ils ont dit qu'on irait voir les dinosaures un autre jour mais je les crois pas. La grande Maman est en bonne voie à la Clinique.

Je me bats avec les cordes : je suis une mouche dans une toile d'araignée. Ou un voleur que Spiderman avait fait prisonnier. Mamie me pousse, ça balance et ça donne le tournis, mais j'aime bien.

« Téléphone ! » crie Beau-Papy sur la terrasse.

Mamie remonte la pelouse en courant, elle me laisse encore tout seul dehors dans le Dehors ! Je saute du hamac ; j'ai failli tomber à cause d'une chaussure qui reste coincée dans un trou. Je tire sur mon pied et elle se décroche. Je cours après Mamie (je vais presque aussi vite).

Dans la cuisine, elle parle au téléphone. « Bien sûr, chaque chose en son temps ; il est juste à côté de moi. » Après elle me dit : « C'est quelqu'un pour toi », et elle me tend le téléphone mais je le prends pas. « Devine qui ? »

Je la regarde en clignant des yeux.

« Ta maman. »

C'est vrai, j'entends sa voix dans le téléphone. « Jack ?

— Bonjour. »

Comme j'entends plus rien, je le rends à Mamie.

« C'est encore moi, comment vas-tu, dis-moi ? » demande Mamie. Elle fait oui-oui-oui de la tête et elle répond : « Il tient le coup. »

Elle me redonne le téléphone et j'écoute Maman répéter : « Pardon, je suis désolée.

— Tu n'es plus poisonnée par les mauvais médicaments ? je demande.

— Non, non, je vais mieux.

— T'es pas au Ciel ? »

Mamie met la main sur sa bouche.

Maman fait un bruit, je sais pas si c'est un cri ou un rire. « J'aimerais bien.

— Pourquoi tu aimerais être au Ciel ?

— Non, non, je plaisantais.

— C'est pas drôle.

— Tu as raison.

— Faut pas dire ça.

— D'accord. Je suis ici à la Clinique.

— Tu avais plus envie de jouer ? »

J'entends rien, je crois qu'elle est partie. « Maman ?

— J'étais fatiguée, j'ai fait une bêtise.

— T'es plus fatiguée maintenant ? »

D'abord, elle répond pas. Mais à la fin, elle dit : « Si. Mais ce n'est pas grave.

— Tu peux venir ici te balancer dans le hamac ?

— Bientôt.

— Quand ?

— Je n'en sais rien, ça dépend. Tout se passe bien avec Mamie ?

— Et Beau-Papy.

— Oui. Quoi de neuf ?

— Tout », je réponds.

Ça la fait rire, je sais pas pourquoi. « Tu t'amuses bien ?

— Je m'ai fait brûler par le soleil et piquer par une abeille. »

Mamie roule des yeux.

Maman dit quelque chose que j'entends pas. « Il faut que je te laisse, Jack, j'ai encore besoin de dormir.

— Mais tu te réveilleras ?

— Promis. Je suis si… » Elle souffle, un soupir tout râpeux. « Je te rappellerai bientôt, d'accord ?

— D'accord. »

Comme ça parle plus, je repose le téléphone. « Où est ton autre chaussure ? » demande Mamie.

* * *

Je regarde les flammes orange qui dansent sous la casserole des pâtes. L'allumette est sur le plan de travail avec son bout noir et frisé. Quand je la prends pour toucher le feu, elle siffle et crache une grosse flamme alors je la lâche sur la cuisinière. La petite flamme devient pas invisible mais presque, elle grignote l'allumette en long, petit à petit : à la fin, le bâtonnet est tout noir et une minuscule fumée monte comme un ruban gris argenté. Ça fait une odeur magique. Je prends une autre allumette dans la boîte, j'allume le bout dans le feu mais cette fois, je la garde même quand elle siffle. C'est ma petite flamme que je peux emmener avec moi. Je l'agite en cercle et je crois qu'elle s'est éteinte mais elle revient. La flamme grandit et elle salit tout le bâtonnet, après elles sont deux avec une petite ligne de rouge au milieu…

« Hé ! »

Je sursaute, c'est Beau-Papy. J'ai plus l'allumette.

Il m'écrase le pied. Je pousse un grand cri.

« Elle était tombée sur ta chaussette. » Il me montre l'allumette ratatinée, il frotte la trace de noir sur ma chaussette. « Ta mère ne t'a jamais dit qu'on ne joue pas avec le feu ?

— On en avait pas.

— Quoi donc ?

— Du feu. »

Il ouvre des grands yeux. « Je suppose que vous aviez une cuisinière électrique. Va savoir.

— Qu'est-ce qui se passe ? » Mamie entre.

« Jack apprend à reconnaître les ustensiles de cuisine », répond Beau-Papy en remuant les pâtes. Il lève un truc et me regarde.

« Râpe à fromage », je me rappelle.

Mamie prépare la table.

« Et ça ?

— Écrase-ail.

— *Presse*-ail. C'est bien moins violent. » Il me sourit. Il l'a pas dit à Mamie, pour l'allumette, c'est un peu mentir mais si c'est pour m'aider, c'est une bonne raison. Il montre un autre truc.

« Encore une râpe ?

— Pour les zestes d'agrumes. Et ça ?

— Euh… un fouet. »

Beau-Papy pêche une longue pâte et l'aspire en faisant du bruit. « Mon frère aîné s'est renversé une casserole de riz sur le bras quand il avait trois ans et sa peau est restée parcheminée comme une chips.

— Ah oui, j'en ai vu dans Madame Télé ! »

Mamie me regarde avec des yeux étonnés. « Ne me dis pas que tu n'en as jamais mangé ! » Après, elle monte sur les marches et remue des trucs dans un petit placard.

« On passe à table dans deux minutes, dit Beau-Papy.

— Oh, pour quelques chips… » Mamie redescend avec un sac tout froissé qu'elle ouvre.

Il y a plein de rayures sur les chips, j'en prends une et je grignote le bord. Après je dis : « Non merci », et je la remets dans le sac.

Beau-Papy rit, je vois pas ce qu'il y a de drôle. « Le petit ménage son appétit pour mes tagliatelles à la carbonara.

— Je préfère voir la peau.

— Quelle peau ? demande Mamie.

— Celle du frère.

— Oh, il vit au Mexique. C'est ton… ton grand-oncle, je suppose. »

Beau-Papy jette toute l'eau dans l'évier où ça fait un gros nuage d'air mouillé.

« Pourquoi il est grand, cet oncle ?

— Ça veut juste dire que c'est le frère de Leo. Nos deux familles sont devenues la tienne, dit Mamie. Ce qui est à nous est à toi.

— Comme des Lego, rajoute Beau-Papy.

— Quoi ? demande Mamie.

— C'est comme des Lego. Des petites familles collées ensemble.

— Ça aussi j'en ai vu dans Madame Télé », je leur raconte.

Mamie me regarde encore avec des grands yeux. « Comment peut-on grandir sans Lego ? elle demande à Beau-Papy. Ça dépasse mon imagination.

— C'est sans doute le cas d'un ou deux milliards d'enfants à travers le monde, répond Beau-Papy.

— Je suppose que tu as raison. » Elle a l'air de chercher dans sa tête. « Mais je crois qu'on en a une boîte qui traîne au sous-sol… »

Beau-Papy craque un œuf d'une seule main et le verse dans les pâtes.

« Le dîner est servi ! »

* * *

Je pédale beaucoup longtemps sur le vélo qui bouge pas ; si j'étire mes jambes, j'arrive à toucher les pédales avec mes doigts des pieds. Je le fais aller à toute vitesse pendant des milliers d'heures, comme ça mes jambes deviendront superfortes et je pourrai me sauver pour retrouver Maman et la délivrer encore une fois. Je me couche sur les matelas bleus, mes jambes sont fatiguées. Je soulève les haltères, je sais pourquoi ils s'appellent comme ça : ils nous tiennent à la terre. J'en mets un sur mon ventre, j'aime bien comme elle me colle sur le tapis pour pas que je tombe de la planète toupie.

« Ding-dong ! » crie Mamie parce qu'il y a un visiteur pour moi : c'est le docteur Clay.

On va s'asseoir sur la terrasse, il me préviendra s'il y a des abeilles. Les humains et les abeilles doivent juste se faire coucou, pas se toucher. Et on caresse pas les chiens sauf si les humains disent d'accord ; on traverse pas les routes en courant ; on touche pas les parties intimes, sauf les miennes dans mon intimité à moi. Après il y a les cas particuliers comme la police qui a le droit de tirer au pistolet mais seulement sur les méchants. Il y a trop de règles pour toutes les faire rentrer dans ma tête alors on fait une liste avec le stylo en or superlourd du docteur

Clay. Et une autre liste avec toutes les choses nouvelles, comme les haltères, les chips de pomme de terre et les oiseaux. « Ça doit être excitant de les voir pour de vrai et pas seulement à la télé, non ?

— Oui. Sauf que je m'ai jamais fait piquer par rien de Madame Télé.

— Très juste, dit le docteur Clay en agitant la tête. "Le genre humain ne peut pas supporter trop de réalité[1]."

— C'est encore un poème ?

— Connnent as-tu deviné ?

— Tu prends une drôle de voix, je lui explique. C'est quoi le genre humain ?

— La race humaine, nous tous.

— J'en suis aussi ?

— Ah, bien sûr, tu es un des nôtres.

— Et Maman ? »

Le docteur Clay fait oui-oui. « Elle aussi. »

Mais moi, ce que je voulais dire, c'est que je suis peut-être un humain mais aussi un Nous-les-deux. Je connais pas le mot pour « moi et Maman ». Un humain de la planète Chambre, peut-être. « Elle viendra bientôt me chercher ?

— Dès qu'elle le pourra, il répond. Est-ce que tu préférerais vivre à la clinique plutôt qu'ici, chez ta grand-mère ?

— Avec Maman dans la chambre numéro 7 ? »

Il secoue la tête. « Elle est dans l'autre aile, elle a besoin de passer un peu de temps seule. »

1. T. S. Eliot, « Burnt Norton », in *Quatre Quatuors*, Point Seuil, 2006, trad. Pierre Leyris. (*N.d.T.*)

Je pense qu'il se trompe : si j'étais malade, j'aurais besoin de Maman encore plus.

« Mais elle essaie de guérir, elle y travaille dur », il m'explique.

Moi je croyais que les gens sont juste malades ou pas malades, je savais pas que c'était un travail.

Pour se dire au revoir, le docteur Clay et moi on se tape trois fois dans la main.

Pendant que je suis aux W-C, je l'entends sur la véranda avec Mamie. Sa voix à elle est deux fois plus aiguë : « Mais enfin, ce n'est qu'un léger coup de soleil et une piqûre d'abeille. J'ai élevé deux enfants, alors ne venez pas me dire que le *niveau des soins* que je lui donne est *correct* ! »

* * *

Pendant la nuit, il y a un million de mini-ordinateurs qui se parlent, ils discutent de moi. Maman est montée en haut du Haricot Magique mais je suis en bas, sur Terre, je secoue la tige, encore et encore, pour faire redescendre Maman…

Non. C'était juste un rêve.

« J'ai une idée géniale », me dit Mamie à l'oreille ; elle est penchée vers moi mais son autre moitié du corps est encore dans son lit. « Si on allait à l'aire de jeux en voiture avant le petit-déjeuner pour éviter les autres enfants ? »

Nos ombres sont très longues et étirées. Je secoue mes poings géants. Mamie allait s'asseoir sur un banc mais il y a du mouillé dessus, alors elle s'appuie à la clôture. Il y a un peu d'eau sur tout, elle m'explique que c'est de la

378

rosée ; comme la pluie (sauf que c'est pas tombé du ciel) ou de la sueur qui pousse pendant la nuit. Je dessine une figure sur le toboggan. « Ne t'en fais pas pour tes habits, amuse-toi !

— Mais j'ai froid. »

Il y a un coin plein de sable où Mamie dit que je pourrais m'asseoir pour jouer.

« À quoi ?

— Hein ? elle demande.

— Jouer à quoi ?

— Je ne sais pas, creuse, déblaie, à toi de voir. »

Je touche le sable : ça gratte, j'ai pas envie d'en avoir partout.

« Il y a aussi la cage à grimper et les balançoires, dit Mamie.

— Tu viens avec moi ? »

Elle a un petit rire et elle répond qu'elle se casserait sans doute quelque chose.

« Pourquoi tu… ?

— Oh, sans faire exprès, à cause de mon poids. »

Je monte des marches comme un petit garçon, je grimpe pas comme un singe : c'est un petit escalier en métal avec des taches orange et râpeuses qui s'appellent rouille et les rampes pour se tenir me gèlent les mains. Là-haut, il y a une toute petite maison comme une niche pour elfes ; quand je m'assois à la table, le toit m'arrive juste au-dessus de la tête ; il est rouge et la table est bleue.

« Hou ! Hou ! »

Je sursaute, c'est Mamie qui agite la main par la fenêtre. Après elle passe de l'autre côté et elle recommence. Je lui réponds, ça lui fait plaisir.

Au coin de la table, je vois quelque chose bouger, une araignée minuscule. Je me demande si Petite Araignée est toujours dans la Chambre, si sa toile grossit de plus en plus. Je pianote des mélodies, c'est comme jouer à Fredonne-Moi une Chanson mais juste en tapant le rythme et Maman-dans-ma-tête doit deviner ; elle y arrive presque à chaque fois. Quand je les joue par terre avec ma chaussure, ça fait un autre bruit parce que c'est du métal. Le mur dit quelque chose que j'arrive pas à lire, tout gribouillé et il y a un dessin qui est un zizi, je crois, mais aussi grand que le monsieur.

« Essaie le toboggan, Jack, il a l'air amusant. »

C'est Mamie qui m'appelle. Je sors de la petite maison pour voir : le toboggan est argenté avec des petits cailloux dessus.

« Waouh ! Allez, viens, je te rattrape en bas !

— Non merci. »

Il y a une échelle en corde comme le hamac sauf qu'elle pendouille vers le bas ; elle fait trop mal à mes doigts. Il y a plein de barres pour se suspendre si j'avais des bras très plus forts ou si j'étais vraiment un singe. Il y a un côté que je montre à Mamie où des voleurs ont dû emporter les marches.

« Non, regarde, il y a une perche de pompiers à la place de l'escalier.

— Ah oui ! J'en avais vu dans Madame Télé. Mais pourquoi ils habitent là-haut ?

— Qui ?

— Les pompiers.

— Oh, ce n'est pas une vraie perche de caserne, c'est juste pour jouer. »

Quand j'avais quatre ans, je croyais que tout dans Madame Télé existait juste à la télé ; après j'ai eu cinq ans et Maman m'a dit qu'en vrai plein d'images montraient vraiment des choses et que tout le Dehors existait pour de vrai. Sauf que maintenant, je suis dans le Dehors mais il y en a plein des pas vraiment vrais.

Je retourne dans la maison d'elfes. L'araignée est partie quelque part. J'enlève mes chaussures sous la table et j'étire mes pieds.

Mamie est près des balançoires. Il y en a deux plates mais la troisième est un seau en caoutchouc avec des trous à la place des jambes. « Tu ne pourrais pas tomber de celle-ci, elle dit. Tu veux essayer ? »

Il faut qu'elle me porte, ça fait bizarre de sentir ses mains qui me serrent sous les bras. Elle me pousse par-derrière dans le seau mais j'aime pas ça et j'arrête pas de me retourner pour voir alors elle vient me pousser par-devant. Je vais vite, encore plus vite et haut, encore plus haut, c'est le truc le plus bizarre du monde.

« Penche ta tête en arrière !

— Pourquoi ?

— Fais-moi confiance. »

Quand je mets la tête en arrière, tout se culbute à l'envers : le ciel et les arbres et aussi les maisons et tout, même Mamie, c'est magique.

Il y a une petite fille sur l'autre balançoire, je l'avais même pas vue arriver. Elle se balance mais pas en même temps que moi ; elle va en arrière quand je pars en avant. « Comment tu t'appelles ? » elle demande.

Je fais semblant de pas entendre.

« Il s'appelle Ja… Jason », répond Mamie.

Pourquoi elle dit ça ?

« Moi je m'appelle Cora et j'ai quatre ans et demi, dit la petite fille. Elle est encore bébé ?

— En fait, c'est un garçon et il a cinq ans, explique Mamie.

— Alors pourquoi elle est dans la balançoire pour les petits ? »

Je veux descendre tout de suite mais mes jambes sont coincées dans le caoutchouc ; je donne des coups de pied et je tire sur les chaînes.

« Calme-toi, calme-toi, dit Mamie.

— Elle fait une colère ? » demande la petite Cora.

Mon pied tape Mamie mais pas exprès.

« Ça suffit !

— Le petit frère de ma copine aussi, il fait des colères. »

Mamie m'attrape sous les bras et tire ; mon pied reste accroché et après je suis plus dans la balançoire.

Elle s'arrête près de la clôture : « Jack, tes chaussures. »

Je réfléchis fort et après je me rappelle. « Elles sont dans la petite maison.

— Eh bien, file, retourne les chercher. » Elle attend. « La petite fille ne t'embêtera pas. »

Peut-être que la petite Cora va me regarder grimper : je veux pas !

Alors Mamie y va, son derrière reste coincé dans la niche pour elfes et elle se fâche. Comme elle a fermé le Velcro de ma chaussure gauche beaucoup trop serré, je la renlève et l'autre aussi. Je marche en chaussettes jusqu'à la voiture blanche. Elle dit que je vais me mettre du verre dans les pieds mais c'est même pas vrai.

Mon pantalon est plein de rosée et mes chaussettes aussi. Beau-Papy est dans son transat avec une tasse : « Comment ça s'est passé ?

— Un peu mieux qu'hier », dit Mamie en montant l'escalier.

Beau-Papy me laisse goûter son café, ça me donne des frissons.

« Pourquoi les endroits pour manger s'appellent des cafés ? je demande.

— Eh bien, le café est la chose la plus importante qu'on y vend, parce que la plupart d'entre nous en a besoin pour tenir le coup, comme une voiture a besoin d'essence. »

Maman boit que de l'eau et du lait et aussi du jus de fruits comme moi ; je me demande comment elle tient le coup. « Et les enfants ?

— Oh, les enfants, ils se gavent de haricots ! »

Les haricots blancs à la sauce tomate, oui, ça me donne plein de forces mais les haricots verts sont mes ennemis. Mamie en avait fait il y a quelques dîners sauf que j'ai juste fait semblant de pas les voir sur mon assiette. Maintenant que je suis dans le Dehors, je mangerai plus jamais des haricots verts.

***

Je suis assis sur l'escalier et j'écoute les dames.

« Hum ! Il en sait plus que moi en maths mais il est incapable de faire du toboggan », dit Mamie.

C'est moi, je crois.

Les dames, elles sont de son club de lecture mais je ne sais pas pourquoi vu qu'elles ne lisent pas de livres. Comme Mamie a oublié de les annuler, elles sont toutes arrivées à 15 h 30 avec des gâteaux sur des assiettes et tout. J'en ai trois sur une petite assiette mais je dois pas rester dans leurs pattes. Et aussi Mamie m'a donné cinq clés sur un porte-clés qui dit POZZO, PIZZA HOUSE ; je me demande comment une maison peut être en pizza. Elle s'écroulerait, non ? Les clés, elles ouvrent rien mais elles font *cling-cling* ; je les ai eues parce que j'avais promis de plus chiper celle du petit bar. Le premier gâteau s'appelle « noix de coco » et il est pas bon du tout. Le deuxième « citron » et le troisième, je sais pas mais c'est mon préféré.

« Tu dois être sur les rotules, dit la dame avec la voix plus aiguë.

— Tu es héroïque », rajoute une autre.

J'ai aussi l'appareil photo mais c'est prêté et pas le supergénial de Beau-Papy qui a un cercle géant. Celui-ci, il est caché dans l'œil du téléphone de Mamie : je dois l'appeler si ça sonne, pas répondre. Pour l'instant, j'ai dix photos, un : mes chaussures élastiques ; deux : la lumière du plafond, dans la salle de gym ; trois : le noir du sous-sol (sauf que l'image est trop brillante) ; quatre : ma main avec ses lignes en dedans ; cinq : un trou à côté du frigo où j'espérais qu'il y aurait une souris ; six : mon genou sous le pantalon ; sept : le tapis du salon de tout près ; huit : quand je voulais prendre Dora à la télé ce matin, mais on voit juste plein de zigzags ; neuf : Beau-Papy qui sourit pas ; dix : par la fenêtre de la chambre avec une mouette dans le ciel sauf qu'elle est pas dans la photo. J'allais en prendre une de moi dans le miroir mais alors, je serais un paparazzi.

« Ma foi, on dirait un petit ange sur les photos », dit une des dames.

Comment elle a vu mes dix photos ? En plus, je ressemble pas du tout à un ange, ils sont supergrands avec des ailes.

« Tu parles de ces images un peu floues, le jour où on les a filmés devant le poste de police ? demande Mamie.

— Non, non, des gros plans de l'interview…

— Qu'on y voie ma fille, d'accord. Mais pas des gros plans de *Jack* ? » Elle a l'air fâchée.

« Oh, ma chérie, ils circulent déjà sur Internet », répond une autre voix.

Après il y en a tout plein qui parlent en même temps. « Tu n'étais pas au courant ?

— Plus rien ne reste privé, de nos jours.

— Le monde entier à la portée du premier venu.

— Terrible.

— Avec toutes les horreurs qu'on voit tous les jours aux informations, parfois je n'ai même plus envie de me lever le matin.

— Je n'en reviens toujours pas, dit la voix grave. Je m'entends encore dire à Bill, il y a sept ans : "Comment une chose pareille peut-elle arriver à une de nos connaissances ?"

— On la croyait tous morte. Bien sûr nous évitions de le dire…

— Mais toi, tu n'as jamais perdu espoir.

— Qui aurait pu imaginer… ?

— Quelqu'un veut encore du thé ? » C'est Mamie qui parle.

« Eh bien, je me le demande. J'ai passé une semaine dans un monastère en Écosse, dit une autre voix, c'était si paisible. »

Mes gâteaux sont plus sur l'assiette (sauf le « noix de coco »). Je la laisse sur la marche et je monte dans la chambre regarder mes trésors. Je remets Dent Malade dans ma bouche pour la sucer. Elle a pas le goût de Maman.

***

Mamie a trouvé une grosse boîte de Lego au sous-sol, elle est à Paul et Maman. « Qu'est-ce que tu as envie de fabriquer ? elle me demande. Une maison ? Un gratte-ciel ? Pourquoi pas une ville ?

— Tu devrais te montrer un peu moins ambitieuse », dit Beau-Papy derrière son journal.

C'est plein de minuscules morceaux de toutes les couleurs, comme dans une soupe. « Eh bien, dit Mamie, laisse libre cours à ton imagination. J'ai du repassage à faire. »

Je regarde les Lego mais j'y touche pas, j'ai peur de les casser.

Au bout d'une minute, Beau-Papy pose son journal. « Il y a bien longtemps que je n'y ai pas joué. » Il prend les trucs comme ça, sans choisir, et il les colle bien serrés.

« Pourquoi ça fait longtemps… ?

— Bonne question, Jack.

— Tu jouais aux Lego avec tes enfants ?

— Je n'ai pas d'enfants.

— Pourquoi ? »

Beau-Papy hausse les épaules. « Ça ne s'est pas fait, voilà. »

Je regarde ses mains, elles sont grosses mais adroites. « Il y a un mot pour les adultes qui sont pas des parents ? »

Beau-Papy rit. « Des gens occupés à autre chose, peut-être ?

— Comme quoi ?

— Leur travail, je suppose. Leurs amis. Des voyages. Des loisirs.

— C'est quoi, des loisirs ?

— Des manières de passer les week-ends. Par exemple, je collectionnais les pièces de monnaies anciennes du monde entier, je les rangeais dans des étuis doublés en velours.

— Pourquoi ?

— Ma foi, c'était plus facile à gérer que des enfants… et pas de couches qui puent ! »

Ça me fait rire.

Il me tend les bouts de Lego : ils se sont magiquement changés en voiture. Elle a une, deux, trois, quatre roues qui tournent plus un toit, un conducteur et tout.

« Comment tu as fait ?

— Une pièce après l'autre. Maintenant vas-y, prends-en une.

— Laquelle ?

— N'importe. »

Je choisis un gros carré rouge.

Beau-Papy me donne un petit truc avec une roue. « Fixe-le dessus. »

Je le pose pour que la bosse se mette sous le trou de l'autre bosse et j'appuie fort.

Il me passe une autre roue, je la rajoute.

« Belle moto. *Vroum !* »

Il le fait si fort que je lâche le Lego et une roue se casse en tombant par terre. « Oh, pardon !

— Tu n'as pas à t'excuser. Regarde. » Il pose sa moto par terre et marche dessus, *craac !* Elle est en miettes. « Tu vois ? dit Beau-Papy. *No problemo*. Il suffit de la remonter. »

* * *

Mamie dit que je sens mauvais.

« Mais je me lave avec le gant !

— C'est vrai, mais la saleté reste cachée dans les coins. Alors je vais te faire couler un bain et tu vas le prendre. »

Elle laisse monter l'eau fumante très haut et elle verse un produit à bulles qui fait pousser des montagnes toutes scintilleuses. On voit presque plus le vert de la baignoire mais je sais qu'il est toujours là. « Déshabille-toi, mon biquet. » Elle reste debout les mains sur les hanches. « Tu ne veux pas que je te regarde ? Tu préfères que je sois derrière la porte ?

— Non !

— Qu'est-ce qu'il y a ? » Elle attend. « Tu crois que tu vas te noyer parce que ta maman n'est pas là ? »

Je savais pas qu'on pouvait se noyer dans les bains.

« Je ne bougerai pas d'ici », elle dit en tapotant le couvercle des W-C.

Je secoue la tête. « Non, viens avec moi dans le bain.

— Moi ? Oh, Jack, je prends ma douche le matin. Et si je m'asseyais au bord de la baignoire, comme ça ?

— Dans l'eau. »

Mamie me fait les gros yeux. Après elle grogne un peu et elle dit : « Bon, s'il faut en passer par là, mais juste pour cette fois… et je mets mon maillot de bain.

— Mais je sais pas nager.

— Oh, on ne va pas nager, c'est juste que… je préfère ne pas être toute nue si ça ne te dérange pas.

— Tu as peur ?

— Non, elle dit, c'est juste que… j'aime autant pas. Ça te va ?

— Je peux rester tout nu, moi ?

— Bien sûr, tu es un enfant. »

Dans la Chambre, on était parfois tout nus et parfois habillés : c'était pas grave.

« Jack, est-ce qu'on pourrait le prendre, ce bain, avant qu'il soit froid ? »

Il est pas du tout froid : il y a encore de la vapeur qui monte en l'air ! Je commence à enlever mes habits. Mamie dit qu'elle revient dans une seconde.

Les statues peuvent rester toutes nues même si c'est des adultes ; peut-être qu'elles sont obligées. Beau-Papy dit que c'est pour ressembler à des vieilles statues d'autrefois qui étaient toujours déshabillées à cause des Romains qui trouvaient les corps humains plus beaux que tout. Je me penche sur la baignoire mais le rebord dur fait froid sur mon ventre. Il y a le passage dans *Alice* :

> Vous avez conversé avec elle, dit-on,
> Et lui vous a parlé de moi :
> Elle a dit que je nageais moins bien qu'un poisson
> Mais que j'étais digne de foi[1].

Mes doigts sont des plongeurs sous-marins. Le savon tombe dans l'eau et dans mon jeu, c'est un requin. Mamie arrive avec un truc à rayures qui fait comme un

---

1. Lewis Carroll, *Les Aventures d'Alice au pays des merveilles, op. cit.* (*N.d.T.*)

sous-vêtement et un T-shirt collés ensemble avec des perles ; elle a aussi un sac en plastique sur la tête, elle dit que c'est un bonnet de douche (mais nous, on prend un bain, non ?). Je me moque pas d'elle, enfin juste dans ma tête.

Quand elle rentre dans la baignoire, l'eau monte ; après j'y vais aussi et ça déborde presque. Elle est du côté lisse, Maman était toujours assise côté robinet. J'essaie de pas toucher ses jambes avec les miennes. Je me cogne la tête au robinet.

« Attention ! »

Pourquoi les gens disent ça juste *après* qu'on s'est fait mal ?

Mamie se rappelle aucun jeu pour le bain à part « Rame sur ton bateau, tout au fil de l'eau » mais quand on essaie, ça envoie une grosse éclaboussure par terre.

Elle a pas de jouets. Je joue au sous-marin avec la brosse à ongles qui racle le fond de la mer où elle rencontre la méduse gluante en savon.

Après, quand on se sèche, je me gratte le nez et un bout s'arrache sur mon ongle. Dans le miroir, je vois comme des petites écailles rondes où ma peau s'enlève.

Beau-Papy vient chercher ses pantoufles. « J'adorais faire ça… » Il touche mon épaule et tout à coup, il y a une bande toute fine et blanche : je l'ai même pas sentie partir. Il me la tend. « Trop chouette !

— Arrêtez ça », dit Mamie.

Je frotte le truc blanc et ça fait une boule : une minuscule boule séchée de moi. « Encore ! je dis.

— Attends, je vais t'en trouver une belle longueur sur la nuque…

— Ah, les hommes », dit Mamie en faisant une grimace.

***

Ce matin, la cuisine est vide. Je prends les ciseaux dans le tiroir et je découpe ma queue-de-cheval.

Quand Mamie entre, elle ouvre des grands yeux. « Bon, laisse-moi juste faire ça plus proprement, tu veux ? elle dit. Et après tu pourras aller chercher la pelle et la balayette. Oh, il faut qu'on en garde une mèche, puisque c'est la première fois… »

Mes cheveux vont presque tous à la poubelle sauf trois longs paquets qu'elle tresse pour me fabriquer un bracelet avec du fil vert au bout.

Elle dit d'aller regarder dans le miroir mais d'abord je vérifie mes muscles : je suis encore costaud.

***

En haut du journal, c'est écrit « Samedi 17 avril », ça veut dire que je suis chez Mamie et Beau-Papy depuis une semaine. Avant, je suis resté une semaine à la Clinique ; un plus un égale deux semaines que je suis dans le Dehors. J'arrête pas de compter les jours pour voir parce que j'ai l'impression que ça dure un million d'années et Maman vient toujours pas me chercher.

Mamie dit qu'il faut sortir : personne me reconnaîtrait maintenant que mes cheveux sont tout courts avec des frisettes. Elle me dit d'enlever mes lunettes de soleil parce que mes yeux doivent être habitués au Dehors maintenant et qu'en plus, elles vont juste attirer l'attention.

On traverse des tas de routes en se donnant la main (et sans laisser les voitures nous écraser). Comme j'aime pas qu'on me serre les doigts, je me fais croire que c'est un autre garçon qui marche à côté de Mamie. Après, elle a une bonne idée : je peux tenir la chaîne de son sac.

Il y a plein de toutes les sortes de choses dans le Dehors sauf que ça coûte toujours des sous, même celles à jeter : à l'épicerie, le monsieur devant nous dans la file achète un truc dans une boîte qu'il déchire pour la mettre tout de suite à la poubelle. Les petites cartes avec des numéros partout dessus s'appellent « loterie » ; c'est des idiots qui les achètent pour se changer magiquement en millionnaires !

À la poste, on achète des timbres ; on envoie un dessin à Maman où je me suis fait dans un vaisseau spatial.

On va dans un gratte-ciel qui est le bureau de Paul : il dit qu'il a un boulot de folie mais il a le temps de photocopier mes mains et de m'acheter une barre chocolatée au distributeur. Quand on redescend dans l'ascenseur, j'appuie sur les boutons, je joue à être dans un distributeur pour de vrai.

On rentre dans un bout de Gouvernement pour prendre une nouvelle carte de Sécurité Sociale à Mamie vu qu'elle a perdu la vieille ; il faut attendre pendant des années et des années. Après, elle m'emmène dans un café où on mange pas des haricots verts et je choisis un cookie plus gros que ma figure.

Il y a un bébé qui prend son Doudou-Lait, j'avais jamais vu ça. « Moi j'aime bien le gauche, je dis en le montrant du doigt. C'est ton préféré, à toi aussi ? » Mais le bébé m'écoute pas.

Mamie me tire de l'autre côté. « Désolée, madame. »

La dame pose son écharpe sur la figure du bébé pour m'empêcher de la voir.

« Elle veut un peu d'intimité », chuchote Mamie.

Moi je croyais pas que c'était possible quand les gens sont pas dans une maison.

On va dans une laverie automatique juste pour regarder. J'ai envie de monter dans une machine tourneuse mais Mamie dit que ça me tuerait.

On va au parc donner à manger aux canards avec Deana et Bronwyn. Bronwyn lance toutes ses miettes d'un coup plus le sachet que Mamie est obligée de pêcher avec un bâton. Bronwyn veut mon pain et Mamie me demande de lui donner la moitié de mes miettes parce qu'elle est petite. Deana me dit qu'elle est désolée pour les dinosaures, et qu'on ira au musée d'Histoire naturelle un de ces jours, promis.

Il y a un magasin avec rien que des chaussures dehors : on dirait des grosses éponges colorées avec des trous partout et Mamie me laisse essayer une paire ; je choisis jaune. Elles ont pas de lacets et même pas de Velcro, j'ai qu'à mettre mon pied dedans. Elles sont si légères que c'est comme si on en avait pas. On rentre et Mamie paie cinq dollars en papier pour les acheter (c'est comme vingt pièces de vingt-cinq *cents*) ; je lui dis que je les adore.

Quand on ressort, il y a une dame assise par terre qui a enlevé son chapeau. Mamie me donne deux pièces de vingt-cinq *cents* et me montre le chapeau.

J'en mets une dedans et je cours rejoindre Mamie.

Quand elle boucle ma ceinture de sécurité, elle demande : « Qu'est-ce que tu caches dans ta main ? »

Je montre la deuxième pièce. « C'est NEBRASKA, je la garde pour mes trésors. »

Elle fait claquer sa langue et reprend la pièce. « Tu devais la donner à la dame, comme je te l'avais dit.

— D'accord, je vais…

— C'est trop tard. »

Elle démarre la voiture. Je vois plus que le derrière de ses cheveux un peu jaunes. « Pourquoi elle est dans la rue, la dame ?

— C'est là qu'elle vit, dans la rue. Elle n'a même pas de lit. »

Maintenant je suis triste de pas lui avoir donné la deuxième pièce.

Mamie explique que ça s'appelle avoir une conscience.

Dans la vitrine d'un magasin, je vois des carrés comme dans la Chambre : des dalles en liège ; Mamie me laisse entrer pour en caresser une et la sentir mais elle veut pas l'acheter.

On va au lavage automatique pour les voitures où les brosses nous glissent sur tous les côtés sauf que l'eau rentre pas dans nos fenêtres bien serrées, trop drôle.

Dans le Dehors je vois des gens presque toujours stressés et qui n'ont pas le temps. Même Mamie le dit souvent, même si elle et Beau-Papy ont pas de travail alors je me demande comment ceux qui en ont arrivent à le faire en plus de tout le reste de la vie. Dans la Chambre, moi et Maman on avait toujours le temps. Je crois qu'il s'étale partout comme une très fine couche de beurre dans le Dehors : sur les routes, les maisons, les aires de jeux et même sur les magasins, alors il y a juste une petite tache de temps à chaque endroit et après il faut vite aller au prochain.

Et partout où je regarde les enfants, en général les adultes ont pas l'air de les aimer beaucoup, même leurs parents. Ils leur disent qu'ils sont superbes et très mignons, ils leur demandent de tout recommencer pour prendre une photo mais ils ont pas vraiment envie de jouer avec eux ; ils préfèrent boire du café et discuter avec d'autres adultes.

Parfois un petit enfant pleure sauf que sa maman l'entend même pas.

À la bibliothèque habitent des millions de livres qu'on peut prendre sans payer des sous. Il y a des insectes géants suspendus au plafond (pas des vrais, en papier). Mamie cherche à C pour trouver *Alice* et la voilà. C'est pas la bonne forme mais les mots et les images sont pareils : bizarre. Je montre à Mamie l'image qui fait le plus peur, celle avec la Duchesse. On s'assoit sur le canapé pour qu'elle me lise *Le Petit Joueur de flûteau* : je savais pas qu'il existait en livre, je pensais que c'était juste une histoire. Mon moment préféré, c'est quand les parents entendent rire dans le rocher. Ils arrêtent pas de crier aux enfants de revenir sauf qu'eux, ils sont dans un pays merveilleux, au Ciel, je pense. Et la montagne s'ouvre jamais pour laisser passer les parents.

Il y a un grand garçon qui joue avec Harry Potter sur l'ordinateur ; Mamie dit que je dois pas rester planté juste à côté de lui, c'est pas mon tour.

Sur une table il y a un minimonde avec des rails et des immeubles ; un petit garçon joue avec un camion vert. Je me lève, je prends une locomotive rouge. Je la fais foncer pas trop fort dans le camion du garçon et il rit. Je recommence plus vite pour que le camion tombe des rails et il rigole encore plus.

« C'est bien de partager, Walker », dit le monsieur assis dans le fauteuil (il regarde un truc qui ressemble au BlackBerry d'Oncle Paul).

Je crois que Walker, c'est le garçon. « Encore », il dit.

Cette fois-ci, je pose ma loco en équilibre sur le petit camion, après je prends un bus orange pour le lancer sur les deux.

« Doucement », dit Mamie mais Walker répète : « Encore ! » en faisant des bonds.

Un autre monsieur arrive, il embrasse le premier et fait un bisou à Walker : « Dis au revoir à ton ami. »

C'est moi, ça ?

« Au revoir. » Walker agite la main de haut en bas.

Je voulais le prendre dans mes bras, mais j'y vais trop vite et je le renverse par terre ; il se cogne à la table du train et il se met à pleurer.

« Je suis vraiment désolée, répète Mamie, mon petit-fils ne... il apprend tout juste à respecter les limites...

— Il n'y a pas de mal », répond le premier monsieur. Ils partent avec le petit garçon qui dit « *Un, deux, trois, youh* ! » et se balance entre eux ; il ne pleure plus. Mamie les regarde avec un air un peu perdu.

« N'oublie pas, les gens qu'on ne connaît pas, on ne les serre pas dans ses bras, elle m'explique quand on retourne à la voiture. Même s'ils sont gentils.

— Pourquoi ?

— C'est comme ça, on réserve ce geste aux gens qu'on aime.

— Mais je l'aime, Petit Walker.

— Jack, c'est la première fois que tu le vois. »

* * *

Ce matin j'ai mis un peu de sirop d'érable sur mon pancake. En fait, c'est bon les deux ensemble.

Maintenant, Mamie dessine ma forme sur la terrasse ; elle dit que c'est pas grave parce que la prochaine fois qu'il pleuvra, la craie s'effacera. Je surveille les nuages, s'ils commencent à pleuvoir, je rentrerai en courant à une vitesse supersonique avant qu'une seule goutte me tombe dessus. « Ne mets pas de craie sur moi, je dis à Mamie.

— Oh, arrête un peu de faire l'inquiet ! »

Elle m'aide à me remettre debout et il y a une forme d'enfant sur le bois : c'est moi. J'ai une énorme tête, pas de figure, des mains toutes rondes et rien en dedans.

« Un colis pour toi, Jack. » C'est Beau-Papy qui le crie, mais qu'est-ce que ça veut dire ?

Quand je rentre dans la maison, il découpe une très grosse boîte. Il en sort un truc énorme et il dit : « Eh bien, voilà qui peut directement passer à la poubelle. » Ça se déplie. « Monsieur Tapis ! » Je le serre très fort dans mes bras : « C'est notre Monsieur Tapis, à moi et Maman. »

Beau-Papy lève les mains et répond : « À toi de voir. »

La figure de Mamie se tord. « Peut-être que tu pourrais l'emmener dehors pour le battre, Leo…

— Non ! je crie.

— D'accord, je ferai ça avec l'aspirateur, mais je préfère ne pas penser à ce qu'il y a là-dedans… » Elle frotte Monsieur Tapis entre ses doigts.

Je dois le garder sur mon matelas gonflable dans la chambre, j'ai pas le droit de le traîner dans toute la maison. Alors je reste assis avec lui sur ma tête comme une tente ; son odeur est juste comme je me rappelle et pareil quand je touche. Là-dessous, j'ai aussi les autres trucs que la police a rapportés. Les plus gros bisous sont pour Petite Jeep et Madame Commande et aussi pour Grande Cuiller Fondue. Ce serait bien si Madame Commande était pas cassée et faisait rouler Petite Jeep. Monsieur Ballon des Mots est moins rond que je croyais et Ballon Gonflable Rouge presque tout plat. Petit Vaisseau Spatial est là sauf qu'il a pas son propulseur ni l'air très en forme. Château Fort et Grand Labyrinthe sont pas venus, peut-être qu'ils étaient trop gros pour rentrer dans les boîtes. J'ai mes cinq livres, même *Dylan*. Je sors l'autre *Dylan*, le nouveau que j'ai pris au centre commercial parce que je croyais que c'était le mien mais en fait il brille beaucoup plus. Mamie dit qu'il y a des milliers de chaque livre dans le Dehors : comme ça, des milliers de gens peuvent lire le même en même temps (ça me donne le tournis quand j'y pense). « "Bonjour, Dylan, ravi de faire ta connaissance.

— Je suis le livre de Jack, dit Vieux Dylan.

— Moi aussi, je suis à Jack, dit Nouveau Dylan.

— Oui, mais c'était moi le premier." »

Après, Vieux Dylan et Nouveau Dylan se donnent des coups avec leurs coins jusqu'à ce qu'une page de Nouveau s'arrache ; je m'arrête de jouer parce que j'ai déchiré un livre : Maman sera pas contente. Sauf qu'elle est pas ici pour se fâcher, elle sait même pas que je l'ai fait ; je pleure beaucoup-beaucoup, alors je range les livres dans mon sac Dora et je tire sur le zip pour qu'ils se mouillent pas de larmes. Les deux Dylan se blottissent bien serrés et se demandent pardon.

Je retrouve Dent Malade sous le matelas gonflable et je la tète si longtemps qu'après on dirait une des miennes.

Les fenêtres font des drôles de bruits, c'est des gouttes de pluie. Je m'approche, j'ai pas très peur tant qu'il y a la vitre. J'appuie mon nez dessus : c'est tout flou à cause de la pluie, les gouttes fondent ensemble et se changent en longues rivières qui coulent, coulent, coulent jusqu'en bas.

* * *

Moi, Mamie et Beau-Papy, on va tous monter dans la voiture blanche : c'est une sortie surprise. « Mais alors comment tu sais par où il faut aller ? » je demande à Mamie quand elle commence à conduire.

Elle me fait un clin d'œil dans le miroir. « C'est une surprise pour toi. »

Je regarde par la fenêtre pour voir des nouvelles choses. Une fille dans un fauteuil roulant avec la tête penchée en arrière entre deux trucs rembourrés. Un chien qui renifle les fesses d'un autre chien, trop drôle. Il y a une boîte en métal pour envoyer le courrier. Et aussi un sac en plastique qui s'envole.

Je crois que je dors un peu mais je suis pas sûr.

On est arrêtés dans un parking plein d'un truc poussiéreux qui efface les lignes.

« Devine ce que c'est, dit Beau-Papy en le montrant du doigt.

— Du sucre ?

— Du sable, il répond. Allez, je sens que tu chauffes, là.

— Non, j'ai froid.

— Il veut dire que tu es en train de deviner où on est. C'est un endroit où ton grand-père et moi nous emmenions ta maman et Paul quand ils étaient petits. »

Je regarde tout loin. « À la montagne ?

« — Tu vois ces dunes ? Entre les deux, qu'est-ce que c'est, le bleu ?

— Le ciel.

— Mais en dessous. Le bleu plus foncé, tout en bas. »

J'ai mal aux yeux même avec les lunettes de soleil.

« La mer ! » dit Mamie.

Je marche derrière eux sur le chemin en bois, je porte le seau. J'aurais pas cru que c'était comme ça, la plage : le vent arrête pas de me lancer des minuscules cailloux dans la figure. Mamie étale une grande couverture à fleurs qui va être pleine de sable, mais elle trouve que c'est pas grave pour une couverture de pique-nique.

« Il est où, le pique-nique ?

— C'est un peu tôt dans l'année pour ça. »

Beau-Papy dit qu'on pourrait aller au bord de l'eau.

J'ai du sable dans les chaussures, il y en a une qui tombe. « Bonne idée », fait remarquer Beau-Papy. Il enlève ses deux à lui et il les balance par les lacets avec les chaussettes dedans.

Je mets aussi mes chaussettes dans mes chaussures. Le sable est tout humide et bizarre sous mes pieds, il y a des trucs qui gratouillent. Maman m'avait jamais raconté ça.

« C'est parti ! » dit Beau-Papy, et il se met à courir vers la mer.

Je reste loin derrière parce qu'il y a des trucs énormes qui se gonflent, crachent du blanc et rugissent avant de s'écraser. La mer s'arrête jamais de gronder, elle est trop grosse pour nous : il faut pas rester ici.

Je vais rejoindre Mamie sur la couverture de pique-nique. Elle agite ses orteils tout pleins de rides.

On essaie de faire un château sauf que c'est pas le bon sable, il s'écroule tout le temps.

Beau-Papy revient avec son pantalon roulé sur les jambes et dégoulinant. « Tu n'avais pas envie de barboter ?

— Il y a plein de caca.

— Où ça ?

— Dans la mer. Nos cacas voyagent dans les tuyaux jusqu'à la mer, j'ai pas envie de marcher dedans. »

Beau-Papy rit. « Ta maman n'y connaît pas grand-chose en plomberie, hein ? »

J'ai envie de le frapper. « Maman sait tout sur tout.

— Tous les tuyaux de tous les W-C arrivent dans une grosse usine. » Il vient s'asseoir sur la couverture avec ses pieds tout sableux. « Là, les ouvriers enlèvent toutes les crottes et nettoient chaque goutte jusqu'à ce que l'eau soit bonne à boire ; ensuite ils la renvoient dans les tuyaux et elle ressort par nos robinets.

— Et quand est-ce qu'elle va dans la mer ? »

Il secoue la tête. « Si tu veux mon avis, la mer n'est faite que de pluie et de sel.

— Tu as déjà goûté une larme ? demande Mamie.

— Oui.

— Eh bien, la mer a le même goût. »

J'ai toujours pas envie de marcher dedans même si c'est des larmes. Mais je suis d'accord pour retourner près de l'eau avec Beau-Papy chercher des trésors. On trouve un coquillage blanc : on dirait un escargot sauf que quand j'enfonce mon doigt dedans, il y est pas. « Garde-le, dit Beau-Papy.

— Mais s'il veut rentrer à la maison ?

— Ma foi, répond Beau-Papy, je ne crois pas qu'il la laisserait traîner s'il en avait encore besoin. »

Peut-être qu'un oiseau l'a mangé. Ou un lion. Je mets le coquillage dans ma poche et aussi un rose, un noir plus un tout long et dangereux qui s'appelle un couteau. J'ai le droit de les ramener à la maison parce qu'ils sont à qui les trouve et tant pis pour les autres.

On déjeune dans un café-restaurant (ça veut dire qu'on peut y manger tout le temps, pas juste à l'heure du café). Je choisis un BLT, un sandwich chaud avec de la laitue, de la tomate et des bacons cachés dedans.

Dans la voiture, en rentrant, je vois l'aire de jeux sauf qu'elle est complètement à l'envers avec les balançoires du mauvais côté !

« Mais ce n'est pas la même, Jack, explique Mamie. Il y en a dans toutes les villes. »

Dans le Dehors, plein de choses sont copiées.

* * *

« Noreen m'a dit que tu t'es fait couper les cheveux. » Maman a une petite voix dans le téléphone.

« Oui. Mais je suis encore costaud. » Je suis assis sous Monsieur Tapis où il fait tout noir pour croire que Maman est juste à côté de moi. « Maintenant, je prends mon bain tout seul, je lui raconte. J'ai essayé une balançoire, je connais les pièces de monnaie et le feu, je sais qu'il y a des gens qui habitent dans la rue et en plus j'ai deux *Dylan le Maçon*, une conscience et des chaussures en éponge.

— Dis donc !

— Ah, j'ai aussi vu la mer et il y a pas de caca dedans : tu m'as bien eu.

402

— Tu posais tellement de questions, répond Maman. Je n'avais pas toutes les réponses, j'étais bien obligée d'en inventer. »

Je l'entends respirer comme quand elle pleure.

« Maman, tu peux venir me chercher ce soir ?

— Encore un peu de patience.

— Pourquoi ?

— Ils ajustent mon traitement pour déterminer quel dosage il me faut. »

Moi, c'est moi qu'il lui faut.

* * *

Je voulais manger mon pad thaï avec Grande Cuiller Fondue mais Mamie dit non « pour des raisons d'hygiène ».

Après, pendant que je zappe les chaînes dans le salon (ça veut dire passer d'une planète télé à l'autre aussi vite que l'éclair), j'entends mon nom, pas en vrai mais dans Madame Télé.

« … devrions écouter Jack.

— Jack est chacun d'entre nous, en quelque sorte, dit un autre monsieur assis à la grande table.

— De toute évidence », répond un autre.

Ils s'appellent Jack, eux aussi, vu qu'on est un million à se partager mon prénom ?

« L'enfant qui vit en nous, pris au piège dans l'enfer personnel de notre propre chambre de torture », dit un autre monsieur en agitant la tête.

Mais je crois pas que j'y ai déjà été dans celle-là.

« Et ensuite, contre toute attente, on se retrouve seul au milieu d'une foule de gens…

403

— On vacille, assailli par les stimuli du monde moderne, répond le premier.

— *Post*moderne. »

Il y a aussi une dame : « Il me semble qu'au plan symbolique, Jack est l'enfant sacrifié qu'il fallait enfouir sous le ciment des fondations pour apaiser les esprits. »

Hein ?

« J'aurais plutôt pensé que l'archétype le plus pertinent dans ce cas est celui de Persée : fils d'une vierge emmurée vivante, captif qu'on envoie à la dérive dans un coffre de bois et victime qui revient en héros, dit un monsieur.

— Bien sûr, chacun sait que Kaspar Hauser affirmait avoir vécu heureux dans son cachot mais peut-être voulait-il dire qu'en fait, la société allemande du dix-neuvième siècle n'était elle-même qu'une prison à plus grande échelle.

— Du moins Jack avait-il la télévision. »

Un autre monsieur rit : « La culture comme une ombre sur le mur de la caverne de Platon ! »

Mamie entre et éteint tout de suite avec un air fâché.

« Ça parlait de moi, je lui raconte.

— Ces gens-là ont passé trop de temps à l'université.

— Maman dit que je devrai y aller aussi. »

Mamie roule des yeux. « Chaque chose en son temps. Pour l'instant c'est l'heure de se brosser les dents et de se mettre en pyjama. »

Elle me lit *Je vais me sauver* mais l'histoire me plaît pas ce soir. J'arrête pas de penser et si c'était la maman lapin qui était partie se cacher et que le bébé lapin arrivait plus à la retrouver ?

*　*　*

Mamie va m'acheter un ballon de foot, je suis tout excité. Je vais regarder un bonhomme en plastique avec un costume en caoutchouc noir et des tongs, après je vois une grosse pile de valises de toutes les couleurs, comme rose et vert et bleu, et encore après, un escalator. Je voulais juste l'essayer une seconde mais j'arrive plus à reculer, il m'entraîne en bas à toute vitesse, encore plus bas, toujours plus bas… C'est le truc le plus génial du monde même si ça fait très peur : gigagénial (un mot sandwich, ça plairait à Maman). À la fin, je dois sauter et je sais pas comment rejoindre Mamie en haut. Je compte mes dents cinq fois et à un moment, je trouve dix-neuf à la place de vingt. Il y a des panneaux partout qui disent tous la même chose : « Plus que trois semaines avant la fête des Mères, offrez lui ce qui se fait de mieux. » Je regarde les assiettes, les gazinières et les chaises ; comme je me sens tout ramollo, je me couche sur un lit.

Une dame dit que j'ai pas le droit alors je me redresse. « Où est ta maman, bonhomme ?

— À la Clinique parce qu'elle a essayé de retourner au Ciel en avance. » La dame ouvre des grands yeux. « Je suis un bonsaï.

— Un quoi ?

— On était prisonniers mais on est devenus des stars de rap.

— Oh, mon Dieu ! Tu es le fameux petit… Celui… Lorana ! elle crie. Viens par ici ! Tu ne le croiras jamais. C'est le petit Jack, celui de la télé, le garçon de la cabane de jardin. »

Une autre dame arrive en secouant la tête. « Celui de la cabane, il est plus petit, il a les cheveux longs, une queue-de-cheval et il est tout voûté.

— C'est lui, je te jure que c'est lui.

— Dans tes rêves, répond l'autre.

— Jamais de la vie », je rajoute.

Ça la fait beaucoup-beaucoup rire. « C'est totalement incroyable. Je peux avoir un autographe ?

— Lorana, il ne sait sans doute pas écrire son nom.

— Mais si, je réponds, je sais écrire tout ce qui existe.

— Tu es un sacré numéro, elle dit. Un sacré numéro, hein ? » elle répète à sa copine.

Il y a pas d'autre papier que des vieilles étiquettes d'habits ; j'écris plein de *JACK* pour que les dames les donnent à leurs amis sauf que Mamie arrive en courant avec un ballon sous le bras : je l'ai jamais vue aussi fâchée. Elle crie des choses aux dames, comme « procédure à suivre quand les enfants se perdent », et elle déchire mes autographes en mille morceaux. Elle m'attrape par la main. Au moment où on file du magasin, le portillon fait *woui-ou-woui-ou*. Mamie lâche le ballon qui tombe sur la moquette.

Dans la voiture, elle veut pas me regarder dans le miroir. « Pourquoi tu as jeté mon ballon ?

— Il a déclenché l'alarme, répond Mamie, parce que je n'avais pas payé.

— Tu voulais le voler ?

— Non, Jack ! elle crie. Je courais partout comme une folle pour te retrouver. » Après, elle parle moins fort : « Quand je pense à tout ce qui aurait pu arriver…

— Un tremblement de terre ? »

Mamie me fait les gros yeux dans le miroir. « Un inconnu aurait pu t'enlever, Jack, voilà ce que je voulais dire. »

Un inconnu c'est un pas-amis, sauf que les dames étaient mes nouvelles amies.

« Pourquoi ?

— Pour avoir un petit garçon rien qu'à lui, tu vois ? »

Ça paraît un peu bizarre.

« Ou même pour te faire du mal.

— Tu parles de lui ? » Je pense à Grand Méchant Nick, mais je peux pas dire son nom.

« Non, il ne peut pas sortir de prison, quelqu'un comme lui », explique Mamie.

Je savais pas qu'il y avait quelqu'un comme lui dans le Dehors.

« Tu peux retourner acheter mon ballon, maintenant ? » je demande.

Elle allume le moteur et on sort si vite du parking que les roues crissent.

Dans la voiture, je me mets de plus tant plus en colère.

Quand on arrive à la maison, je range tout dans mon sac Dora, sauf mes chaussures qui rentrent pas alors je les jette à la poubelle ; après, j'enroule Monsieur Tapis et je le traîne derrière moi dans l'escalier.

Mamie arrive dans le hall. « Tu t'es lavé les mains ?

— Je retourne à la Clinique ! je lui crie. Et tu peux pas m'en empêcher parce que tu es... tu es une inconnue !

— Jack, ce tapis pue, remets-le à sa place.

— C'est toi qui pues ! » je hurle.

Elle pose la main sur sa poitrine et elle dit par-dessus son épaule : « Leo, ma parole, je crois que j'arrive à la limite de ce… »

Beau-Papy monte l'escalier et il me soulève.

Je lâche Monsieur Tapis. Beau-Papy donne un coup de pied dans mon sac Dora pour le pousser. Il m'emporte, je crie et je le frappe parce que j'ai le droit, c'est un cas spécial, j'ai même le droit de le tuer, je vais le tuer, le tuer…

« Leo, gémit Mamie en bas, Leo…

— Hum, hum, ça sent la chair fraîche ! » Il va me déchiqueter, il va m'enrouler dans Monsieur Tapis pour m'enterrer et « les p'tits vers entrent par ici, les p'tits vers ressortent par là »…

Beau-Papy me laisse tomber sur le matelas gonflable, mais ça fait pas mal.

Il s'assoit au bout et ça se soulève comme une vague. Je pleure encore, je tremble et mon nez met du gluant sur le drap.

Je m'arrête de pleurer. Je cherche Dent Malade sous le matelas, je la mets dans ma bouche et je tète fort. Elle a plus aucun goût de rien.

La main de Beau-Papy est posée sur le drap juste à côté de moi avec des poils sur les doigts.

Ses yeux attendent que je le regarde. « Alors, l'orage est passé ? »

Je pousse Dent Malade vers ma gencive. « Quoi ?

— Ça te dit de venir regarder le match en mangeant un gâteau sur le canapé ?

— D'accord. »

* * *

Je ramasse les branches tombées des arbres, même les énormes très lourdes. Moi et Mamie, on en fait des fagots qu'on attache avec de la ficelle pour que la ville vienne les prendre. « Mais comment la ville…

— Ce sont les employés municipaux, enfin, ceux dont c'est le travail. »

Quand je serai grand, comme travail, je ferai géant, pas ceux qui mangent les humains, ceux qui rattrapent les enfants en train de tomber dans la mer pour les reposer par terre, par exemple.

« Alerte au pissenlit ! » je crie, et Mamie l'enlève avec son déplantoir pour que l'herbe arrive à pousser, vu qu'il y a pas la place pour tout.

Quand on est fatigués, on va dans le hamac, même Mamie. « Je m'asseyais comme ça avec ta maman quand elle était bébé.

— Tu lui donnais son Doudou-Lait ?

— Son quoi ?

— De ton sein. »

Mamie secoue la tête. « Elle me tordait toujours les doigts en prenant son biberon.

— Où elle est, celle qui l'a eue dans son ventre ?

— Celle… ah, tu es au courant ? Je n'en sais rien, désolée.

— Elle a eu un autre bébé ? »

Mamie dit rien. Et après : « C'est une belle idée. »

* * *

Je peins à la table de la cuisine dans le vieux tablier de Mamie qui a un crocodile avec *I Ate Gator on the Bayou* écrit dessus. C'est pas des vrais dessins, juste des taches, des rayures et des spirales mais je prends de toutes les couleurs, j'en mélange même en petites flaques. J'aime bien mettre de la peinture à l'eau sur le papier et le plier en deux comme Mamie m'a montré et quand je le déplie, ça fait un papillon.

Il y a Maman à la fenêtre !

Le rouge se renverse. J'essaie de l'essuyer mais il y en a plein sur mon pied et par terre. La figure de Maman a disparu, je cours à la fenêtre mais elle est partie. Je l'avais juste imaginée ? J'ai mis du rouge sur la fenêtre et sur l'évier et le plan de travail. « Mamie ? je crie. Mamie ? »

Et après Maman est juste derrière moi.

Je cours jusqu'à elle, presque. Elle va me prendre dans ses bras mais je dis : « Non, je suis tout peinturé. »

Elle rit, elle défait mon tablier et le pose sur la table. Elle me serre très fort tout entier sauf que j'éloigne mes mains et mon pied poisseux. « Je ne t'aurais pas reconnu, elle dit à ma tête.

— Pourquoi tu m'aurais… ?

— À cause de tes cheveux, je suppose.

— Regarde, j'en ai des longs en bracelet mais il arrête pas de s'accrocher à tout.

— Je peux l'avoir ?

— Oui. »

Le bracelet se fait des taches de peinture en glissant sur mon poignet. Maman le met autour du sien. Elle a changé mais je sais pas comment. « Pardon, je t'ai mis du rouge sur le bras.

— Tout ça part à l'eau, dit Mamie en arrivant dans la cuisine.

— Tu ne l'avais pas prévenu ? demande Maman qui lui donne un bisou.

— Je pensais qu'il ne valait mieux pas, au cas où il y aurait un problème.

— Il n'y a aucun problème.

— J'en suis ravie. » Mamie s'essuie les yeux et commence à nettoyer la peinture. « Euh, Jack dort sur un matelas gonflable dans notre chambre mais je peux te faire un lit sur le canapé.

— En fait, il vaut mieux qu'on s'en aille. »

Mamie reste sans bouger pendant une minute. « Tu restes manger un petit quelque chose pour dîner ?

— Bien sûr », répond Maman.

Beau-Papy fait des côtelettes de porc avec du risotto ; j'aime pas les bouts d'os mais je mange tout le riz et je racle la sauce avec ma fourchette. Beau-Papy me vole un bout de ma viande.

« Chipeur, arrête de chiper ! »

Il gémit : « Oh, mince. »

Mamie me montre un gros livre avec des photos d'enfants, elle dit que c'est Maman et Paul quand ils étaient petits. Je m'applique pour y croire et après j'en vois une de la petite fille sur la plage où Mamie et Beau-Papy m'y ont emmené, et sa figure est pareille qu'à Maman. Je lui montre.

« C'est bien moi. » Elle tourne la page. Il y en a une de Paul qui fait coucou par la fenêtre d'une banane géante sauf qu'en vrai c'est une statue ; et une autre avec tous les deux qui mangent de la glace en cônes et on voit aussi Papy mais il se ressemble pas, ni Mamie : elle a des cheveux noirs.

« Où il est, le hamac ?

— Nous passions tout notre temps dedans, alors sans doute que personne n'a jamais pensé à le prendre en photo, explique Maman.

— Ça doit être terrible de ne pas en avoir, lui dit Mamie.

— De ne pas avoir de quoi ? demande Maman.

— Des photos de Jack bébé et quand il a commencé à marcher, elle répond. Juste pour te le rappeler. »

La figure de Maman est toute lisse. « Chaque jour est gravé dans ma mémoire. » Elle regarde sa montre (je savais pas qu'elle en avait une, avec des doigts pointus en plus).

« À quelle heure vous attendent-ils à la clinique ? » demande Beau-Papy.

Elle secoue la tête. « J'en ai fini avec la clinique. » Elle sort un truc de sa poche et elle l'agite : c'est une clé sur un anneau. « Tu sais quoi, Jack ? Toi et moi, on a un appartement à nous. »

Mamie dit l'autre nom de Maman. « Mais est-ce bien raisonnable, à ton avis ?

— C'était mon idée. Tout va bien, Maman. Il y a des psychologues à ma disposition vingt-quatre heures sur vingt-quatre.

— Mais tu n'as encore jamais vécu loin de la maison… »

Maman regarde Mamie avec des grands yeux, Beau-Papy aussi. Il tousse de rire.

« Ce n'est pas drôle, dit Mamie en lui donnant une claque sur la poitrine. Elle comprend ce que je veux dire. »

Maman m'emmène en haut pour préparer mes affaires.

« Ferme les yeux, je lui dis, il y a des surprises. » Je l'emmène dans la chambre. « Et voilà ! » J'attends. « C'est Monsieur Tapis et plein de choses à nous, la police les a ramenées.

— Je vois ça, répond Maman.

— Regarde, Petite Jeep et Madame Commande.

— Ce n'est pas la peine de trimbaler des trucs cassés, prends juste ce dont tu as vraiment besoin et mets-le dans ton nouveau sac Dora.

— Mais j'ai besoin de tout. »

Maman souffle. « Fais comme bon te semble. »

Bon me semble ?

« Il y a des boîtes pour les ranger, c'est tout arrivé dedans.

— J'ai dit d'accord. »

Beau-Papy met tout à l'arrière de la voiture blanche.

« Il faut que je fasse renouveler mon permis, dit Maman pendant que Mamie conduit.

— Tu seras sans doute un peu rouillée, tu ne crois pas ?

— Oh, je suis toute rouillée. »

Je demande : « Pourquoi tu es… ?

— Comme l'Homme de Fer-Blanc », dit Maman par-dessus son épaule. Elle soulève le coude et fait comme si ça grinçait. « Hé, Jack, on aura une voiture à nous un jour ?

— Oui. Ou alors un hélicoptère ! Un hélico super-sonique qui ferait train, voiture et sous-marin.

— Dis donc, ça sera une sacrée virée. »

On roule pendant des heures et des heures. « Pour-quoi c'est si long ? je demande.

— Parce qu'on va à l'autre bout de la ville, répond Mamie. C'est quasiment dans l'état voisin.

— Maman… »

Le ciel devient sombre.

Maman explique à Mamie où il faut se garer. Il y a un grand panneau. RÉSIDENCE THÉRAPEUTHIQUE : LOGEMENTS INDIVIDUELS. Elle nous aide à porter toutes nos boîtes en carton et tous nos sacs dans l'immeuble en briques marron, sauf que c'est moi qui tire ma Dora sur ses roulettes. On rentre par une grande porte gardée par un monsieur qui s'appelle le portier et sourit. « Il va nous enfermer ? je chuchote à Maman.

— Non, il empêche les autres d'entrer. »

Il y a trois dames et un monsieur, ils s'appellent Personnel de Soutien Logistique et on doit pas hésiter à les sonner dès qu'on a besoin d'aide ou de n'importe quoi (les sonner c'est comme les téléphoner). L'immeuble a plein d'étages avec des appartements à chacun ; pour moi et Maman, c'est au six. Je tire sur sa manche et je chuchote : « Cinq.

— Quoi ?

— On peut être au cinq ?

— Désolée, on ne peut pas choisir. »

Quand l'ascenseur se ferme en claquant ses portes, Maman frissonne.

« Ça va ? demande Mamie.

— Encore une chose à laquelle il va falloir que je m'habitue. »

Maman doit taper le code secret qui secoue l'ascenseur. Ça me fait tout bizarre dans le ventre quand il monte. Après, les portes s'ouvrent et on est déjà au six. On a volé sans le savoir ! Je vois une petite fente à couvercle qui dit INCINÉRATEUR : quand on jettera des ordures là-dedans, elles vont tomber, encore plus bas, toujours plus bas et après elles partiront en fumée. Sur les portes, à la place des numéros il y a des lettres ; nous, on a le B, ça veut dire qu'on habite au 6B. Six n'est pas un mauvais chiffre comme neuf, en fait c'est sa tête à l'envers. Maman met la clé dans la serrure : quand elle la tourne, elle fait une grimace à cause de son poignet fragile. Elle est pas encore guérie de partout. « Voilà notre chez-nous », elle dit en ouvrant la porte.

Comment ça peut être chez nous si j'y suis jamais venu ?

Un appartement, c'est comme une maison aplatie. Il y a cinq chambres (ça tombe bien) plus une salle de bains avec une baignoire : on pourra prendre des bains, pas des douches. « On peut s'en faire couler un tout de suite ?

— Commençons par nous installer », répond Maman.

La cuisinière crache des flammes comme chez Mamie. La chambre à côté de la cuisine c'est le salon avec un canapé, une table à petites pattes et une gigatélé.

Mamie est dans la cuisine en train de déballer un carton. « Du lait, des bagels, je ne savais pas si tu buvais à nouveau du café… Jack aime bien ces céréales en forme de lettres, il a écrit "volcan", l'autre jour. »

Maman met les bras sur Mamie pour l'empêcher de bouger une minute. « Merci.

— Tu veux que je sorte t'acheter autre chose ?

— Non, j'ai l'impression que tu as pensé à tout. Bonne nuit, maman. »

La figure de Mamie se tord. « Tu sais…

— Quoi ? » Maman attend. « Qu'est-ce qu'il y a ?

— Moi non plus je n'ai pas oublié un seul instant de ton enfance. »

Comme elles disent rien, je vais essayer les lits pour voir lequel rebondit le plus mieux. Pendant que je fais des galipettes, je les entends parler beaucoup. Je visite les chambres en ouvrant et en refermant tout.

Quand Mamie est repartie à sa maison, Maman m'apprend à tirer le verrou (ça ressemble à une clé sauf qu'on peut le tourner nous seuls et que du dedans).

Dans le lit, je me rappelle mon Doudou-Lait et je soulève son T-shirt.

« Ah, dit Maman, je ne crois pas qu'il en reste.

— Mais si, il doit bien y en avoir.

— Eh bien, en fait, si on ne les tète pas, les seins pensent que plus personne n'a besoin de leur lait et arrêtent d'en fabriquer.

— Bébêtes. Je suis sûr que je peux en trouver…

— Non, répond Maman en mettant sa main devant. Désolée. C'est fini. Viens par ici. »

On se fait un gros câlin. Sa poitrine fait *boum-boum* dans mon oreille : c'est son cœur que j'entends.

Je soulève son T-shirt.

« Jack… »

J'embrasse le droit : « Au revoir. » Je fais deux bisous au gauche parce qu'il a toujours été le plus crémeux des Doudous-Lait. Maman serre ma tête si fort que je dis : « Tu m'étouffes » alors elle me lâche.

***

La figure du bon Dieu se lève, rouge pâle, et brille en plein dans mes yeux. Je cligne mes paupières pour faire clignoter sa lumière. J'attends que Maman respire plus fort. « Combien de temps on va rester à la Résidence Individuelle ? »

Elle bâille. « Aussi longtemps qu'on veut.

— J'aimerais bien rester une semaine. »

Maman s'étire tout entière. « Eh bien, restons-y une semaine et ensuite on verra. »

J'enroule ses cheveux comme une corde. « Je pourrais te les couper, on redeviendrait pareils. »

Maman secoue la tête. « Je crois que je vais les garder longs. »

Quand on déballe nos bagages, il y a un gros problème : je trouve plus Dent Malade.

Je regarde partout dans mes affaires et après dans l'appartement au cas où je l'aurais fait tomber hier soir. J'essaie de me rappeler quand je l'ai eue dans ma main ou dans ma bouche. Pas hier soir… mais avant-hier soir, chez Mamie ? Je crois que je la tétais. J'ai une idée horrible : peut-être que je l'ai avalée sans faire exprès en dormant.

« Qu'est-ce qui arrive aux choses qu'on mange si c'est pas à manger ? »

Maman range des chaussettes dans son tiroir.

« Comme quoi ? »

Je peux pas lui dire que j'ai peut-être perdu un bout d'elle. « Un petit caillou ou un truc comme ça.

— Oh, eh bien, il traverse ton ventre et ressort par les intestins, voilà. »

On prend pas l'ascenseur pour sortir aujourd'hui, on s'habille même pas. On reste dans notre Résidence Individuelle et on l'explore pour la connaître de partout. « On pourrait dormir dans cette chambre, dit Maman, et toi, tu pourrais jouer dans l'autre qui est plus ensoleillée.

— Avec toi.

— Euh, oui, mais parfois je serai occupée à d'autres choses, alors peut-être que, pendant la journée, notre chambre à coucher pourrait devenir ma chambre. »

Quelles autres choses, d'abord ?

Quand Maman nous verse nos céréales, elle les compte même pas. Je dis merci au Petit Jésus.

« J'ai lu un livre à l'université, il disait qu'on devrait tous avoir une chambre à soi.

— Pourquoi ?

— Pour y réfléchir.

— Moi je peux réfléchir dans une chambre avec toi. » J'attends. « Pourquoi tu peux pas réfléchir dans une chambre avec moi ? »

Maman fait une grimace. « J'y arrive, en général, mais ce serait agréable d'avoir un endroit rien qu'à moi de temps en temps.

— Je crois pas. »

Elle souffle fort et longtemps. « Essayons, rien qu'aujourd'hui. On pourrait fabriquer des plaques à nos noms et les coller sur les portes…

— Super ! »

On dessine plein de lettres en toutes les couleurs sur des pages qui disent CHAMBRE DE JACK et CHAMBRE DE MAMAN ; après, on les colle avec du scotch (on peut en utiliser tant qu'on veut).

J'ai envie de faire caca mais quand je regarde, je vois pas Dent Malade.

On est assis sur le canapé en train de regarder le vase sur la table : il est en verre pas invisible avec tout plein de bleus et de verts. « Ils me plaisent pas, les murs, je dis à Maman.

— Qu'est-ce qu'ils ont ?

— Ils sont trop blancs. Hé, tu sais quoi ? On pourrait acheter des carreaux de liège au magasin et les coller partout.

— Jamais de la vie. » Au bout d'une minute, elle rajoute : « Nous devons prendre un nouveau départ, n'oublie pas. »

Elle dit *n'oublie pas* mais c'est elle qui veut oublier la Chambre.

Je pense à Monsieur Tapis. Je cours le sortir du carton et je le tire derrière moi. « Où il va se mettre, Monsieur Tapis, près du canapé ou à côté de notre lit ? »

Maman secoue la tête.

« Mais…

— Jack, il est tout effiloché et taché par sept ans de… Je le sens d'ici ! Je t'ai vu commencer à ramper sur ce tapis et ensuite j'ai dû te regarder y faire tes premiers pas ; combien de fois ne t'a-t-il pas fait tomber ? Un jour, tu as fait caca dessus et une autre fois la soupe s'est renversée mais je n'ai jamais vraiment réussi à le nettoyer. » Ses yeux sont très brillants et trop grands.

« Oui, en plus, je suis né dessus et j'ai été mort dedans.

— C'est vrai, alors ce qui me plairait vraiment, c'est le balancer dans l'incinérateur.

— Non !

— Si pour une fois dans ta vie tu pensais à moi au lieu de…

— C'est ce que je fais ! je crie. Je pensais à toi tout le temps quand tu étais Ailleurs ! »

Maman ferme les yeux une toute petite seconde. « Bon, tu peux le garder dans ta chambre mais enroulé dans l'armoire. Compris ? Je ne veux plus le voir. »

419

Elle va dans la cuisine, je l'entends faire gicler l'eau. Je prends le vase, je le lance contre le mur et il explose en mille milliards de morceaux.

« Jack… » Maman est debout dans le salon.

Je hurle : « T'es plus ma maman ! »

Je cours dans la CHAMBRE DE JACK en tirant Monsieur Tapis derrière moi sauf qu'il se coince dans la porte ; je l'emmène dans le dressing, je l'enroule autour de moi et je reste assis là pendant des heures et des heures mais Maman vient même pas.

J'ai la peau qui tire sur ma figure à cause des larmes séchées. Beau-Papy dit que c'est comme ça qu'on fabrique le sel, on attrape les vagues dans des petites mares et après le soleil les fait sécher.

Il y a un bruit horrible, *bzzz-bzzz-bzzz*, et après j'entends Maman parler. « Oui, pourquoi pas ? Le moment n'est pas plus mal choisi qu'un autre. » Au bout d'une minute, je l'entends devant le dressing : « Nous avons de la visite. »

C'est le docteur Clay et Noreen. Ils ont des plats « à emporter » : des nouilles et du riz et des trucs jaunes tout glissants mais superbons.

Je vois plus aucun bout coupant du vase, Maman a dû les faire disparus dans l'incinérateur.

Il y a un ordinateur pour nous, le docteur Clay l'installe pour qu'on joue à des jeux et qu'on envoie des e-mails. Noreen m'apprend à faire des dessins sur l'écran avec la flèche qui se change en pinceau. Je me dessine avec Maman dans la Résidence Individuelle.

« Qu'est-ce que c'est, tous ces gribouillis blancs ? demande Noreen.

— L'espace.

— L'espace interplanétaire ?

— Non, celui qui remplit tout : l'air.

— Oui, la célébrité est un traumatisme supplémentaire, explique le docteur Clay à Maman. Vous avez repensé à la possibilité de changer d'identité ? »

Maman secoue la tête. « Je n'arrive pas à imaginer que… Je suis moi et lui c'est Jack, non ? Comment est-ce que je pourrais me mettre à l'appeler Michael, Zane ou je ne sais quoi ? »

Mais pourquoi elle m'appellerait Michael ou Zane ?

« Eh bien, que diriez-vous d'un nouveau nom de famille, au moins ? dit le docteur. Jack attirerait moins l'attention une fois à l'école.

— Quand j'irai à l'école ?

— Quand tu seras prêt, répond Maman, ne t'inquiète pas. »

Moi, je crois que j'y serai jamais.

Le soir, on prend un bain ; je pose ma tête sur le ventre de Maman et j'allais presque m'endormir.

On s'entraîne à être dans deux chambres, on peut s'appeler mais pas trop fort parce qu'il y a des habitants dans les autres résidences individuelles que la 6B. Quand je suis dans la CHAMBRE DE JACK et Maman dans la CHAMBRE DE MAMAN, c'est pas trop dur (sauf que si elle est dans les autres et que je sais pas laquelle, j'aime pas ça !).

« Tout va bien, dit Maman, je t'entendrai toujours. »

On remange les plats à emporter qu'on a rechaudis dans le micro-ondes, un petit four super-rapide avec des rayons tueurs qu'on voit même pas.

« Je la retrouve plus, Dent Malade, je dis à Maman.

— La mienne ?

421

— Oui, ta mauvaise dent qui était tombée et que j'avais gardée ; je l'avais tout le temps mais je crois qu'elle s'est perdue. Sauf si je l'ai avalée, mais c'est pas sûr, et elle est pas encore ressortie dans mon caca.

— Ne t'en fais pas pour ça, dit Maman.

— Mais…

— Les gens se déplacent tellement partout dans le monde, ils égarent sans cesse toutes sortes d'objets.

— Dent Malade, c'est pas qu'un objet, j'ai besoin d'elle.

— Crois-moi, tu peux vivre sans elle.

— Mais… »

Elle me tient par les épaules. « Adieu, vieille dent pourrie ! Et voilà ! »

Elle rit presque, mais pas moi.

Peut-être que je l'ai quand même avalée par accident. Peut-être qu'elle va pas ressortir dans mon caca et qu'elle restera cachée dans un coin de mon ventre pour toujours.

* * *

Pendant la nuit, je chuchote : « J'arrive pas à faire le noir dans ma tête.

— Je sais, répond Maman. Moi non plus. »

On dort dans la CHAMBRE DE MAMAN qui est dans la Résidence Individuelle qui est en Amérique qui est collée sur le monde qui est un ballon bleu et vert d'un million de kilomètres de large qui arrête pas de tourner comme une toupie. En dehors du monde, il y a l'Espace interplanétaire. Je comprends pas comment on fait pour pas tomber. Maman dit que c'est la gravité, un pouvoir invisible qui nous colle par terre mais je la sens pas.

La figure dorée du bon Dieu se lève, on regarde par la fenêtre.

« Tu as remarqué ? dit Maman. Le jour se lève un peu plus tôt chaque matin. »

Il y a six fenêtres dans notre Résidence Individuelle ; elles montrent toutes des images différentes mais parfois des mêmes choses. Ma préférée, c'est celle de la salle de bains parce qu'on voit un chantier de construction : je peux regarder les grues et les maçons. Je leur récite tous les mots de *Dylan*, ils aiment bien ça.

Dans le salon, je mets mon Velcro parce qu'on va sortir. Je vois la place du vase, avant que je le lance. « On pourrait en demander un autre comme Cadeau du Dimanche », je dis à Maman (sauf qu'après je me rappelle).

Ses chaussures à elle ont des lacets, elle est en train de les attacher. Elle me regarde, mais pas fâchée. « Tu sais, tu n'auras plus jamais à le revoir.

— Grand Méchant Nick ? » Je le dis fort pour voir si ça fait peur : oui, mais pas trop.

« Moi, je devrai le revoir juste une fois, au procès. Mais pas avant plusieurs mois.

— Pourquoi tu devras y aller ?

— Maître Morris m'a proposé d'y assister par vidéoconférence mais en fait j'ai envie de le regarder bien en face, cette sale ordure ! »

Pourquoi une ordure ? Je savais pas que les gens, ça peut se jeter à la poubelle. « Peut-être que c'est *lui* qui nous demandera des Cadeaux du Dimanche, ça serait drôle ! »

Maman rit, un rire pas gentil. Elle se regarde dans le miroir pour se mettre des lignes noires autour des yeux et du rouge foncé sur la bouche.

« On dirait un clown !

— C'est juste du maquillage, elle répond, pour avoir l'air plus belle.

— Tu es toujours la plus belle. »

Elle me sourit dans la glace. Je pose mon nez au bord du miroir, je mets deux doigts dans mes oreilles et j'agite les autres.

On se tient par la main mais comme l'air est bien chaud aujourd'hui, elles deviennent glissantes. On regarde les vitrines des magasins, sauf qu'on rentre pas : on se promène. Maman arrête pas de dire que les choses sont incroyablement chères ou sinon de la camelote. « Ici ils vendent des hommes-femmes-enfants, je lui dis.

— Quoi ? » Elle se retourne d'un coup. « Ah, non. C'est un magasin de vêtements ; *hommes-femmes-enfants*, ça veut simplement dire qu'il y en a pour tous. »

Quand on doit traverser une rue, on appuie sur le bouton et on attend le petit bonhomme argenté qui nous protège. Il y a un truc, on dirait vraiment du béton, mais les enfants sont dedans en train de crier et de sauter pour s'éclabousser : ça s'appelle une pataugeoire. On regarde un peu mais pas trop longtemps parce que Maman dit qu'on va finir par nous trouver bizarres.

On joue aux espions. On s'achète des glaces qui sont la meilleure chose du monde : la mienne, c'est vanille, et celle de Maman, fraise. La prochaine fois, on pourra en prendre des différentes, il y en a des centaines. Un gros bout de glace me descend tout froid dans la gorge, ça me fait mal à la figure ; Maman m'apprend à mettre ma main sur mon nez pour respirer l'air chaud. Je suis dans le Dehors depuis trois semaines et demie et je sais toujours pas ce qui va faire mal.

Avec mes pièces que Beau-Papy m'avait données, j'achète une barrette à Maman pour ses cheveux et dessus il y a une coccinelle pour de semblant.

Maman s'arrête plus de dire merci.

« Tu peux la garder pour toujours, même quand tu seras morte. Tu seras morte avant moi ?

— C'est ce qui est prévu.

— Pourquoi ?

— Eh bien, quand tu auras cent ans, j'en aurai cent vingt et un alors je pense que mon corps sera tout usé. » Elle sourit. « Je serai au Ciel en train de préparer ta chambre.

— Notre chambre, je corrige.

— D'accord, notre chambre. »

Après je vois une cabine téléphonique ; je vais jouer à me changer en Superman et je fais coucou à Maman derrière la vitre. Il y a des petites cartes avec des photos qui sourient et disent « Blonde à forte poitrine, 18 ans » et « Filipina Femme-Mâle » : elles sont à nous parce qu'on les a trouvées et tant pis pour qui les a perdues mais quand je les montre à Maman, elle dit que c'est sale et elle m'oblige à les jeter à la poubelle.

Pendant un moment, on sait plus où on est sauf qu'après Maman voit le nom de la rue de la Résidence Individuelle, alors on était pas vraiment perdus. Mes pieds sont fatigués. Je pense que les gens du Dehors doivent être fatigués tout le temps.

Dans la Résidence Individuelle, je marche pieds nus, et à partir de maintenant, j'aime plus les chaussures !

Les habitants du 6C, c'est une dame et deux petites filles (elles sont grosses, plus que moi mais pas toutes grosses). La dame porte des lunettes de soleil tout le temps, même dans l'ascenseur, et elle a une béquille pour sautiller dessus ; les petites filles ne parlent pas, je crois, mais quand j'ai fait coucou à une des deux, elle a souri.

* * *

Tous les jours il y a des trucs nouveaux.

Mamie m'a apporté une boîte d'aquarelles avec dix ovales de couleur sous un couvercle invisible. Je rince le petit pinceau après chaque couleur pour qu'elles se mélangent pas et si l'eau est sale, il suffit d'en remettre. La première fois que je montre mon dessin à Maman, ça dégouline alors après on les laisse sécher à plat sur la table.

On va dans la maison au hamac où je fais des Lego incroyables avec Beau-Papy : un château et une fulguro-mobile.

Maintenant, Mamie peut venir nous voir que l'après-midi parce que le matin elle a un travail dans un magasin où les gens qui perdent leurs cheveux et leurs seins peuvent en racheter des nouveaux. Maman et moi, on va l'espionner par la porte en vitre ; elle se ressemble pas quand elle travaille. Maman dit qu'on a tous différents visages.

Paul vient nous voir à la Résidence Individuelle avec une surprise pour moi : un ballon de foot, comme l'autre que Mamie avait jeté, au magasin. Je descends au parc avec lui, mais pas Maman vu qu'elle a rendez-vous au café avec une de ses vieilles amies d'avant.

« Super, dit Paul. Encore.

— Non, à toi ! »

Il donne un grand coup de pied, le ballon rebondit sur l'immeuble et file dans les buissons. « Va le chercher ! » crie Paul.

Mais quand je shoote dedans, il tombe dans le bassin et je pleure.

Paul le repêche avec une branche. Il l'envoie loin, loin. « Tu veux me montrer comme tu cours vite ?

— Notre Petite Piste faisait le tour de Monsieur Lit, je lui raconte. Je cours vite, j'arrivais à y aller-retourner en seize pas.

— Wouah ! Je parie que tu vas encore plus vite maintenant. »

Je secoue la tête. « Je vais tomber.

— Mais non, dit Paul.

— Si, tout le temps, le monde de Dehors fait plein d'accroche-pattes.

— Peut-être, mais cette pelouse est toute douce, alors même si tu tombes, tu ne te feras pas mal. »

Voilà Deana et Bronwyn, je les reconnais de loin avec mes yeux de lynx.

* * *

Il fait un peu plus chaud tous les jours : incroyable, pour un mois d'avril, dit Maman.

Après il pleut. Elle pense que ça pourrait être drôle d'acheter deux parapluies et de sortir, la pluie rebondirait dessus et on serait même pas mouillés – sauf que je suis pas d'accord.

Le jour d'après, c'est redevenu sec alors on sort ; il y a des flaques mais j'ai pas peur, quand je marche dedans avec mes chaussures-éponges à trous, mes pieds se font éclabousser : pas grave.

Moi et Maman, on fait un marché, on va tout essayer une fois pour savoir ce qu'on aime.

Déjà, j'aime bien aller au parc avec mon ballon de foot et donner à manger aux canards. J'aime bien l'aire de jeux maintenant, mais pas le garçon qui est descendu juste après moi sur le toboggan et qui m'a donné un coup de pied dans le dos. J'aime bien le musée d'Histoire naturelle sauf que c'est juste des dinosaures en os, pas des vivants.

Dans la salle de bains, j'entends des gens dire des trucs en espagnol mais Maman m'explique que ça s'appelle du chinois. Il y a des centaines de façons différentes de parler étranger, ça me donne le tournis.

On va visiter un autre musée avec des tableaux, un peu comme nos chefs-d'œuvre donnés avec les paquets de farine d'avoine mais beaucoup-beaucoup plus grands et en plus, on peut voir les gros pâtés de peinture. J'aime bien traverser toute la salle du musée, sauf qu'après il y en a plein d'autres ; je me couche sur le banc et quand le monsieur en uniforme s'approche avec une figure pas gentille, je me sauve.

Beau-Papy vient à la Résidence Individuelle m'apporter un truc super : un vélo qu'ils gardaient pour Bronwyn mais c'est moi qui l'ai en premier parce que je suis plus grand. Il y a des figures brillantes sur les rayons des roues. Je dois porter un casque plus des protections aux genoux et aux poignets pour rouler dans le parc vu que je pourrais tomber ; sauf que je tombe pas, j'ai de l'équilibre : Beau-Papy dit que ça m'est naturel. La troisième fois, Maman me laisse faire du vélo sans protections et dans deux semaines elle enlèvera les stabilisateurs parce que j'en aurai plus besoin.

Maman trouve un concert qui se passe dans un parc, pas le nôtre d'à côté, un autre où il faut y aller en bus. J'adore le bus : on regarde d'en haut les différents cheveux sur la tête des gens. Au concert, la règle c'est que les joueurs de musique font tout le bruit ; nous, on a pas le droit, même pas un petit cri de souris (sauf à la fin pour applaudir).

Maman pourrait m'emmener au zoo, dit Mamie, mais elle répond qu'elle supporterait pas les cages.

On va voir deux églises différentes. J'aime bien celle avec des fenêtres multicolorées mais l'orgue me casse les oreilles.

Et aussi on va à une pièce de théâtre (c'est quand des adultes se déguisent pour jouer comme des enfants et tous les autres regardent). Ça se passe dans un autre parc et ça s'appelle *Nuit d'été*. Je suis assis dans l'herbe et j'ai mis ma main sur ma bouche pour pas oublier de me taire. Des fées se disputent pour avoir un petit garçon, elles disent tellement de mots qu'ils se fondent en méli-mélo. Parfois elles disparaissent et des gens tout en noir bougent les meubles. « Comme nous, dans la Chambre ! » je chuchote à Maman ; elle rit presque.

Mais quand les gens assis à côté de nous se mettent à parler tout fort : « Eh bien, esprit ! » et « Saluons tous Titania ! » je me fâche et je dis chut et après je leur crie pour de bon qu'il faut se taire. Maman me prend par la main et m'entraîne tout au fond, près des arbres pour m'expliquer que ça s'appelle la participation du public et que c'est permis, juste pour cette fois.

Quand on rentre chez nous à la Résidence Individuelle, on écrit tous les trucs essayés sur une feuille : la liste commence à être longue. Après, il y a ce qu'on pourra faire quand on sera plus courageux.

Voler en avion

Inviter des vieux amis de Maman à dîner

Conduire une voiture

Aller au pôle Nord

Aller à l'école (moi) et à l'université (Maman)

Trouver un appartement vraiment à nous et pas dans une
*   [Résidence Individuelle.*

Fabriquer une nouvelle invention

Se faire des nouveaux amis

Vivre dans un autre pays que l'Amérique

Être invité à jouer dans la maison d'un autre enfant comme le
*   [Petit Jésus et Jean-Baptiste*

Prendre des leçons de natation

Sortir danser le soir pour Maman et moi je resterais dormir chez
*   [Beau-Papy et Mamie, sur le matelas gonflable.*

Avoir un travail

Aller sur la lune

Le plus important, c'est *Avoir un chien qui s'appellerait Lucky* ; moi, je suis prêt tous les jours mais Maman dit qu'elle a déjà assez de pain sur la planche et peut-être pour mes six ans.

« Quand j'aurai un gâteau avec des bougies ?

— Six bougies, elle répond. Promis juré. »

Le soir, dans notre lit qui n'est pas Monsieur Lit, je caresse la couette, elle est très plus gonflée que Madame Couette. Quand j'avais quatre ans, je savais même pas qu'il y avait un Dehors ou je croyais que c'était juste des histoires. Après, Maman m'a dit qu'il existait pour de vrai et je me croyais omnisavant. Mais maintenant que je suis dans le Dehors, en fait je sais pas beaucoup de choses, je suis tout perdu tout le temps.

« Maman ?

— Oui ? »

Elle a toujours la même odeur, sauf ses seins qui sont juste des seins maintenant.

« Tu regrettes jamais qu'on s'est sauvés de la Chambre ? »

J'entends rien. Après elle dit : « Non, jamais. »

* * *

« Il n'y a aucune logique, raconte Maman au docteur Clay. Pendant toutes ces années, j'avais tellement envie de voir du monde et aujourd'hui je ne m'en sens pas le courage. »

Il fait oui-oui de la tête et ils avalent leur café fumant petit à petit ; maintenant Maman en boit pour tenir le coup, comme les adultes. Pour moi, c'est toujours du lait ou parfois du chocolat au lait (ça a un goût de chocolat mais c'est permis). Je suis par terre en train de faire un puzzle avec Noreen, un superdur avec un train en vingt-quatre morceaux.

« La plupart du temps… Jack me suffit.

— "L'âme choisit sa compagnie Puis ferme la Porte[1]…" »

Il a repris sa voix des poèmes.

Maman agite la tête. « Oui, mais je n'étais pas comme ça avant.

— Vous avez dû changer pour survivre. »

1. Emily Dickinson, *Cahiers*, Poésie Gallimard, 2007, trad. Claire Malroux. (*N.d.T.*)

Noreen lève les yeux. « N'oubliez pas que vous auriez changé de toute façon. En passant le cap de la vingtaine, en mettant un enfant au monde… vous ne seriez pas restée la même. »

Maman boit son café sans rien dire.

* * *

Un jour, je me demande si les fenêtres s'ouvrent. J'essaie celle de la salle de bains : je trouve le secret de la poignée et je pousse sur la vitre. J'ai peur de l'air mais plutôt couragépeur ; je me penche et je tends mes mains dans le vide. Je suis dedans-dehors, c'est la plus incroyable des…

« Jack ! » Maman tire sur le dos de mon T-shirt pour me ramener tout entier à l'intérieur.

« Aïe !

— Il y a six étages, si tu tombais tu te fracasserais le crâne.

— J'allais pas tomber, je lui dis, j'étais dedans-dehors en même temps.

— Et complètement cinglé par-dessus le marché ! » elle répond, mais elle sourit presque.

Je la suis dans la cuisine. Elle bat des œufs dans un saladier pour faire du pain perdu. Les coquilles sont écrabouillées alors on les jette à la poubelle : « Au revoir ! » Je me demande s'ils se changeront en nouveaux œufs. « Est-ce qu'on revient après être monté au Ciel ? »

Je crois que Maman m'entend pas.

« On repousse dans des ventres de maman ?

— Ça s'appelle la réincarnation. » Elle coupe le pain. « Il y a des gens qui croient que nous pouvons renaître sous la forme d'ânes ou d'escargots.

— Non, des humains dans les mêmes ventres. Si je repousse dans le tien… »

Maman allume la flamme. « Oui, quelle est ta question ?

— Tu m'appelleras encore Jack ? »

Elle me regarde. « D'accord.

— Promis ?

— Pour moi, tu seras toujours Jack. »

***

Demain c'est le 1ᵉʳ mai, ça veut dire qu'après, ça sera l'été et qu'il va y avoir un défilé ! Peut-être qu'on ira, juste pour voir. « Le 1ᵉʳ mai existe que dans le Dehors ? » je demande.

On mange nos bols de müesli sur le canapé mais sans renverser. « Qu'est-ce que tu veux dire ? répond Maman.

— Est-ce que c'est aussi le 1ᵉʳ mai dans la Chambre ?

— Je suppose que oui, mais personne n'y est pour le fêter.

— On pourrait y aller. »

Elle fait claquer sa cuiller dans son bol. « Jack !

— On peut ?

— Tu en as vraiment, vraiment envie ?

— Oui.

— Pourquoi ?

— Je sais pas.

— Tu n'es pas mieux dehors ?

— Si. Mais pas toujours.

— D'accord, mais en général ? Ça te plaît plus que la Chambre ?

— Le plus souvent, oui. » Je finis tout mon müesli et le reste de Maman qu'elle a laissé dans son bol. « On pourra y retourner un jour ?

— Pas y vivre. »

Je secoue la tête. « Juste une petite visite, rien qu'une minute. »

Maman appuie sa bouche sur sa main. « Je ne crois pas que je pourrais.

— Mais si. » J'attends. « C'est dangereux ?

— Non, mais rien qu'à cette idée j'ai l'impression de… »

Elle dit pas quoi. « Je te tiendrai la main. »

Maman me regarde longtemps. « Tu pourrais, peut-être, y aller tout seul ?

— Non.

— Enfin avec quelqu'un d'autre. Pourquoi pas Noreen ?

— Non.

— Ou Mamie ?

— Avec toi.

— Je ne peux pas…

— C'est moi qui décide pour nous deux », je lui dis.

Elle se lève, je crois qu'elle est fâchée. Elle emmène le téléphone dans la CHAMBRE DE MAMAN et elle parle à quelqu'un.

Plus tard dans la matinée, le portier fait sonner notre interphone et nous dit qu'une voiture de police nous attend.

« Tu es toujours Madame l'Agent Oh ?

— Bien sûr, répond Madame l'Agent Oh. Ça fait un bail. »

Il y a des petits points sur les fenêtres de la voiture de police, de la pluie, je crois. Maman se mordille le pouce. « Mauvaise idée ! » J'écarte sa main.

« Oui. » Elle reprend son pouce et se remet à le ronger. « Je voudrais qu'il soit mort. » Elle chuchote presque.

Je sais de qui elle parle. « Mais pas au Ciel.

— Non, devant la porte du Ciel.

— *Toc-toc-toc*, mais il aurait pas le droit d'entrer.

— C'est ça.

— Ha ha ! »

Deux camions de pompiers passent avec leurs sirènes. « Mamie dit qu'il y en a d'autres.

— Quoi ?

— Des méchants comme lui, dans le Dehors.

— Ah, dit Maman.

— C'est vrai ?

— Oui. Mais le piège c'est qu'il y a beaucoup plus de gens entre les deux.

— Où ça ? »

Maman regarde par la fenêtre mais je sais pas quoi. « Entre les gentils et les méchants, elle répond. Un peu des deux mélangés. »

Les points sur la vitre se changent en petits ruisseaux.

Quand on s'arrête, je sais que c'est là juste parce que Madame l'Agent Oh dit : « Nous y voilà. » Je me rappelle pas de quelle maison Maman était sortie, la nuit de notre Grande Évasion, elles ont toutes des garages. Aucune n'a spécialement l'air d'une cachette secrète.

« J'aurais dû apporter des parapluies, dit Madame l'Agent Oh.

— Ce n'est qu'une petite averse », répond Maman. Elle sort et elle me tend la main.

J'enlève pas ma ceinture. « La pluie va nous tomber dessus…

— Finissons-en, Jack, parce que je n'ai pas l'intention de revenir. »

Clic, je la détache. Je baisse la tête et je ferme à moitié les yeux, Maman me guide. La pluie est sur moi, ma figure se mouille, ma veste aussi, et mes mains, un tout petit peu. Ça fait pas mal, c'est juste bizarre.

Quand on s'approche de la porte de la maison, je sais que c'est celle de Grand Méchant Nick parce qu'il y a un ruban jaune avec des lettres noires : SCÈNE DE CRIME, INTERDIT AU PUBLIC. Un gros autocollant avec un horrible loup dit ATTENTION, CHIEN MÉCHANT. Quand je le montre du doigt, Maman répond : « C'est juste pour de semblant. »

Ah oui, le chien de la ruse qui avait fait une crise d'épilepsie le jour où Maman avait dix-neuf ans !

Un Monsieur la Police que je connais pas ouvre la porte de l'intérieur ; Maman et Madame l'Agent Oh se baissent pour passer sous le ruban, moi je dois juste me pencher un peu de côté.

La maison a plein de chambres avec des tas de choses comme des gros fauteuils rebondis et la plus énormesque télé que j'avais jamais vue. Mais on traverse s'en s'arrêter : il y a une autre porte au fond et on ressort dans l'herbe. La pluie tombe encore, mais mes yeux restent ouverts.

« Le jardin est entouré par une haie de quatre mètres cinquante de haut, explique Madame l'Agent Oh à Maman, les voisins ne se sont doutés de rien. "La vie privée des gens, ça se respecte", *et cætera*. »

Il y a des buissons et un trou avec un autre ruban jaune autour. Ça me rappelle quelque chose. « C'est là que… ? »

Maman s'arrête et le regarde. « Je ne crois pas que je vais y arriver. »

Moi j'avance jusqu'au bord. Il y a des trucs marron dans la boue. « C'est des petits vers ? » je demande à Madame l'Agent Oh et ma poitrine fait *boum-boum-boum*.

« Non, seulement des racines.

— Où il est, le bébé ? »

Maman est à côté de moi, elle fait un bruit.

« Nous l'avons déterré, dit Madame l'Agent Oh.

— Je ne voulais pas qu'elle reste là », explique Maman, sa voix est toute râpeuse. Elle se racle la gorge et demande à Madame l'Agent Oh : « Comment avez-vous réussi à retrouver…

— On utilise des sondes qui perçoivent la densité du terrain.

— On lui choisira un meilleur endroit, m'explique Maman.

— Le jardin de Mamie ?

— Tu sais quoi ? On pourrait… On pourrait réduire ses os en cendres et les disperser sous le hamac.

— Comme ça elle repoussera et redeviendra ma sœur ? »

Maman secoue la tête. Elle a plein de traces de larmes sur la figure.

La pluie me mouille de plus tant plus. Mais pas comme une douche, ça caresse.

Maman est tournée de l'autre côté, elle regarde une cabane grise au fond du jardin. « C'est là, elle dit.

— Quoi ?

« — La Chambre.

— Je te crois même pas !

— Si, Jack, simplement tu ne l'as jamais vue de l'extérieur. »

On suit Madame l'Agent Oh, on passe par-dessus d'autres rubans jaunes. « Regardez, le système central de ventilation est caché derrière ces buissons, elle dit à Maman. Et l'entrée est située à l'arrière, dans un angle mort. »

Je vois du métal argenté : c'est Madame Porte, je crois, mais son côté que j'avais jamais vu. Elle est déjà à moitié ouverte.

« Vous voulez que j'entre avec vous ? demande Madame l'Agent Oh.

— Non ! je crie.

— D'accord.

— Juste moi et Maman. »

Mais Maman m'a lâché la main, elle se plie en deux et elle fait un bruit bizarre. Il y a quelque chose sur l'herbe et sur sa bouche ; c'est du vomi, je reconnais l'odeur. Elle a encore mangé du poison ou quoi ? « Maman, Maman…

— Ça va. » Elle s'essuie la bouche avec un mouchoir en papier que Madame l'Agent Oh lui donne.

« Vous préféreriez… ?

— Non, répond Maman et elle me reprend par la main. Allez, viens. »

De l'autre côté de Madame Porte, c'est tout faux. Plus petit que dans la Chambre et plus vide et en plus ça sent très bizarre. Monsieur Par-Terre est tout nu, parce que Monsieur Tapis a disparu (il est dans mon dressing de la Résidence Individuelle, j'avais oublié qu'il pouvait pas être ici en même temps). Monsieur Lit est là mais sans les draps et Madame Couette. Monsieur Rocking-Chair y est et aussi Madame Table, Monsieur Évier, Madame Baignoire et Monsieur W-C sauf qu'il y a pas d'assiettes et de couverts dessus ; je vois Madame Commode et Madame Télé avec Lapinot l'Antenne qui a son nœud papillon rouge sur l'oreille, et aussi Madame Étagère mais sans rien sur elle et nos chaises pliées mais elles sont toutes changées. Rien me dit quelque chose. « Je crois pas que c'est ici, je chuchote à Maman.

— Si, c'est bien ici. »

Nos voix ne se ressemblent pas. « Elle s'est rétrécie ?

— Non, elle a toujours été comme ça. »

Petit Mobile en Spaghetti a disparu et aussi mon dessin de la pieuvre et les chefs-d'œuvre et tous les jouets plus Grand Château Fort et Grand Labyrinthe. Je regarde sous Madame Table mais je retrouve pas la toile d'araignée. « Il fait plus sombre.

— C'est parce qu'il pleut aujourd'hui. Tu pourrais peut-être allumer. » Maman me montre Madame Lampe.

Mais j'ai pas envie de toucher la Chambre. Je regarde mieux, j'essaie de la voir comme avant. Quand je reconnais mes chiffres d'anniversaire marqués à côté de Madame Porte, je me mets debout contre eux et je pose ma main à plat sur ma tête : je suis plus grand que le 5 noir. Il y a un truc noir tout fin partout. « C'est notre peau en poussière ? je demande.

— Non, de la poudre pour relever les empreintes digitales », répond Madame l'Agent Oh.

Je me penche et je regarde sous Monsieur Lit où Serpendœuf est tout pelotonné comme s'il dormait. Je vois sa langue, je tends la main doucement et je sens la petite aiguille qui pique.

Je me relève. « Où elle était, Madame Plante ?

— Tu as déjà oublié ? Juste là », dit Maman en tapotant le milieu de Madame Commode et je vois un cercle plus colorié que le reste.

Il y a la marque de Petite Piste autour de Monsieur Lit. Le creux sous Madame Table où nos pieds frottaient Monsieur Par-Terre. Je crois que c'était bien la Chambre, avant. « Mais plus maintenant, je dis à Maman.

— Quoi ?

— C'est plus la Chambre.

— Tu crois ? » Elle renifle. « Elle sentait encore plus le renfermé. Bien sûr, la porte est ouverte aujourd'hui. »

Et si c'était pour ça ? « Peut-être que c'est pas la Chambre si Madame Porte est ouverte. »

Maman fait un tout petit sourire. « Tu veux… » Elle se racle la gorge. « Tu voudrais qu'on la ferme une minute ?

— Non.

— Très bien. Il faut vraiment que je sorte maintenant. »

Je m'approche de Monsieur Mur-Côté-Lit et je le touche du doigt : le liège me fait rien de spécial. « C'est bonne nuit même le jour ?

— Hein ?

— Est-ce qu'on peut dire bonne nuit quand c'est pas la nuit ?

— Ça doit être adieu, le mot que tu cherches.

— Adieu, Monsieur Mur. » Après, je le dis aux trois autres murs et aussi : « Adieu, Monsieur Par-Terre. » Je tapote Monsieur Lit : « Adieu, Monsieur Lit. » Je passe ma tête dans Dessous Monsieur Lit pour dire : « Adieu, Serpendœuf. » Dans Petit Dressing, je chuchote : « Adieu, Petit Dressing. » Dans le noir, je vois le portrait de moi que Maman m'avait dessiné pour mon anniversaire : j'ai l'air tout petit. Je lui fais signe d'approcher et je lui montre.

J'embrasse sa figure où les larmes coulent, ça a le même goût que la mer.

Je prends le Moi-en-dessin, je le mets sous ma veste et je remonte le zip. Maman est presque à côté de Madame Porte, je la rejoins. « Tu peux me porter ?

— Jack…

— S'il te plaît. »

Maman m'assoit sur sa hanche, je lève les mains.

« Plus haut. »

Elle me tient autour des côtes, elle me lève tout-tout là-haut et je touche le début de Monsieur Toit. « Adieu, Monsieur Plafond. »

Maman me repose, *boum*.

« Adieu, la Chambre. » Je fais un signe de la main à Madame Lucarne. « Dis-le aussi, Maman ! "Adieu, la Chambre." »

Maman le répète mais sans le son.

Je me retourne une dernière fois : c'est comme un cratère, un trou à l'endroit où quelque chose s'est passé. Et on retourne dehors.

Composition et mise en pages réalisées
par IND - 39100 Brevans

Achevé d'imprimer par GGP Media GmbH, Pößneck
en juin 2012
pour le compte de France Loisirs,
Paris

N° d'éditeur: 68746
Dépôt légal : mai 2012

Imprimé en Allemagne